Hermann Clemens Kosel

# Albrecht Dürer

**Dritter Band:**
**Der Apostel**

Hermann Clemens Kosel: Albrecht Dürer
Dritter Band: Der Apostel
Copyright © by area verlag gmbh, Erftstadt, mit freundlicher
Genehmigung der Erbengemeinschaft Hermann Clemens Kosel
Alle Rechte vorbehalten

Einbandgestaltung: agilmedien, Köln
Einbandabbildungen: akg, Berlin
Satz & Layout: GEM mbH, Ratingen
Printed in Slovakia 2004
ISBN 3-89996-327-X

Der Februaranfang des Jahres Fünfzehnhundertzwölf war sonnig und warm, als wäre der Lenz erwacht und schmölze die Schneerinde von den braunen Schollen der Acker und die Eiskrusten auf den Straßen Nürnbergs. Und das war den Bürgern recht, die vom frühen Morgen an auf den Beinen standen. Galt es doch, des Heiligen Deutschen Reiches vielgeliebten Kaiser Maximilian I. in der Reichsstadt festlich zu begrüßen. Obzwar er sich in diesen unruhigen Zeitläuften jeden Prunk verbeten hatte, weil sein Besuch nicht politischen Dingen galt, deren er in Köln und Trier zur Genüge durchgefochten hatte, ließen es sich die Nürnberger doch nicht nehmen, ihren geliebten Max nach Gebühr zu empfangen.

Der Herrscher hatte dem Rate bekanntgegeben, er wolle einige Tage friedlich in beschaulicher Rast im Kreise der Gelehrten und Künstler erfreulichen Gedanken nachgehen, denn er war fast immer unterwegs, von Pfalz zu Pfalz, von Stadt zu Stadt. Seine eigentliche Heimat war seit Jahren der Sattel gewesen. Da sehnte er sich nach Erholung, die er in Kunst und Dichtung zu finden hoffte. Er schrieb zur Verherrlichung der Ruhmestaten seines Vaters, Friedrichs III., und seiner Jugendabenteuer die Dichtung »Weißkunig« (weißer König), die ihm der Innsbrucker Gelehrte Markus Treitzsauerwein in schwerfällige Prosa kleidete und die Augsburger Maler Hans Burgkmair und Leonhard Beck mit Bildern schmückten. Nun gedachte er, die ritterliche Epik mit einem allegorischen Gedicht zu bereichern, das seine Brautfahrt und Reiseabenteuer besingen und dartun sollte, wie einen Helden in den drei verschiedenen Lebensabschnitten die Gefahren bedrohen. Der Nürnberger Dompropst Melchior Pfinzing kleidete diese Erlebnisse in platte Verse unter dem Titel »Teuerdank«, und der Kaiser wollte sie von einem Nürnberger Maler illustrieren und als Prachtwerk ausgehen lassen.

Vornehmlich aber war es dem Kaiser darum zu tun, die Verherrlichung des habsburgischen Ruhmes in einem mächtigen Riesenholzschnittwerk bildlich auszuweisen. Zu diesem Zwecke wollte er Albrecht Dürer kennenlernen, den er durch seine Berater Johannes Stabius und Wilibald Pirkheimer davon in Kenntnis setzen ließ. Der Meister hatte mit Wilibald schon den ganzen Ausbau der »Triumphpforte« durchdacht und skizziert, und der Aufenthalt des Kaisers sollte dazu dienen, alle Einzelheiten auszuarbeiten.

Der gute, arme Maximilian, dem es stets an Geld mangelte, um seine Ideen Tat werden zu lassen, mußte auf billige Mittel sinnen, um in poetischen Regungen und künstlerischen Phantasien das Vollgefühl seiner erhabenen Weltstellung einigermaßen befriedigen zu können. Gedrückt von des Reiches Händeln und durch das Mißtrauen der Fürsten und Stände verfolgt, spann er seine Ruhmesbegierde und die Verherrlichung seiner eigenen Person in ein Traumleben hinein. Sein krankes Gemüt fand in dieser eitlen Freude zwar einige Befreiung, aber seine Regierungsgeschäfte kamen dabei zu Schaden, und das machten sich die Reichsstände nutzbar.

Er wurde von seiner Umgebung und von seinen Widersachern oft schwer bedrängt und herabgesetzt, so daß er, wie er selbst ausrief, sich als »Prügelknabe des Geschickes« fühlte. Bei seiner zart empfindenden Natur tat es ihm unendlich wohl, wenn er sein geduldiges Erleiden von Kränkungen und Zurücksetzungen bei jeder Gelegenheit erzählen konnte. Mit Vorliebe klagte er, daß »seit Christo keiner so viel gelitten habe wie er«. Aus seinen Klagen klang aber ein Unterton heraus, der ihn den Kummer nicht ernst nehmen ließ, der eher einer Eitelkeit diente als wirklichem Leid, weil er durch sein Klagen schmeichlerische Bewunderung herausforderte.

Er fühlte sich stets jugendlich, entfaltete eine Prachtliebe ohne Berechnung, die seine magere Kassa rasch erschöpfte. Über das beständige Borgen, Schuldenmachen, Verpfänden seiner Einkünfte und Güter setzte er sich leicht und ohne Sorgen hinweg. Daß er durch Leichtsinn sein ganzes Hab und Gut an seine Geldgeber abgetreten hatte, machte ihm weniger Kummer, als wie er seine neuen Pläne verwirklichen werde.

Am glücklichsten war er, wenn er dem Volke seine Liebe zeigen und dessen Liebe empfangen konnte. Er scheute sich nicht, mit Bauerndirnen schönzutun, er suchte das Volk in den Hütten auf, tanzte mit den schmucken Bürgerinnen, lachte und scherzte mit den Kindern und wurde an allen Orten, wo er sich zeigte, verhimmelt. Seine Beliebtheit war groß, allzu groß, zum Verdruß der Fürsten und Stände, aus denen er sich wenig machte, die er sogar öffentlich zurücksetzte und kränkte, weil sie ihm diktieren wollten.

Und darum liebten die freien Nürnberger ganz besonders ihren Kaiser Max und wollten ihn diesmal festlich empfangen.

Wilibald Pirkheimer, den der Rat zum zweiten Bürgermeister gewählt hatte, wurde mit der Einteilung aller Förmlichkeiten betraut; denn der Kaiser schätzte ihn sehr, weil er gern und verständig auf seine Passionen einging. Er hatte den Gelehrten schon durch seinen Historiologen und Hofdichter Johannes Stabius von den neuen Plänen unterrichten lassen. Deshalb wurde vom Rat Nürnbergs auch beschlossen, daß ihn Pirkheimer feierlich begrüße.

Alle Ehrbaren und Patrizier, soweit sie trotz ihres Alters noch ein Pferd besteigen konnten, versammelten sich hoch zu Rosse vor dem Rathause. Als vom Luginsland*) das Trompetengeschmetter ankündigte, daß der kaiserliche Zug die Höhen von Nürnberg erreicht habe, setzte sich die bunte Kavalkade in rasche Bewegung, um den Kaiser, der von Augsburg her auf dem Wege war, im Stadtfrieden einzuholen. Vor dem Frauentor staute sich die Volksmenge, als der Kaiser einritt, nur gefolgt von einem Fähnlein Getreuer. Das Volk jubelte ihm entgegen, jeder wollte ihn sehen und grüßen, jeder wollte ihm ein »Heil« zurufen, es war eine Freude im Volk zum Kaiser.

Auf dem Brabanter Schimmel ragte die breite Gestalt des Herrschers hoch auf, von einem einfachen Purpurmantel umhüllt. Aber ein gedrückter Zug lag in dem bleichen Gesicht und um die vorgeschobene Unterlippe des Habsburgers. Nur in den Augen funkelte ein lebhafter Glanz, als er sah, wie das Volk ihm entgegenjubelte.

---

*) Aussichtsturm.

»Sie haben Uns lieb, die getreuen Bürger! Und Wir sind doch so sehr arm. Mit vollen Händen wollten Wir Gold unter sie streuen, wenn Wir's hätten!« Der Kaiser flüsterte die Worte vor sich hin, nickte nach allen Seiten und zeigte seine Freude. Gerührt sprach er zu Pirkheimer, der ihn ehrfurchtsvoll begrüßte:

»Mein lieber Rat! Nürnberg hat ja seine Kinder kräftig auf die Beine gebracht. Wisset Ihr noch, wie Unser Vater weiland mit Lebküchlein die liebholden Kindlein gefüttert hat? Wir sehen noch immer das unschuldsvolle Völklein durch den Burggraben ziehen, und nun sind sie alle schöne Männer und Weiblein worden, aus denen wieder so ein Schwarm holder Kindlein erblüht ist. Sehet nur, mein Lieber, wie Uns die hellen Äuglein anlachen, alle, alle sind sie gekommen!«

Mit beiden Händen winkte der Kaiser den Kindern zu. Pirkheimer war ergriffen von der Freude Maximilians; bewegt sagte er:

»Kaiserliche Majestät! Wenn Euer Liebden an unser Tor pochen, und trüget Ihr selbst das Kriegsschwert herein, da muß sich jedes Nürnberger Kindlein auf die Beine stellen und Euch voller Lieb' anschauen. Ihr seid uns ja doch viel mehr als nur des Reiches Verweser: Ihr seid des Deutschen Reiches Herzensstürmer!«

Das war dem Kaiser das höchste Lob, viel erfreulicher als die Huldigung der stolzesten Fürsten. Als eine junge Mutter ihr zappelndes Knäblein hoch über die Köpfe hob, streckte das Kind dem Kaiser, von seinem gütigen Blick ermutigt, die Ärmchen entgegen. Da rief das Weib: »Schau' dir den lieben Kaiser an, so einen gibt's in Ewigkeit nimmer!« Da liefen dem Kaiser Tränen über die Wangen. Hastig drängte er sein Roß an die junge Mutter heran, flugs hatte er das lachende Knäblein erfaßt und auf seinen Sattel gehoben. So ritt Kaiser Maximilian, mit dem munteren, lachenden Kind vor sich auf dem Brabanter Schimmel, durch das Tor Nürnbergs, gefolgt von seinen Getreuen und den Ehrbaren des Rates. Vom jubelnden Volke umringt, ritt er durch die geschmückten Straßen, durch die Wogen der Liebe, bis zum Rathause. Dort übergab er der glückstrahlenden Mutter das Kindlein, und lachend rief er ihr zu:

»Freuet Euch, Euer Knäblein wird ein wackerer Reiter werden, den keine Gefahr schreckt! Da habt Ihr es wieder, betreut mir's gut, haltet es in Gottvertrauen. Dieses goldene Münzlein mit Unserem Konterfei soll es tragen und des Rittes gedenken, wenn es einmal das Schwert für des Reiches Schutz zu führen vermag!«

Als wäre sie von Gott begnadet worden, so beseligt lief die junge Mutter mit dem Kind am Arm dahin, und wer es sah, der rief ihr nach: »Sehet, das ist das Knäblein, das auf des Kaisers Roß ist eingeritten und das ein gülden Konterfei vom guten Max empfangen hat.«

Der älteste Bürgermeister reichte dem Kaiser im goldenen Pokal den Willkommstrunk vor den Stufen des Rathauses. Der hob den funkelnden Becher hoch auf, schwenkte ihn dem Volke zu und rief mit weittragender Stimme:

»So heilig wie des Sebaldusdomes Spitzturm, der allen Frommen den Himmel weiset; so fest wie Unserer Burgen Zinnen, die allen Stürmen trotzen: so heilig und so fest ist Unseres Volkes Liebe und Unsere Liebe zum Volke! Ihr weihen Wir den Trunk! Sie möge Uns schützen in Unserer Not, die Wir um des Reiches Herrlichkeit ertragen müssen!«

Donnernde Heilrufe, die nicht enden wollten, brausten über den Marktplatz, die Posaunen der Stadtpfeifer schmetterten eine Fanfare, tausend Tüchlein schwenkten in der Luft, und tausend helleuchtende Augenpaare trugen dem Kaiser die Liebe zu.

Als der Kaiser den Rathaussaal betrat, sprach ihn Pirkheimer im Namen der Humanisten und der Meister in einer lateinischen Rede an. Maximilian ließ seine Blicke rasch die Runde machen. Es waren prächtige, deutsch-markige Gestalten, die ihn umstanden. In schwarzen, verbrämten Mänteln und weißer Halskrause, die Brust geschmückt mit der goldenen Kette, verneigten sich die Ratsherrn; in ihrer violetten Pracht die kaiserlichen Räte. Die Meister standen im bunten Festgewande wie mächtige Säulen um den schlichten, von der Freude leicht erregten Kaiser, der sie rufen ließ, um ihnen seines Ruhmes Denkmäler anzuvertrauen, und sie wollten ihr bestes Können ohne Gewinn willig der Ehre opfern, die in der Gunst der Majestät thronte.

In ihrer Mitte, neben Peter Vischer und Veit Hirschvogel, stand Albrecht Dürers prächtige Gestalt, die aus dem schlichten Kreise herausragte. Um ihn herum gruppierten sich der Dompropst von St. Sebald Melchior Pfinzing, der gelehrte Arzt Hartman Schedel mit den Humanisten, der Staatsmann Christoph Kreß, Hieronymus Holzschuher und Konrad Nützel mit den Gesandten der Stände. Hinter Dürer standen des Kaisers Plattnermeister\*) Hans Grünwalt, des berühmten Wappen- und Siegelschneiders Daniel Engelhardt gelähmte Gestalt, Hans Schäufelin, Dürers Geselle, der Formenschneider Hieronymus Andreae, Goldschmiede, der Buchdrucker Koberger und andere Meister aus dem Ruhmeskranze von Nürnbergs Blütezeit.

Der Kaiser nickte den Gelehrten und Meistern liebevoll zu, seine Blicke aber blieben immer wieder auf dem ernsten, weihevollen Gesicht Dürers ruhen, der wie ein stolzer Fürst unter Rittern in banger Not der Gnade des Kaisers harrte. Aus seinen Augen strömte so heller Glanz, daß Maximilian nicht der Rede Pirkheimers folgen konnte, denn aus diesen Augen leuchtete ihm ein Geist entgegen, wie er ihn selten fand. Die Rede unterbrechend, rief der Kaiser in seiner sprunghaften Art Pirkheimer zu:

»Vergebet, lieber Doktor, Wir sehen da einen, der Uns seine Seele so offen entgegenhält, daß Wir Uns erstaunen. Das kann kein anderer sein als Euer gerühmter, mir so warm empfohlener Maler.«

Er trat auf Dürer zu und reichte ihm die Hand.

»Wir meinen Euch, Meister! In Euren Werken sehen Uns dieselben Wahrheitsaugen entgegen, die die Schönheit suchen und Gott suchen, die die Natur und die Seelen der Menschen verstehen. Aus Euren Augen strahlt Uns aber auch eine Offenbarung

---

\*) Harnischmacher.

entgegen: Euer Ruhm wird sich mit Unserem vereinigen, und Wir fürchten, daß er größer sein wird als der Unsere. Item, so fragen Wir Euch, zaghafter, als Wir es sonst tun: Wollt Ihr Eure Kunst in Unsere Dienste stellen?«

Dürer neigte sein Lockenhaupt, die Gnade des Kaisers verwirrte einen Augenblick sein Denken; aber rasch faßte er sich. Er gedachte der Worte Wilibalds: »Ein Kaiser ist auch nur ein Mensch wie alle anderen.« Mit warmer Stimme sprach er:

»Kaiserliche Majestät, ich will! Eine größere Ehrung kann mir nimmer widerfahren, als meines geliebten Kaisers Vasall zu sein. Was ich vermag mit meiner schwachen Kunst, soll Euch zum Ruhme werden; in meinem Schaffen will ich aufzeigen, was Nürnbergs Kunst erreichte. An dem erhabenen Ruhm des Heiligen Deutschen Reiches Majestät will ich meine Feiertagsgedanken erheben. Gebe Gott, daß mir die Gnade zuteil werde, jene Glorie zu erfassen, die Eurer Herrscherwürde gebührt.«

Wie Orgelton erfüllten die Worte Dürers den Saal; der Kaiser nickte ihm huldvoll zu und bat Pirkheimer, in seiner Rede fortzufahren. Der aber war von dieser Unterbrechung, die seinem Freunde so große Ehre brachte, ergriffen und rief dem Kaiser ein deutsches Heil zu, in das alle begeistert einstimmten.

Peter Vischers Augen hingen in Bewunderung an Dürer; er dachte, wenn der gottselige Adam Kraft, den der Kaiser so schätzte, das erlebt hätte, wie sich Dürer vor dem lieben Max verbeugte, wie er Worte fand, die so ganz anders waren, als sie die Meister sonst zum Kaiser sprachen, welche Herzensfreude hätte der gute Adam gehabt. Er konnte aber nicht lange bei dem getreuen Gedenken an seinen alten Freund verweilen, denn der Kaiser, der ihn sah, rief ihm zu:

»Da seid Ihr ja auch, Meister Peter! Wie weit kamt Ihr mit dem Theodorich und dem König Artus für Unser Innsbrucker Grabmal? Ist Euch der Guß gelungen?«

»Ist noch gar nit aus dem Schmelzfeuer geloffen, Herr Kaiser!«

Erschrocken von der plötzlichen Frage, stammelte es der Rotschmied, dessen kleine, gedrungene Gestalt sich tief neigte: »Die

Formen sind fertig, nur das Messing fehlt mir zum Guß. Wo soll ich die teure Speis' hernehmen? Keiner will mir borgen!«

Verlegen über diese Aufrichtigkeit des biederen Meisters, sah der Kaiser Pirkheimer an, der wohl auch ein wenig erschrak.

»Lieber Rat«, flüsterte ihm die Majestät lächelnd zu, »da werdet Ihr wohl wieder Sorge tragen müssen, dem Rotschmied das Messing zu verschaffen. Ihr wisset ja, wie leer Unsere Kassa ist. Der wackere Meister kann doch die Formen nit verderben lassen! Ach!« seufzte er vor sich hin: »Das Gold und das Vertrauen sind Uns gar zu widerspenstig. Gegen alle Welt können Wir Uns erwehren; diese beiden aber sind Uns allzu mächtige Feinde geworden!«

Verlegen versprach Pirkheimer, im Rat den Fall zur Sprache zu bringen, trotzdem er wußte, daß der Kaiser schon alle Steuern und Zölle verpfändet hatte und ihm die Losunger kein Geld mehr leihen konnten.

Mit den Meistern, die er berief und die ihm willig dienten, sprach Maximilian über die Ausführung von neuen Aufträgen; er hätte sie alle überreich belohnen wollen, aber ach! Wie sollte er die alten Arbeiten bezahlen, geschweige denn die neuen? Jedoch, was half es, er war der Kaiser und mußte die Schaffenskraft der Meister anspornen. Veit Hirschvogel erhielt den Auftrag, für die St. Sebalduskirche ein Fenster kunstvoll zu malen, Hans Schäufelin wies er an, den »Teuerdank« nach Melchior Pfinzings Angaben mit Bildern in Holzschnitt auszustatten; Hans Grünwalt, dem Plattner, gab er Auftrag, ihm eine neue Rüstung zu machen in spanischer Art und diese mit Ätzungen nach Aufrissen Dürers zu schmücken. Mit Hieronymus Andreae, dem Formenschneider, verhandelte er wegen der Holzstöckelschnitte zu Dürers »Ehrenpforte«. Anderen Meistern gab er neue Aufträge für Siegelschnitte, Prunkschmuck, Mäntel und Gewaffen.

Als er sich mit den Gelehrten Stabius, Pirkheimer, Schedel und seinem geliebten Dichter Pfinzing zur Tafel setzte, da wurde der Kaiser so vergnügt, als säße er unter Freunden. Die Majestät legte er ab, seine Augen leuchteten, seine Ideen zu den Werken, die er schaffen wollte, gab er mit so viel Begeisterung kund, daß keiner, der ihn sah, ihn für des großen Heiligen Deutschen Reiches Beherrscher mehr gehalten hätte. Er war wieder unter seinen Getreuen, die ihn liebten, die ihm vertrauten, die ihm ihres Geistes Schätze willig erschlossen, wie ihresgleichen. Sein Trinkspruch beim Mahle war Nürnbergs Humanisten und Meistern der Kunst geweiht. Der Anblick Dürers aber bot ihm eine stete Augenweide; immer wieder suchten ihn seine Blicke. Den aber hatte auch Johannes Stabius gar bald in sein Herz geschlossen, als er sah, mit wie weittragenden Ideen er den Gedanken der »Ehrenpforte« schon ausgearbeitet hatte. Was Dürer ihm nicht mit Worten deuten konnte, warf sein Stift hurtig auf das Papier, das alsbald zum Kaiser wanderte, der darüber erstaunte, wie seine Idee in der Kunst Dürers lebendige Gestalt annahm.

»Was seid Ihr doch für ein Mensch!« rief Maximilian freudig über den Tisch hinüber zu Meister Albrecht. »Wenn ich Eure flinken Finger schaffen sehe, da ist mir, als wäret Ihr der Herrgott selber. Ihr malet mit den Augen, mit dem Verstand und mit Eurer Stimme Wohllaut. Wie machet Ihr das?«

Dürer lächelte versonnen; dann sagte er frei und ungeziert:

»Kaiserliche Majestät, was ich hier in raschen Strichen aufreiße, hab' ich in vorbedachter Erwägung schon entworfen, in der Größe, wie ich es für möglich erachte, die Druckformen zu schneiden. Aus zweiundneunzig Holzstöckeln gedenke ich die Pforte der Ehren Eurer Majestät zusammenzufügen, darauf der Ruhm des Hauses Habsburg glorifiziert werden soll. So es Euer Liebden befehlen, will ich meine Entwürfe auf der Wand aufhängen, ich hab' sie mitgebracht!«

Der Kaiser, überrascht, gab die Zustimmung. Dürer holte die Rollen, die er ausbreitete, und ließ eine Leiter bringen, um den drei Meter breiten Entwurf an der Wand zu befestigen. Die Gelehrten, Meister und Ratsherren waren aufgesprungen; der Kaiser, von der Freude erfüllt, das gewaltige Werk in seinem breiten Umriß auf sich einwirken lassen zu können, gab einem Edelmann seiner Gefolgschaft den Wink, ihm einen Stuhl nahe zur Wand zu stellen.

Als Dürer mit den Papierrollen und Stiften die Leiter besteigen wollte, befahl der Kaiser einem Kämmerer, dem Meister die Leiter zu halten, daß sie am glatten Parkettboden nicht ausgleite. Der aber rührte sich nicht, sein Gesicht zeigte Widerwillen zu dieser Knechtarbeit. Wie konnte der Kaiser einem Adeligen zumuten, einem Handwerker die Leiter zu halten?

»Das ziemt sich nit für einen Edelmann, das soll ein Ratsknecht tun!«

Diese hochmütige Weigerung verdroß den Kaiser wenig. Er trat zur Leiter und sagte lächelnd:

»Ich will sie Euch selber halten, Meister Dürer, Ihr könntet herabfallen, und mir banget um Euer Leben; denn wo nähme ich wieder einen solchen Maler her, wie Ihr einer seid. *Wohl kann ich aus jedem Gemeinen einen Edelmann machen, aus einem Edelmann aber niemalen ein Genie!*«

Der Kämmerer schlich beschämt hinweg, von boshaft höhnenden Blicken verfolgt. Der Kaiser aber lachte. Bis in die Dämmerung hinein besprach er mit den Gelehrten und mit Dürer den Plan zur »Ehrenpforte«.

Als er schon längst seine Gemächer in der Burg aufgesucht und sich zum Schlaf niedergelegt hatte, saßen Stabius, Pirkheimer und Dürer noch lange, bis in die späte Nacht hinein, beisammen und besprachen die Ausführungen des gewaltigen Holzschnittwerkes, wie bisher noch kein größeres geplant ward.

Frau Agnes seufzte in ihrem Schlafgemach:

»Jetzt wird der liebe Albrecht bei all der Kaiserherrlichkeit auf die frommen Marienbilder ganz vergessen. Was ist doch die Ehre für ein eingebildetes Frauenzimmer! Wär'mir's doch lieber, er sucht sich ein ander Weibsbild, wenn so ein Maler ohne Weiber nit sein kann. Da kommt er eher wieder zu mir zurück als so, wo ihn Kaiserehrung und Ruhm weiter von mir drängen!«

Der Kaiser saß, in seinen Pelzmantel gehüllt, im hohen, holzgetäfelten Erker seines Gemaches auf der Burg vor dem wuchtigen Eichentisch, auf dem Schriften in breiter Unordnung umherlagen. Die Sonne leuchtete mit geringer Helligkeit durch die grünlichen Butzenscheiben, denn der Wintertag war trübe und machte feinfühlige Naturen melancholisch.

Um den großen Tisch am andern Ende des Gemaches arbeiteten Stabius, Dürer und Pirkheimer an den Entwürfen, die in den wenigen Tagen seit der Ankunft Maximilians schon weit gediehen waren. Die vielen Symbole und Allegorien, die des Kaisers Tugenden verherrlichen sollten, gaben den Denkern zu schaffen. Stabius dichtete die Reime für die Felder. Pirkheimer suchte in seiner Gelehrtheit den geringfügigsten Eigenschaften und Taten Maximilians höhere Bedeutung zu geben, und Dürer fügte Gestalten an Gestalten in die Umrisse der Ehrenpforte, die das architektonische Aussehen des habsburgischen Waffenturmes in Innsbruck bekam, weil es der Kaiser so wollte. Alle politischen Ereignisse aus des Kaisers Leben und die Vorzüge seiner Regentenerscheinung sollten in dieser »Ehrenpforte« dargestellt werden. Die Kämpfe und Siege unter seiner Herrschaft boten gestaltenreiche Fülltafeln für das Gefüge der überladenen Flächen. In den aufsteigenden Leisten des Mittelbogens reihten sich die 102 Wappenschilder der Länder und Provinzen, die dem Herrscher untertan waren. Dazwischen erhob sich auf einer steigenden Wellenlinie der Stammbaum Maximilians, auf dessen Spitze er im Reichsornate thronte, umgeben von den Genien des Ruhmes. Auf den Seitentoren der Pforte, die sich in Türme und anhängende Tore, der »Pforte des Lobes« und der »Pforte des Adels«, gliederten, wollte Dürer in tausendgestaltigen Bildern auf 24 Feldern die Geschichte und die Taten des Kaisers darstellen. Dürer war unerschöpflich im Erfinden von Ornamenten, Säulenkapitälen, heraldischem Wappenschmuck, und unzählige Figuren strömten aus seiner Phantasie. So schufen die fleißigen Hände und die regen Geister, in ihre Arbeit vertieft, unentwegt an dem Werke.

Indessen ging der Kaiser seinen Regierungsgeschäften nach, empfing vom Nürnberger Führer der Staatsverwaltung, Christoph Kreß, die Berichte, erledigte sie mit Widerwillen, da sie nichts Erfreuliches boten und nur von Streit und Rechtsgefahren handelten, die von den Ständen herbeigeführt wurden.

Mißmutig und traurig saß der Kaiser im weichen Polsterstuhl, ihn fröstelte. Seine Wünsche fanden keinen fruchtenden Boden. Sein Geheimschreiber Grünbeck trug ihm die Haussorgen vor, ein unerfreuliches Register von Geldmangel und Nöten. Der Kaiser seufzte in seinem Unmut auf, nur Gutes hätte er stiften wollen, aber sein Gold zerrann, ehe er es zu wichtigen Dingen verwenden konnte.

»Seit Christo hat keiner so viel erlitten als ich«, sprach er, sich an seinem Kummer weidend. »Es bleibt mir nichts anderes übrig, als einen Krämer einzufangen. Schreibe dem Jakob Fugger nach Augsburg einen gesiegelten Brief, er soll wieder herhalten.«

Der Schreiber blieb unwillig stehen. Als ihn der Kaiser fragend ansah, sagte er ganz unbotmäßig:

»Majestät, das wird nichts nutzen. Alles, was zum Pfand taugt, ist schon vergeben. Die Salzgruben und Silberbergwerke hat der Fugger schon übernommen für die Gulden, die so leicht verrollen. Wie aber Majestät das wieder einlösen werden? Keiner mehr will uns borgen!«

Der Kaiser, der sich an die respektlose Behandlung seiner Vertrauten schon gewöhnt hatte, weil er wußte, daß seine Haltlosigkeit dazu führte, ging leicht über die mürrische Art des Geheimschreibers hinweg und verfiel in Selbstironie. Er klagte:

»Was hab' ich schon alles erdulden müssen! Glaubst du, Knechtlein der heiligen Krone, ich leide nit darunter? Glaubst du, ich weiß nit, daß ich in Schulden bin? Die Bürger und Bauern wissen's auch, sie lieben mich aber trotzdem! Hab' ich ihnen doch genug Privilegien und Freiheit gegeben, und die Ritter, die sie bedrängten, gebannt und gerichtet. Aber ohne Landplage wird das Volk allzu übermütig, und so muß halt ich dafür sorgen, daß die Pfeffersäcke Ader lassen! Verstehst du das, Schreiberlein, oder weißt du ein Besseres?«

Der Schreiber lief davon, er wußte, wenn sich der Kaiser in seine ironische Gefühlskränkung hineinredete, so konnte er seines Lebens Höhen und Tiefen schonungslos aufdecken, seine

Melancholie ins Unberechenbare steigern, was seiner Umgebung zur Qual wurde. Seine impulsive Art hatte manchem schwere Stunden bereitet. Die Angst, seinen Ratgebern zuviel nachzugeben oder von ihnen abhängig zu werden, ließ ihn oft ungerecht vorgehen. Er hinterging sie, intrigierte gegen sie und mißtraute seinen besten Beamten. Er war dann sprunghaft, sogar durch Unwahrheit zog er sich aus peinlichen Lagen, bestritt abends, was er am Morgen versprochen hatte, und an seinen Vertrauten ließ er den Groll aus, wenn er sich in die Enge getrieben fühlte. Es hat wenig Herrscher gegeben, die so rasch dem Augenblick folgten wie er. Er besaß neben Geist und Verstand allzuviel Phantasie, die in seinen Bestimmungen für seine Umgebung verhängnisvoll wurde.

Auch Christoph Kreß zog sich zurück, weil er wußte, daß der Kaiser in der gedrückten Stimmung nichts zu Ende führte. So saß Maximilian allein in umflortem Sinnen. Er gedachte seiner ersten Frau, der schönen Maria von Burgund, wie er ihr an trauten Abenden Aventiuren vorlas, mit ihr Sprachen lernte oder mit ihr auf die Reiherbalz und Eberhatz ritt. Wie glücklich war er mit dieser geduldigen Frau, die ihn so gut verstand. Er gedachte in dieser Stunde auch der Schmach, die ihm Anna von der Bretagne angetan hatte. Diese seine zweite Braut wurde ihm untreu, sie ließ sich von Karl VIII. von Frankreich bereden, diesem ihre Hand und ihr Land zuzusprechen. Und seiner dritten Gemahlin gedachte er, der Bianca Maria Sforza, die im Wahnsinn starb.

So sann er der Vergangenheit nach, und seine verträumten Augen blickten über die schneebedeckten Dächer und Türme Nürnbergs, verfolgten die aufsteigenden Abendschatten und blieben, als er sich wendete, auf Dürer ruhen, der an seines Ruhmes Pforte baute. Der Kaiser sah plötzlich das mächtige Werk vor sich, wenn es auch nicht in kostbarer Bronze und in seltenem Marmor errichtet war wie der *Arcus triumphalis* römischer Cäsaren; für ihn mußte die Holzschnittkunst genügen.

Dürer als Künstler und Mensch war ihm in den Tagen reger Aussprache über die allegorischen Gestalten nähergekommen als sonst ein Maler. Aus den Kupferstichen und Holzschnitten hatte der Kaiser den tiefdenkenden Grübler in Dürer erkannt. Insbesondere waren Gespräche über die »Apokalypse« durch den Kaiser angeregt worden, die in die Glaubensfragen eingriffen.

Jetzt sehnte sich der Herrscher wieder danach, durch vertrauliche Aussprache mit Dürer seinen trüben Sinn zu verscheuchen. Er rief Dürer zu sich in den Erker und sprach:

»Ruhet ein wenig, Meister, die Dämmerung ist nicht gut für flinke Augen. Saget mir einmal frank und frei, was es ist, daß Euch Rom, wie es scheinen will, so sehr ärgert. Eure ›Apokalypse‹ spricht zwar viel, aber Euer lebendiges Wort ist mir lieber. Ihr brauchet Euch gar nit zu zähmen, ich bin mit dem Papst oft in Fehde gestanden und hab' nit viel ausrichten können. Also, ist es bei Euch Trotz oder Überzeugung?«

Dürer war erschrocken über diese Frage. Da er aber die Augen des Kaisers so gütig auf sich ruhen fühlte, gab er freie Antwort:

»Bei mir ist's Überzeugung, Kaiserliche Majestät! Ich liebe das deutsche Volk so wie Ihr, und es macht mir Kümmernis, weil der Papst kein sittliches Beispiel gibt. Wie kann ein Mensch, ein sündhafter Mensch, die Gnade haben, für Geld anderen Sündern zu vergeben und ihnen für Geld Vorschuß auf Erlassung zukünftiger Sünden zu gewähren?«

Der Kaiser sah den kühnen Sprecher erstaunt an; solches hatte er selbst schon bedacht und auch von Johannes Stabius und andern vernommen. Dürer fuhr fort:

»Kaiserliche Majestät, es geht ein großes Murren unter den Humanisten um, es könnte sein, daß einer aufstünde und dem Papst entgegenträte.«

»Es ist eine zu große Macht in den Arm des Papstes gelegt«, sagte der Kaiser sinnend. »Niemand wird sie vermindern, denn ein gewaltiger Ritter schützet sie: das belastete Gewissen. Es ist leichter, gegen eine große Söldnerschar, die unser Auge sieht und die Lanze erreichen kann, anzukämpfen, denn gegen eine unsichtbare Macht, die jeder fürchtet und von der keiner weiß, was sie uns antut. Diese Ängste stehen wie Gewappnete hinter dem eisernen Ritter: ›Gewissen‹, und ziehen gegen jene zu Felde, die da ausrufen: die päpstliche Gnade sei ein Kramladen.«

Dürer fand den Kaiser zag und dachte daran, wie die venezianischen Maler darob spotteten. Und diesen Herrscher, der vor der Macht des Papstes zurückschreckte, sollte er als Helden auf der »Triumphpforte« verherrlichen? Mitleidig blickte er den Kaiser an, wie er fröstelnd im Stuhle saß und in die Weite starrte, als wollten seine Blicke die Wände durchbohren. Endlich regte er sich und forderte, Dürer möge ihm die Worte widerlegen, wenn er es könne. Mit fester Stimme sprach Dürer, über den Kaiser hinwegsehend:

»Majestät, wohl erschauert das Gemüt des Volkes, wenn es bedenkt, wie Jesus Christus den Tod am Kreuze für seine Liebe erleiden mußte. Aber es weiß auch, daß Gott aus Liebe den Sündern vergibt, wenn sie reumütig zu ihm beten. Der Papst aber läßt in den Sündern das belastete Gewissen für ihn reden, droht mit Hölle und Fegefeuer und schafft sich also den eisernen Ritter. Und die gewappnete Heerschar der Ängste sieget für ihn. So aber einer aufstehen und Gott als den Gott der Liebe und Barmherzigkeit predigen würde, Majestät, da verlöre das Gewissen die Macht, und die Ängste zerstüben nach allen Richtungen. Wie viele weise Männer, die in der hebräischen Bibel lesen können, tasten mit ängstlichen Händen an der Pforte des wahren Gotteswortes, trauen sich aber nit, gegen das päpstliche Bibelverbot zu handeln. So irrt das Volk in der Finsternis. Dem, der Gott sucht, bleibt vieles von seiner Liebe verschlossen, und Jesus Christus hat sie doch erwiesen. Ich habe Gott nit in der papierenen Weisheit gesucht, mir ist er lebendig geworden in seinen Schöpfungen und in meiner Seele.«

»Haltet ein, Ihr seid ein Ketzer«, rief der Kaiser.

Dürer fuhr erschrocken zusammen; was er so aus innerster Überzeugung gesprochen hatte, kam ihm nicht ketzerisch vor.

Der Kaiser sah seinen Schrecken und sagte milder:

»Ich könnte Euch richten lassen, wüßte ich nit, daß Ihr der frömmste Mann in meinem Reiche seid. Es mag ein Glück sein für Euch, daß Ihr in dem Sturme der Zeit so ein Kind geblieben seid in Eurem Suchen nach Gott. Ihr malet Gott für die

Armen im Geiste nach den Regeln der Kirche und denket ihn Euch dabei anders. So sagt mir, wie Euch Gott am nächsten erscheint?«

»Ich weiß es nit, Kaiserliche Majestät. Ich sehe Gott in jeder Blume, in jedem Stein, am Himmel in jedem Stern, er ist der Schöpfer, denn er sprach, und alles ist geworden; er befahl, und alles wurde geschaffen. Es klatschen die Ströme in die Hände, und allzumal frohlocken die Berge vor dem Angesicht des Herrn und bekennen, daß sie sein Werk sind. Denn Gott bereitet die Berge in seiner Kraft, beweget den Grund des Meeres, das Brausen seiner Wellen. Er spendet Freude da, wo ausgehet der Morgen und Abend. Die Natur nimmt teil an den Freuden des Gerechten und an den Leiden des Sünders. Gott ist das All, Gott ist der allerhöchste Begriff des Lebens und des Sterbens; er gibt uns den Willen und lebt und leidet in uns, so wie er in Christus gelebt und gelitten hat. Majestät, keiner kann sich seiner Stimme erwehren; auch der Papst, wenn er Gott so erkennt, müßte erschauern.«

»Höret auf!« rief der Kaiser. »Ihr habt Worte, die einem ins Gewissen greifen. Sie sind wie Eure Reiter mit Wage, Schwert und Pfeilen! Auch ich hab' einmal die Macht Gottes empfunden und hab' sie erschaut. Wisset, auch ich hab' dereinst wollen Papst werden und wußte von Gott nichts sonst, als ich's vom Kirchenglauben erfahren konnte. In diesem Wahn, Macht zu gewinnen über die Seelen der Menschheit, ist mir ein Traumgesicht erschienen.«

Der Kaiser saß zusammengesunken im Stuhle, die Unterlippe zitterte leise, die Augen schlossen sich, die Hände krampfte er ängstlich ineinander. Mit bebender Stimme fuhr er fort:

»Ich hangete auf einem hohen Felsen, wie einmal in meiner Jugendzeit in Tirol, da ich mich beim Jagen verirrte. Aber mir war, als wüchse der Felsen immer höher hinauf in das ziehende Gewölk. Meine Augen übersahen alle meine Reiche, von Genua bis hinauf zur Ostsee. Um mein herrschendes Schauen aber ballten sich die Wolken, aus den Wolken ragte eine Hand heraus, die wurde größer und größer, und wurde so groß, daß sie meine Reiche bedeckte. Ich schrie auf, als diese gewaltige Hand sich über meine Länder legte. Da rief eine Stimme aus den Wolken: ›Was fürchtest du meine Hand? Sie ist das geringste Teil an meiner Größe! Siehe hin, so könnte ich mit einem Hieb deine Reiche zertrümmern! Armer Tor mit Krone und Schwert, was verlangst du nach der Tiara, um meine Macht auf Erden zu mißbrauchen?‹«

Der Kaiser stöhnte auf, als beängstige ihn das Traumgesicht noch immer. Fragend schaute er zu Dürer empor.

»Sehet, so schickt Gott den eisernen Ritter: Gewissen und Ängste. Meister, wie deutet Ihr mir dieses Traumgesicht?«

Die Worte des Kaisers schreckten Dürer nicht. Auch er hatte schwere Traumgesichte erschaut und wußte, daß sie nur dem erscheinen, der im Glauben wankend ist. Mit weicher Stimme gab er zur Antwort:

»Majestät, Euer Traum hat Euch die Größe Gottes gedeutet, die über aller Welt die Macht ist. Und diese Macht ist die Natur. Wie Ihr im Gewaltigen, so erblicke ich im Kleinsten Gottes Größe. Wissen wir denn, was Gott noch alles erschuf in Welten, von denen wir nichts ahnen? Und seine Hand reicht über alle. Wieviel Gewaltiges mag er erstehen lassen in einer Sekunde, die uns eine Ewigkeit vortäuscht! Wir haben keinen Maßstab dafür, unser Auge mag alles groß sehen, was Gott klein sieht. Majestät, Euer Traumgesicht deute ich so: Daß Gott die Seele des Weltalls ist, der Geist des Schaffens, und daß unsere Seele von dieses Geistes Hand ein Teilchen ist. Wenn Ihr alles Leben im Weltenall in *Eines* zusammentut, so mag das Gott sein. In den Stunden der Angst vor uns selber offenbart sich uns die Größe und die Macht des Weltengeistes. Anderes wissen wir nit, und der Papst ist auch einer, der Gottes Macht anerkennen muß.«

Der Kaiser war aufgestanden, unruhig ging er im Gemache hin und her, und leise sagte er, als spräche er zu sich selbst:

»Wieder eine Stimme, die alle Macht, alle Größe und allen Ruhm von Uns hinwegnimmt. – Mensch – nur Mensch!«

Traurig blieb er vor Dürer stehen und sah ihn mit Blicken eines Entthronten an.

»Ihr seid begnadet über Eure Kunst hinaus. Keiner hat mir das Traumgesicht also gedeutet. Wenn es so ist, dann mag des Papstes Macht so nichtig sein wie die meine. Aber solange die Sternendeuter das Unheil der Erde aus den Gestirnen lesen und prophezeien, solange der Kirchenglaube über das Seelenheil der sündigen Menschheit wacht und herrscht, solange werden das Gewissen und die Ängste des Glaubens sieghafte Beschützer sein. Glaubet mir, Meister, das Volk braucht diese Ängste, sie sind die Stützen, auf denen die Unbedachten sich aufrichten. Ohne diese Ängste würde das Volk übermütig. Das müssen die Herrscher bedenken und auf der breiten Straße beim Volke bleiben. Auch ich darf nit abseits stehen, wenn ich Krone und Schwert die Weile, die mir zu leben bestimmt ist, nit verlieren will. Ihr seid glücklicher. Mir aber lasset das Spielzeug, ich darf nit glücklich sein. Gehet jetzt, der Abend gibt meiner Melancholia neue Nahrung; ich aber will heut Nürnbergs schöne Frauen zum Tanze führen, für ein paar Stunden ihr Liebling sein.«

Mild lächelnd schritt der Kaiser aus dem Gemache.

Dürer arbeitete nun die Tage hindurch mit opferfreudigem Fleiße für den Kaiser, der ihn wie einen Freund behandelte, aber nicht ahnte, daß er dieses Künstlers Kaisertreue mißbrauchte, daß er ihm im Sklavendienste seiner Eitelkeit die Ideale entwand, die er sich noch bewahrt hatte. Die Humanisten hetzten Dürer in diese Zwangsarbeiten immer mehr hinein und erkannten es nicht, daß die Ideenfreiheit der Kunst die Größe gibt. Mit eitler Verherrlichung geschichtlich herbeigelockter Monarcheneigenschaften verbrachte Dürer seine besten Schaffensjahre, zergrübelte sich, und das Übermaß des Fleißes nahm ihm alle Freizeit.

Weil der Kaiser über kein Geld verfügte, um Dürer für seine Arbeit zu entlohnen, erließ er an den Nürnberger Rat eine Schrift, in der er Dürer als Gegenleistung steuerfrei erklärte. In diesem Schreiben sagt er unter anderem:

»Nachdem unser und des Reiches Getreuer, Albrecht Dürer, in Visierungen, die er uns zu unserem Fürnehmen gemacht hat, guten Fleiß fürkehrt und sich darbei erboten hat, hinfüro dermaßen allwegen zu thun, darob wir sonder Gefallen empfangen haben; auch, diweil derselb Dürer in der Kunst für*) andere Meister gerühmt wird; sein wir dadurch bewegt worden, ihn mit unseren Gnaden in Sonderheit zu fördern und begehren demnach von Euch, Ihr wollet uns zu Ehren gedachtem Dürer bei Euch aller gemeiner Stadt Auflegung, als: Ungelt, Steuern, u. A. befreien in Ansehung unserer Gnad und seiner berühmten Kunst, die er bei Euch billig genießen soll ...«

Diese Absicht und gute Meinung des Kaisers fanden aber beim ehrbaren Rate, der von einer Steuerbefreiung nichts wissen wollte, kein Gehör. So erhielt Dürer nicht einmal diese geringfügige Vergünstigung und arbeitete ohne jede Entlohnung Jahre hindurch ununterbrochen an der »Ehrenpforte«.

Der Meister wandte sich daher mit einem Briefe an Christoph Kreß:

»Lieber Herr Kreß. Erstlich bitt ich Uch, wöllt mir an Herr Stabius erfahrn, ob er mir in meiner Sach gegen Kaiserliche Majestät etwas gehandelt hab, und wie die Sach steh, Sölchs mir bei dem Nächsten, so Ihr meinen Herren schreibt, mit zu wissen than.

So aber Herr Stabius nichts gehandelt hätt in meiner Sach, und daß ihm mein Will zu erlangen zu schwer wär, so bitt ich Uch dann, als mein günstigen Herren, mit Kaiserlicher Majestät zu handeln, wie Ihr van Herr Casper Nützell unterricht und van mir gebeten seid.

Auch nämlich zeigt Kaiserlicher Majestät an, daß ich Kaiserlicher Majestät drei Johr lang gedient hab, das Mein mit eingebüßt, und wo ich mein Fleiß nit dargestreckt hätt, so

---

*) = vor.

wär das zierlich Werk zu keim solichem End kummen. Bitt darauf Kaiserliche Majestät, mich dorum mit den hundert Gulden zu belohnen, wie Ihr dann dasselb wol wißt zu than.

Item wißt auch, daß ich Kaiserlicher Majestät außerhalb des Triumphs sunst viel mancherlei Visirung gemacht hab …

Hiemit laßt mich Euch befohlen sein.

Item, wenn Ihr verstündt, daß Stabius etwas in meiner Sach ausgerichtet hätt, so thät nit Not, daß Ihr auf dies Mal meinerhalben weiter handlet.

Albrecht Dürer.«

Johannes Stabius vermittelte auf Antreiben Dürers, daß diesem endlich ein Jahrgeld ausgesetzt werde, in Form eines Privilegiums. In dieser Urkunde heißt es u. a.:

»… daß er[*] eingesehen und in Betracht gezogen habe, die Kunst, Geschicklichkeit und Verständigkeit, wegen deren unser und des Reiches lieber Getreuer, Albrecht Dürer, von uns gerühmt wird; desgleichen die angenehmen, getreuen und nützlichen Dienste, die er uns und dem heiligen Reiche, auch unserer eigenen Person in mannigfaltiger Weise oft und bereitwilligst getan hat, noch täglich tut und hinfort tun mag und soll …«

So verlieh ihm der Kaiser ein Jahrgeld von hundert Gulden Rheinisch, das ihm alljährlich vom Losungeramt aus den Steuergeldern Nürnbergs ausbezahlt werden sollte. Die ganze Nürnberger Stadtsteuer aber hatte Maximilian dem Kurfürsten Friedrich dem Weisen schon längst verpfändet, so daß er selbst darüber nicht mehr verfügen konnte, und der fleißige Meister, der die Riesenarbeit zur »Ehrenpforte« bereits auf die Holzstökkeln gezeichnet hatte, wäre wieder leer ausgegangen, hätte sein

---

[*] Der Kaiser.

Gönner, der Kurfürst, nicht das Jahrgeld gebilligt. So behielt diesmal des Kaisers Wort Geltung.

Für diesen Gnadenlohn schuf Dürer außer den 92 Holzstöckelzeichnungen, die zusammen ein Riesen-Holzschnittwerk mit hunderten Figuren, Ornamenten, Symbolen und architektonischen Formen ein Flächenmaß von beinahe dreiundeinhalb Meter Höhe und drei Meter Breite aufweisen, noch die prächtigen Zeichnungen: »Österreichs Heilige«. Er entwarf schwierige Blätter zu astronomischen und geographischen Tafeln für die wissenschaftlichen Werke Johannes Stabius' und Konrad Heinfogels, die vom Kaiser protegiert wurden, schuf wuchtige Wappen und viele naturwissenschaftliche Zeichnungen.

Der vertrauliche Verkehr mit den Gelehrten am kaiserlichen Hofe gab Dürers Forschungstrieb und Grüblergeist immer wieder neue Nahrung und lenkte ihn noch mehr vom Malen ab, so daß er in den Jahren 1513 bis 1516 kaum der Farben sich besann. Soviel dies wohl dem eitlen Sinn des vielseitigen Meisters gelegen sein mochte, so ist es doch zu bedauern, daß Dürers Aufschwung zur Entfaltung der Malkunst gehemmt wurde und er der Nachwelt kein eigenes Werk geben konnte, das unschätzbareren Wert besäße, als die heraldischen Entwürfe und Trachtenbilder des Hofes.

So lag Albrecht Dürer ganz im Banne der kaiserlichen Gnade, die ihm wohl zeitlichen Ruhm und Ansehen im Reiche, aber keinen Kunstgewinn einbrachte. Frau Agnes jammerte anfangs, denn sie fürchtete, daß nun ihr Eheliebster, in die Liebe zum Kaiser eingesponnen, ihre Kunstware vernachlässigen werde. Seit sie aber damals der Kaiser am Tanzfest, das er zum Abschied den Bürgern gab, im Reigen geschwungen und ihr so große Ehre angetan hatte, versöhnte sie sich mit ihm, weil sie erkannte, daß mit dem Ansehen ihres Mannes auch ihr Ansehen stieg. So hatte Pirkheimer, der jetzt öfter und länger als früher bei Dürer weilte, keine Klage über den »Drachen«; Frau Agnes führte nun geduldig die Hauswirtschaft und ließ dem Meister Freiheit, obzwar er sie jetzt nicht suchte, denn dieser Hofdienst verlangte nicht nach Schönheitsidealen.

In der stillen Erkerstube im Dürerhause grübelte der Meister, seitdem der Kaiser wieder nach Wien geritten war, über den Entwürfen zum »Triumphbogen« und sann neuen Formen nach. An den fein ornamentierten Säulenschäften ließ er reichlich Weinlaubgewinde emporranken, darin musizierende Englein herumtollen; er fügte phantastische Tierformen in dorische, griechische und römische Kapitäle, die den gotischen Stil nicht losließen. Tausendfache kleine und kleinste Einzelheiten fügte er in alle Ecken der reich beladenen »Ehrenpforte«, er konnte nicht genug Mühe aufwenden, um dem Kaiser seine Kunst zu zeigen. In den Abendstunden besuchten ihn Wilibald Pirkheimer und Johannes Stabius, der für einige Monate noch in Nürnberg geblieben war. Auch der Astronom Konrad Heinfogel, der wieder in der Reichsstadt weilte, besuchte Dürer oft, und es entspann sich eine innige Freundschaft zwischen diesen führenden Männern der Wissenschaft und Kunst. Bis in die späten Nachtstunden währten ihre gelehrten Gespräche, von neuen Gedanken und neuem Eifer beseelt. Dürer lauschte verständnisvoll, denn ihm erschlossen sich Tiefen der Naturwunder, die sein Geist nur ahnte.

An den zuweilen strittigen Widerlegungen, die der impulsive Pirkheimer in seiner Gründlichkeit im Disput vorbrachte, erhitzten sich die Köpfe der Forscher oft derart, daß Dürer schlichten mußte:

»Da streitet ihr wieder um astronomische und gemeine Sekunden und noch winzigere Zeit- und Maßteilchen, die das Weltenall wohl gar ins Wanken brächten, wenn ihr euch verrechnen tätet! O ihr Würmlein, was kläubelt ihr mit Zahlen und Maßen an Gottes Ewigkeit herum? Wie klein mag unser Auge das Spiegelbild der Größe, wie sie der Schöpfer sehen mag, uns zeigen, wie klein mag das Maß der Zeit sein, die wir Eintagsfliegen in der Ewigkeit erleben! Wollt ihr gar der Urmacht das Geheimnis abgucken? Und könnt doch nit einmal in einer Blumenseele lesen!« Bei solchen Worten Dürers legte sich die Streitlust, und die Grübler lauerten wieder vor der verschlossenen Tür des weisen Erbauers des Universums.

Draußen hatte der lachende Frühling Millionen Blumenseelen neues Leben eingehaucht, die ihr duftiges Atmen über die Wiesen und Felder strömen ließen, in die sehnsuchttrunkenen Menschenherzen hinein.

Die Nachtelfen fanden zu Bettlein, die mit seidenen Vorhängen umhüllt waren, sie fanden auch zu Margarete, die in ihrer Liebesnot keinen Schlummer suchte, die aus den himmelblauen Augen Tränen wischte, geweint um den Geliebten, der ihr Bruder war.

»Sünde – Sünde«, schluchzte ihre geängstigte Seele, stöhnte ihr kußhungriger Mund. »Herr, gib mir Kraft, daß ich die Liebe bändige. Ich hab' ihn so gern. Wie darf ich einen Bruder so gern haben! Sünde ist's – Sünde!« klagte sie in ihrer Not.

Plötzlich fuhr sie auf. Klang nicht einer Laute wimmernder Saitenschlag? War nicht ihr schluchzender Ton durch die Stille gewankt, als fände er keine Stütze mehr, sich zu erheben? Klagten nicht wehmütige Akkorde im sehnsuchtsbangen Zusammenklang nach einer Melodie? Und diese Melodie, weinte sie nicht um das verlorene Liebesglück? Margarete erhob sich, stieg aus dem Bett und horchte empor, zur Stube ihres Bruders über der ihren. Sie lauschte mit verhaltenem Atem dem Lautenspiel des Geliebten, das sich aus dem leisen Schluchzen erhob zu einer Weise, die ihr einmal das Herz so erfüllt hatte mit schwingendem Glück: die Weise der »Maienkönigin«, Kaspars Meisterlied. Sie klang nicht sieghaft, wie sie damals vom Singerstuhl durch die Kirche drang, jetzt klang sie, wie wenn sie ein Schwan singen würde, der von seinem Leben Abschied nahm.

Margarete trippelte mit nackten Füßen, im langen weißen Nachtgewand, in die Mitte des Zimmers, und der Mond sah ihre liebliche Gestalt sich schmerzlich winden. Sie öffnete das Fenster und lauschte empor, von wo die Klänge kamen.

»Er ruft mich!« schluchzte sie. »Er sehnt sich nach mir!« lachte sie beglückt. »Er trägt seine Liebe in Händen und kann sie nit bezwingen!« jubelte sie. »Ich komme!« Das machte sie freier, in seinen Nöten wollte sie die ihren ertränken.

Leise schlich sie über die Dielen, hinaus auf den Gang, die Treppe hinauf. Da schreckte sie wieder zusammen, als fühle sie sich verfolgt von Peinigern.

Lange stand sie vor Kaspars Türe und lauschte dem Saitenklang und dem leisen Gesange. Flammen der Scham schlugen an ihrem Körper empor.

»Er ruft mich, oh, er rufet mich!« stöhnte sie in ihrer Sehnsuchtsqual. Sie preßte die Hände auf ihre Brust, der Herzschlag erstickte sie fast.

»Er ruft mich doch, hörst du es denn nit, du mein armes, gepeinigtes Herze?«

Sie öffnete behutsam die Tür. Zaghaft stand sie auf der Schwelle; von einer unheimlichen Gewalt gezogen, schritt sie in die Stube. Sie sah ihren Geliebten, mit der Laute in der Hand, im Mondschein stehen, der durch das offene Fenster floß. Es war ein Bild von großer Schönheit, und Margarete sog es ein in ihre bebenden Sinne; sie rührte sich nicht, wagte es nicht, ihm näher zu kommen. Sie zitterte am ganzen Leibe und starrte den Jüngling an, von dessen Lippen leise, als erstürben die Töne, des Liedes Ausklang floß:

»Steh' ich versonnen beim blühenden Baum
Unter dem Flieder,
Hör' ich die Lieder
Leise im Traum.
Was haben die lieblichen Lieder im Sinn?
Wollen Gott im Himmel loben,
Der die Schönste hat erlesen;
Unter allen Erdenwesen
Dich hat auf den Thron gehoben,
Heilige Maienkönigin;
Das haben die Lieder im Sinn.«

Als könne er seine Not nicht mehr ertragen, sank der Sänger schluchzend auf seine Knie, die Laute fiel mit schrillem Aufschrei zu Boden.

Mit einem Sprunge war Margarete bei ihrem Geliebten, schlang ihre Arme um seinen Hals und neigte sich zu ihm nieder, seinen Mund zu küssen.

»Du hast mich gerufen, Liebster! Durch meine Träume bist du gegangen, immer weiter von mir. Nun hast du mich. Dein Herz hat keine Ruhe gefunden in der Lenznacht, wo alle Geister wach sind. Da mußte ich kommen! Ich mußte! Dein Leid ist doch das meine, deine Liebe die meine. Und deine Seele steht nun vor mir so arm, wie die meine vor dir! Verzage nit, ich bleibe bei dir, immer, immer!«

Kaspar umklammerte die zitternde Gestalt, er preßte sein Gesicht in ihren Schoß und weinte. Sie strich mit milder Hand über seine Locken. Leise flüsterte sie ihm ins Ohr:

»Siehst du denn nit, was in dieser Mondnacht vorgeht, Geliebter? Die Geister der Sehnsucht reigen auf den Wiesen und küssen die Blumen. Und die grauen Schatten, die das Mondlicht nit schauen dürfen, halten sich umschlungen, Leib an Leib, wie wir. Ein Jauchzen des Lichtes schwingt über ihnen und übertönt ihre Not. Und wir – Geliebter?«

Sie preßte sich fester an ihn, ihre Lippen suchten die seinen, sie sogen sich ineinander. Herz an Herz, Mund auf Mund, Seele in Seele war ihnen die Welt versunken, sie schwebten in einer Unendlichkeit und fanden kein Ziel in ihrem Fluge.

Da trat der Vater in die Tür und sah sie. Er hatte den Lautenklang vernommen, denn auch er fand keinen Schlaf in seinen Ängsten. Er hatte Margaretens Kammertür offen, ihr Bett leer gefunden. Von banger Ahnung gequält, war er heraufgestiegen.

Er sah das heiße Verlangen seiner Kinder ineinanderfluten. Er wollte rufen, sie auseinanderreißen – er vermochte es nicht. Ihm war, als schaue er ein Bild aus seiner Jugendzeit; er sah die Geliebte in jener Nacht, da sie ihm ihre Liebe entgegentrug, ihre Liebe, die ihr mehr galt als ihr Leben. Und in dieser Nacht, vor fünfundzwanzig Jahren, hatte er die größte Schuld seines Lebens auf sich genommen im Rausche des Glücks. Wie durfte er jetzt seine mahnende Hand ausstrecken nach zwei taumelnden Herzen? Er hatte dieses Recht verwirkt.

Zitternd schlich er wieder in sein Gemach hinab, kniete vor dem Marienbilde Dürers nieder, das die Züge seiner toten Herzliebsten trug, und betete.

»Schick' deine Engel hernieder, auf daß sie den beiden den rechten Weg weisen! Wende ab von ihnen die Versucherin Sünde!«

Und die Engel flogen hernieder in die stille Kammer, wo die Liebe traumselig die Schranken durchbrechen wollte, die zwischen Bruder und Schwester aufgetürmt waren. Die Engel hauchten die Seligtrunkenen an mit dem frommen Atem der Ernüchterung.

Kaspar taumelte zurück, eine Angst riß ihn von Margarete los, er schrie auf:

»Schwester – Schwester!«

Da erhob sich Margarete. Leise, wie sie gekommen war, verließ sie schaudernd die Stube ihres Geliebten, taumelte in ihre Kammer, warf sich auf ihr Bett und schluchzte.

Die lachenden, lockenden Blumenseelen und Nachtgeister verstummten und flogen zum Fenster hinaus, über die Wiese dahin, von Angst getrieben. Die betörenden Stimmen der Nacht verkrochen sich in die Winkel der Stube, die nun ein qualvolles Weinen erfüllte, das ein verzweifeltes Mädchenherz allmählich beruhigte. Und der Vater sann nach, wie er diese Nöte seiner Kinder wenden könne.

Am andern Morgen ritt der ehrbare Rat Hans Hirschvogel zu seiner Base, der Domina des Nonnenklosters, nach Engelthal. Eine lange Stunde hielt er Zwiesprache mit der Äbtissin und schüttete vor ihr seines Herzens Kummer aus. Er bat sie, sich seiner Tochter anzunehmen, ihre Seele im Klosterfrieden zur Ruhe zu bringen und ihr das Sündhafte ihrer Liebe eindringlich vor Augen zu halten. Sollte Margarete in der Zeiten Lauf ihr Herz der Gnadenmutter weihen, so stünde es in ihrem freien Willen, Nonne zu werden. Er fände keinen andern Weg, die Liebenden zu trennen; denn er selber habe alle diese Sehnsuchtsqualen durchlebt und wisse, welche Gefahren sie bringen müssen. Durch Mitleid und Erbarmen könne ein liebendes Menschenherz nicht im Zügel gehalten werden. Wenn es ihm auch tiefsten Schmerz bringe, sich von seiner geliebten Tochter zu trennen und seinem Sohne alle Freude damit zu zerstören, er könne doch die Seelen seiner Kinder nicht in Gefahr lassen. Gott, der ihm diese schwere Prüfung auferlegt habe, würde auch in seiner Gerechtigkeit Trost schicken.

Die Domina versprach, sich Margaretens annehmen zu wollen. Er solle sie nur bringen, aber ihr nicht verraten, was er damit bezwecke; denn hier müsse mit List alles Schreckhafte, was ein liebend Herz durch Trennung erleiden würde, umgangen werden. Der Ratsherr legte ein gewichtiges Säcklein, mit Silbergulden gefüllt, vor die Domina hin, versprach ihr, sie walten zu lassen, wie sie es für gut finde, und ritt heim.

Hirschvogel kehrte erleichterten Herzens nach Nürnberg zurück, betrat die Kirche zu St. Sebaldus und betete inbrünstig zu Gott, er möge den Kindern das Leid und die Seelennot leichter tragen lassen. Er klagte sich der Schuld an, über die armen Herzen soviel Kummer gebracht zu haben durch seine Jugendsünde. Er bat Gott, ihn die Strafe erdulden zu lassen, nicht aber den unschuldigen Kindern aufzuerlegen.

Wie ein vom Gewissen Gehetzter lief der Ratsherr von Altar zu Altar und legte auf jeden Opferstein sein blutendes Herz. Die Liebe zu seiner Tochter bestürmte ihn mit ängstlichen Bedenken. Wie soll es das Herz der Gepeinigten ertragen, wenn sie im Klosterfrieden ihre Liebe wird ertöten müssen? Wenn sie, von ihrem Bruder getrennt, in banger Sorge um ihn wird verzweifeln?

Da gab ihm ein Gedanke ein, sich mit Dürer auszusprechen.

Der fleißige Meister verwunderte sich, als er das abgehärmte Gesicht des Ratsherrn erblickte. Der Gram aus den Augen des Frühgealterten erbarmte ihn.

»Fünfundzwanzig Jahre harret Ihr in Sorge und Sehnsucht!« sagte er milde. »Nun Gottes Wille sich erfüllt hat, habet Ihr den Sohn gefunden, und Eure Not ist noch größer geworden!«

»Sie ist größer geworden!« sagte müde der Ratsherr. »Und ich bin am Ende mit meiner Kraft. Gott will mich verlassen, und meine Kinder werden gegen mich stehen. Ich sehe es kommen. So wie mir einmal mein Sohn hat fluchen müssen im Glauben, daß ich seine Mutter zur Märtyrerin gemacht habe, so wird mir jetzt meine Tochter fluchen in der Gewißheit, daß ich es bin, der ihres Lebens Glück zerschlägt. Denn ich weiß nit, ob sie meine lautere Absicht wird erkennen wollen. Höret, Meister Albrecht! Die Kinder kann ich nit beisammen lassen, ihre Liebe ist stärker als die Blutsbande. Sie haben sich geliebt, schon als sie sich fremd und liebebereit fanden. Sie haben geduldig die Liebe in ihrem Herzen verschlossen, bis die Stunde kam, wo sie mir diese Liebe offenbaren durften. In dieser Stunde, die sich erfüllte, fand der Sohn den Vater und fand seine Geliebte den Bruder. Meister, es ist furchtbar, wie sich Gottes Wille an drei Herzen gerächt hat um der Sünde willen, die ich beging! So muß ich die Liebenden auseinanderdrängen, daß die Sünde nit noch größer werde, und ich gäbe sie doch so gern zusammen. Margarete soll im Kloster ihr Herz prüfen, bis sie der sinnlichen Liebe entsagt hat und dem Bruder eine Schwester sein kann!«

In Dürers Augen standen Tränen der Rührung.

»Zu spät!« Wie verloren in ein Gesicht, das sich dem Meister zeigte, sprach er, als rede aus ihm ein Erleuchteter aus den Mysterien. »Ein jeglicher Erdenmensch, der sich selbst zum Gläubiger wurde, ist mit seiner Person der Menschheit verantwortlich. Ein Menschenleben hat sich in allen Stunden den höheren Gesetzen zu fügen, wenn es sich nit der Folgerichtigkeit und der Unbestechlichkeit des göttlichen Willens klar ist. Mit dem Pulsschlag des Blutes werden in uns die Mühlen getrieben, die unsere guten und bösen Körner zerreiben, um allen in uns lebendigen Dämonen Nahrung zu geben. Da steigen die Bedenken auf, die unsere früheren Taten wieder aufdecken. – Ehrbarer, habt Ihr die Macht, in Herzen, die Ihr nit fühlt, Regungen zu legen, die, Eurer Handlungsweise gemäß, die Gesetze umgehen, gegen die Ihr Euch schuldig gemacht habt? Habt Ihr das Recht, in Gottes Uhrwerk einzugreifen und seinen

Gang aufzuhalten? Ehrbarer! Wollt Ihr Glück schaffen, dann müsset Ihr Mittel und Wege finden, Eure Schuld in einer anderen Weise abzutragen, nicht aber rücksichtslos die Forderung an Euren Kindern geltend machen. Ich sah das erste reine und heiligste Aufleuchten der jungfräulichen Liebe Eurer Kinder; ich warnte Margarete vor der Tafel der ›Marter der Zehntausend‹; ich fand sie erstarrt im stummen Schmerz ihrer schreienden Liebesnot. Ehrbarer! Rühret nit an diese Liebe, es könnte geschehen, daß sich ihr sieghafter Mut zum grausamen Trotz wenden müßte. Verlanget nit, diese beiden, die sich gefunden und nie, weder im Guten noch in Sünde, verlieren werden, auseinanderzureißen, es ist zu spät! Was daraus entstünde, das müßte Euch und Eure Schuld treffen. Nie dürfet Ihr der Zerstörer dieser Liebe werden, denn kein Fluch träfe Euch vernichtender, als der Fluch, der seine Faust aus dieser Schuld reckt. Ihr dürft Eure Kinder nit um das ihnen von Gott gegebene Recht betrügen; durch der Eltern Schuld darf eine Bluteserbschaft nit gekettet werden an die Rache, die unausbleiblich jedes Kind als Gegenwehr ausüben muß, wenn es des Vaters Schuld verdorben hat.«

»Albrecht Dürer!« stöhnte Hirschvogel, der über dieser Rede eine entsetzliche Angst bekam. »Wie darf ich mich versündigen gegen meines Blutes Erben? Würde mich nit die neue Schuld treffen, wenn sich meine alte Schuld in den Kindern offenbarte?«

Dürer erhob die Hand.

»In unerbittlicher Gerechtigkeit verlangt das Gesetz, das als Schutz den Unterlegenen gegeben ist, daß ein Wesen, dem Ihr nur zu des Leibes Leben allhier verholfen habet, nit mit Gewalt aus seinen ihm vorbestimmten Wegen in Euren Willen gedrängt werde. Bedenket das, Ehrbarer! Es könnte kommen, daß Eure Kinder, die noch nichts von sich selber und von Euch wissen, im Zorn von Eurer Schuld und ihrer Sühne erfahren, und dann wäret Ihr der Unterlegene. Seid ihnen ein Helfer, aber kein Zerstörer; die Natur verlangt, daß ihre Triebe zum Guten oder Bösen, je nachdem sie geweckt werden, zur Auswirkung kommen.«

Ratlos ließ sich Hirschvogel in einen Stuhl sinken. Seine Frömmigkeit, die ihm jahrelang die Stütze war, wankte. Aus Dürers Worten hörte er einen Klang heraus, der ihn irremachte. Ein Unwille gegen die Auferlegung von Nachgiebigkeit beschlich ihn, er *mußte* ja die sündhafte Liebe der Kinder auseinandertreiben, sonst verstieße er gegen die Gebote der Gesetze. Das Okkulte in der Auffassung Dürers, über die geheimnisvollen Schicksalsschlüsse seines Lebens, gab ihm keinen Aufschluß über sein Handeln. Er sah die Kinder der Blutschande entgegentaumeln, und das mußte er verhindern.

»Ich muß!« sagte er trotzig. »Es gibt keinen andern Weg. Sollen die Kinder soviel erleiden, wie ich erlitten habe? Meister Albrecht, heute nacht, wenn Ihr sie gesehen hättet, wie sie sich im Mondlicht küßten, Ihr würdet mich verstehen. So küßt keine Schwester den Bruder, so ohne Scham im Nachtgewande nimmt kein Bruder seine Schwester in die Arme! Was soll daraus werden, wenn sie jede Nacht dasselbe tun? Sehet Ihr das nit ein? Aus Funken werden Flammen!«

»Ich sehe es ein!« sagte Dürer, der an Anna in Venedig dachte, wie sie vor ihm stand als Eva. Diese heiligen Gefühle konnte der Ratsherr nicht verstehen. Er sah in der Umarmung der Kinder sein eigenes Bild, das nicht rein blieb vom sündhaften Begehren. Dürer sprach weiter:

»Ich sehe es ein, aber ich weiß auch, daß eine andere, höhere Liebe eine Seele erfüllen kann, die alle Begierden der Sinnlichkeit meistert! Ihr habt kein Recht, Eurer Kinder Seelenkräfte, wenn sie reine Lauterkeit und hohe Gaben in sich schließen, Eurem Bluterbe zuzuzählen und sie zu unterjochen.«

Der Ratsherr erhob sich, lief ungestüm in der Arbeitsstube auf und ab, stieß in seinem Trotz an Tisch und Gestelle, blieb endlich vor Dürer stehen und rief zornig:

»Ihr seid mein Widersacher, ich erkenne es. Ihr wollt die Kinder der Blutschuld verfallen lassen. Ich aber sage Euch, daß mir Gott das Amt des Hüters gab, über mein eigenes Fleisch und Blut zu wachen. Er hat mir das Seelenheil der Kinder in Schutz gegeben, und ich muß sie vor der größten Sünde bewahren! Ich muß sie trennen. Ich tue recht vor Gott dem Allmächtigen, ich tue recht vor den Gesetzen der Menschheit und der irdischen Gerichtsbarkeit. Ich lasse meine Tochter nit auf das Rad spannen. Im Kloster wird ihr die Besinnung kommen, und der böse Geist wird von ihr weichen!«

Er schloß erregt den Mantel und schritt ohne Gruß zur Tür hinaus.

»Armer Verblendeter!« seufzte Dürer. »Du suchst dein Recht vor den Schranken, die nichts anderes sind als herzlose, gefühllose Balken, an denen sich jede Seele stößt, die nit frei fliegen kann. Ich kenne ein ander Recht, das ist der Charakter, vor ihm besteht jede Schuld, denn nur er trägt und richtet sie.« –

An dem Morgen, als ihr Vater fortritt, lief Margarete zu Kathi Gärtnerin. Ihr übervolles Herz drängte sie, es vor ihrer Freundin auszugießen. Sie saßen beisammen in der Laube. Margarete hielt Frau Kathi in ihrer Herzensangst umschlungen und erzählte ihr von ihrer Liebe und von der Nacht, in der sie Kaspars Laute rief. Frau Kathi strich der Erregten die Goldlocken aus der Stirne und küßte sie.

»Würmlein, Knösplein, kleinwinzig Blümlein du, was weißt denn du, was Liebe ist!« sagte sie schelmisch, denn sie konnte nicht ernst sein. »Ich kenne ihre Lust und ihre Qual, sie hat mich gelockt, beglückt und gegeißelt. Alle Freuden sind mir zu geringe für das Feuer, das in mir glüht. Du kennst nur der Liebe Sehnsucht, nit aber ihre Erfüllung. Hüte dich vor dem Feuerlein, es verbrennt dich!«

»Was soll ich tun?« Margarete sagte es ängstlich. »Jede Nacht schreie ich meine Not zu Gott. Er hilft mir aber nit!«

»Hilf dir selbst!« Wie ein Auflachen klang das Wort, und es sollte eine Mahnung sein. »Entweder du sühnst die Sünde deines Vaters und gehst ins Kloster ...«

»Nimmermehr!« schrie Margarete wild auf. »Glaubst du, ich sei so sündhaft, um die heiligen Märtyrer anzuflehen, mich zu beschirmen? O Kathi, schwach ist mein Glauben geworden, Gott verzeih' mir das. Wie kann ich im Kloster Frieden finden?«

»Lästere nit, Kind! Gott wohnt in den Klöstern, und Christus ist der Bräutigam für fromme Bräute. In diesem Reiche ist es schön!«

»Kein Kloster! – Ich liebe die Welt!« jammerte die Verzagte.

Da kam Kathi ein Gedanke, sie zog die Freundin an sich und sagte lächelnd:

»Du bist ein gar zu verliebtes Ding. Komm mit mir zu meinem Ohm nach Rothenburg. Dort kannst du in Sang und Freude deine Sehnsucht nach dem einen ertöten und einen andern finden, der nit dein Bruder ist! Ich will dir dort dein Herzl gesund machen!«

Da war es Margarete, als stieße ihr die Freundin das Herz aus dem Leibe.

»Ich kann nit fort von ihm, er wird jede Nacht nach mir schreien!«

»Da gibt es nur noch das dritte: das Rad am Rotenhügel!«

Entsetzt sprang Margarete auf.

»Das Rad – warum das Rad?«

Diesmal rief Frau Gärtnerin ernst und eindringlich:

»Der Buhlschaft einer Schwester mit ihrem Bruder gebührt das Rad. Dort wird der sündhaft nackte Leib gedehnt und zerrissen ...«

»Höre auf, du bist wahnsinnig!«

»Nein, ich bin vernünftig. Wenn du die Liebe zu deinem Bruder zur Sünde machen willst, verfällst du Gottes Zorn und der irdischen Gerechtsame, denn das wäre ein Frevel wider das eigene Blut!«

Wie eine Stimme aus einer andern Welt klangen die Worte Frau Kathis. Margarete schrie wild auf: »Was soll denn so strafbar sein, wenn ich meinen Bruder gar so lieb hab' und ihn doch trösten muß!« Sie wußte nicht, was Sünde ist; wie leblos fiel sie auf die Bank nieder und weinte bitterlich. Frau Gärtnerin nahm sie in ihre Arme und sprach ihr Trost zu:

»Schau', armes Vogerl. Sei vernünftig. Wenn du nit ins Kloster willst, dann geh mit mir, dein Vater wird's gern gestatten. Bei Kaspar kannst du mit deiner brennenden Lieb' nit sein. Es kommt die Stunde, wo du das alles selbst erkennen wirst. Jetzt bist du noch zu dumm und zu jung!«

»Ja, Kathi, ich geh' mit dir!« So als hätte sie das Schlimmste gesagt, was auf ihrer Seele lastete, rief sie diesen Entschluß aus, riß sich aus den Armen der Freundin und lief heim. Dort schloß sie sich in ihre Kammer ein und kramte alles zusammen, was sie für die Fahrt nach Rothenburg und den langen Aufenthalt in der Fremde brauchte. Heiße Tränen tropften in die Gewandtruhen und in den Wäscheschrein. Aber tapfer rang sie ihre Wehmut nieder.

So traf sie der Vater, als er, von Zorn und Trotz erfüllt, von Dürer kam.

»Was tust du mit dem Gewand?« sagte er strenge, denn er nahm sich vor, keine Weichherzigkeit zu zeigen. Da erzählte sie dem Vater das Gespräch mit Kathi und was sie vorhabe. Der dachte eine Weile nach, diese Lösung schien ihm günstig. Die freiwillige Trennung würde Dürer nicht verurteilen.

Aber er ließ sie wieder fallen. Frau Kathis Liebeshunger und ihre leichtsinnige Lebensweise, ihr Verhältnis mit Wilibald Pirkheimer, von dem jeder wußte, waren ihm keine Gewähr für den Wandel, der sich an seinem Kinde vollziehen sollte. Er sagte listig:

»Gut, tue, was du magst. Aber ehe du den Entschluß ausführst, sollst du mit mir zu meiner Base fahren, zur Äbtissin ins Kloster Engelthal.«

»Ins Kloster? Nimmermehr!« schrie Margarete auf.

»Eine Stunde bei der Domina wird deiner verirrten Seele Trost geben. Sie will dir mit frommen Worten deinen Sinn wenden, dich aufklären aus den Schriften der heiligen Kirche und dir vorhalten, wie sündhaft sinnliche Liebe zwischen Bruder und Schwester ist. Du mußt dich losreißen von dieser Buhlschaft, die verpönt ist vor Gott und den Menschen.«

»Gott im Himmel!« stöhnte Margarete auf. »Mein Herz wird brechen müssen! Was werden das für Tage und Nächte sein, ehe meine Liebe wird sterben können!«

Dieser Aufschrei griff mit harten Händen nach dem Vaterherzen. Er vergaß seinen Vorsatz, strenge und unnachgiebig zu sein, schloß seine Tochter in die Arme und flüsterte ihr Trost zu: »Armes Kind. So hat einmal ein Herz an meiner Brust gepocht, als mich die Sippe von meiner Herzliebsten losreißen wollte.« – Dann aber war es ihm, als hörte er Dürers Worte: »Hat nit eine andere Liebe andere Rechte als die vom Bruder zur Schwester?« Er löste sein Kind aus den Armen und sagte trotzig:

»Nimm den Mantel um, wir fahren sogleich zur Domina!«

Sie kannte ihres Vaters Sinn und fügte sich. Eine Stunde im Kloster würde sie ertragen, dachte sie, aber länger nicht.

Dann nahm sie Abschied von allem, was ihr lieb war; sie dachte, morgen mit Frau Gärtnerin abzureisen, diese Nacht wollte sie bei ihr schlafen; sie fürchtete sich vor ihrem Herzen, das den Ruf ihres Geliebten in jedem Geräusch vermutete. Sie lief, während der Vater den Wagen bestellte, in Kaspars Stube und schrieb auf einen Zettel:

»Wenn Dir das Herz blutet, so nimm die Laute und spiele das Lied, das mich zu Dir rief. Ich werde bei Dir sein, wenn ich Dir auch fern bin. Leb' wohl, mein Bruder, ich darf fortan nur Deine Schwester sein!«

Sie fühlte, daß sie lange von ihm fern sein würde, küßte seine Laute und küßte die rote Rose auf seinem Barett. Überall blieben Tränenspuren zurück.

Dann fuhr sie mit dem Vater ins Kloster Engelthal zur Domina.


Die Domina war eine stattliche Erscheinung, deren Augen mehr von Lebenslust als von Frömmigkeit sprachen. Die Backen in ihrem Gesicht glänzten drall wie Stettiner Äpfel. Die hurtigen Augen waren voller Unruhe und Schaulust; der rote Mund verriet, daß er mehr der weltlichen Sprache als frommer Gebete beflissen war. Ihr Leib kannte keine Kasteiung.

Aber auch die Nonnen, die ins Sprechzimmer hereinlugten, schienen keine Büßerinnen zu sein. Sie kicherten lustig, als sie Margarete trotzig vor der Domina stehen sahen.

Die Blicke des ehrbaren Rates suchten den Boden; er konnte seine Tochter nicht ansehen, denn er fühlte ihren Widerwillen gegen die Domina, die lebhaft plauderte und das Klosterleben in den rosigsten Farben schilderte. Erst als ein strenger Blick des Ratsherrn die Äbtissin zum Ernst mahnte, richtete sich diese auf und sprach salbungsvoll zu Margarete:

»Liebe Tochter, das Leben ist kein Sündenpfuhl! Daß du in Leidenschaft zu deinem Bruder entbrannt bist, ist ein Abscheu vor Jesus Christus. Das soll dich gemahnen, deine Seele zu reinigen!«

»Ich bitte Euch, liebe Base«, sagte der Ratsherr, erregt über die strenge Art, mit der die Domina zu seiner Tochter sprach, »redet über die Artikel der Heiligen Schrift. Zeiget ihr, warum sie irret und wie sie ihre Seele erretten kann. Gebet ihr alle Unterweisungen der heiligen Kirche kund, damit sie in den Spiegel schaue und ihre eigene Sünde sehe.«

»Gerne willfahre ich Euch Ehrbahrer«, versetzte die Äbtissin. »Aber gewährt mir Frist. Der schwere Fall ist mir jetzt nit gegenwärtig, ich will die Schriften befragen und die Satzungen erforschen, dann mag das Schwert meiner Rede Eurem Kinde den Geist der Sünde befehden, auf daß ihr Gewissen befreit und ihre Seele erleuchtet werde. Aber das geht nit übereilt, das muß in Liebe geschehen, bis das sündhafte Herze der Argen in Demut den Weg zum Heil sucht. Die Zeit ist der beste Medikus …«

»Die Zeit?« rief Margarete, aufgeschreckt von dem Gehaben der Domina. »Glaubet Ihr, daß ich bei Euch verharre, bis Euch der Heilige Geist erleuchtet hat, das Schwert über meine Demut zu schwingen? Und bis die Zeit als Medikus ihr Messer in meines Herzens Wunde schneidet? Da irret Ihr gewaltig. Ich bin nit willens, darauf im Kloster zu warten, ich weiß mir besseren Rat!«

Der Ratsherr erhob sich und schritt auf seine Tochter zu, ihr Trotz erregte ihn. Zornig rief er:

»Beherrsche deine Worte, meine Tochter! Du stehst vor einer frommen Frau!«

Margarete aber lachte auf und trat einen Schritt zurück:

»Fromm? Vater, sieh sie dir an! Sie mag irdischer fühlen und sündhafter denken denn ich! Aus ihren Augen spricht keine

Frömmigkeit, sie hat den harten Blick, der nit zur Sühne mahnt!«

Die Äbtissin war rot geworden im Zorn über diese Rede, sie fühlte sich verletzt. Die Adern schwollen ihr auf der Stirn, sie schob mit starkem Arm den Ratsherrn beiseite, richtete sich hoheitsvoll auf und rief:

»Dreimal verstockt sind die Sünderinnen gegen das eigene Blut, dreimal verflucht sind sie, wenn sie gegen Gott trotzen! Kind, du bist faulig in deinem Innern, und es bedarf einer großen Gnade Gottes, die ich dir zu geben gedenke, um deiner Seele Heil zu erretten!«

»Ich bete ja täglich zu Gott, er möge mich vor Sünde bewahren. Was vermöchtet Ihr? Er hört nit auf Euch!«

Margaretes Augen brannten die Röte noch flammender in das Antlitz der Äbtissin, die eine Handglocke ergriff und einen gellenden Ruf ausstieß. Als ob sie schon geharrt hätten auf diese Stimme der Herrin, stürzten zwei Nonnen in das Sprechzimmer. Von ihrem Übereifer überglüht, wies die Äbtissin auf Margarete und rief mit bebender Stimme:

»Also verlangt es die Regel des Klosters, daß jenem Gefallenen, in dem das Tier ein Zerrbild seines Lebens wurde und die Ehrfurcht vor dem hohen Leuchten der Demut in Jesu Christo mangelt, der irdischen Strafe verfalle. Wer nit weiß, was für Geisteskraft vom Vater oder aus der Mutter Leib für Gabe der Erkenntnis seinem Lebenszweck wurde, der steht als Ketzer vor dem gegeißelten Erlöser und muß durch seine Leiden gereinigt werden.« Die Augen der Domina funkelten Margarete an wie bannende Augen einer Richterin. »Wie konntest du diesen Tempel der Gottgeweihten betreten, diesen Tempel, der keinen entläßt, welcher nit reuig vor Christus bekennt, daß seine Sünde die Sühne verlangt.«

Die Erzürnte winkte den beiden Nonnen und rief ihnen zu:

»Ergreifet diese Renitente! Werfet sie in die Zelle der Buße, bis sich ihr Trotz in Demut wandelt und sie sich beuget vor mir, die ich als Oberin das Heiligtum Jesu verwalte!«

Ergriffen stand der Ratsherr abgewendet beim Fenster. Es war totenstill in dem Raume, jedes Wort der Äbtissin hatte wie eine

Faust an die Wände geschlagen. Die Nonnen fanden nicht den Mut, Margarete zu ergreifen. Die Domina riß das silberne Kreuz von ihrer Brust und hielt es in die Höhe, im Begriff, das Zeichen der Marter über die Sünderin zu heben.

Doch sonderbar; trotz der Stille in dieser Minute hob ein Sausen und Rauschen durch das Empfinden Hirschvogels an, als fahre ein Sturm durch den Wald. Und es war ihm, als redeten mit der Stimme Dürers tausend andere Stimmen: »In unerbittlicher Gerechtigkeit verlangt das Gesetz, das als Schutz den Unterlegenen gegeben ist, daß ihr Wesen nicht mit Gewalt aus seinen, ihm vorbestimmten Wegen in den Willen des anderen gedrängt werde.« Aber in diese Stimmen hinein rief eine ferne Donnerstimme: »Wenn sich das Wesen gegen das sichere Geleit zum Guten auflehnt, dann ist keine andere Hilfe als das strenge Gesetz der Moral!« Hirschvogel zitterte am ganzen Leibe, er hatte Mitleid mit seinem Kinde, aber sein Rechtssinn und seine Schuld waren stärker. Er wagte nicht, Margarete anzusehen.

Die stand wie eine zum Kampf bereite Amazone vor der Äbtissin und sah ihr durchdringend in die Augen. Endlich rief sie:

»Dem Heiligtum Jesu Christi seid Ihr keine Hüterin, Domina. Mein keusches Leben hat keine Grenze überschritten, die zur Schuld führt, ich stehe rein und unberührt vor Gottes Augen und füge mich Euren Gesetzen nicht, die danach streben, in meiner Seele auszutilgen, was aus der Lehre Jesu in ihr zum Wirken kam.« Sie wendete sich und sah den Vater am Fenster stehen, ohne Teilnahme für ihre Kämpfe. Da wurde der Patrizierstolz in ihr wach.

»Vater!« schrie sie aufgebracht. »Duldet Ihr, daß ich von dieser also gedemütigt werde?«

Der Ratsherr schwieg. Das Rauschen und Brausen in seinem Innern übertönte den Seelenschmerz seines Kindes.

»Vater!« Margaretes Stimme gellte verzweifelt. »Ihr wendet Euch ab von mir? Was habe ich getan, daß Eure Liebe und Euer Stolz in Ohnmacht liegen?«

Wieder das eisige Schweigen. Vorher waren in Margarete nur Kopf und Herz lebendig, nun aber, im Schrei ihrer Angst, erwachten alle Kräfte in ihrem Leibe, sie ballte die Fäuste gegen die Äbtissin und gegen ihren Vater, dann schrie sie wie in Todesnot:

»Vater! Mein Herz blutet! Reißet die Wunde nit noch tiefer! Was Ihr verschuldet habet an Kaspars Mutter, das büßet in Euren Qualen, mich aber lasset frei! Seid Ihr von Eurer Art und Sippe so eingeengt, daß Ihr in Eurem Kinde Eure Sünden wiedersehen wollt, dann werdet Ihr aus Eurem Kinde nur den Spiegel Eurer selbst machen und Eures Blutes Erbe belasten. Die Liebe zu meinem Bruder ist in mir so begierdelos wie meine Liebe zu Jesu Christo. Euch hat Gott zu meinem Schutze aufgestellt, Ihr aber …«

»Schweige!« rief die Äbtissin. »Der böse Geist ist lebendig in dir, du hast gegen das vierte Gebot Gottes gesündigt, das da lehrt: Du sollst Vater und Mutter ehren …«

Margarete sprang vor die Domina und schrie ihr ins Gesicht:

»Rufet nit den unsichtbaren Gott an, Ihr seid eine Würdelose! Ein Vater aber, der sein Kind belügt und betrügt, der es ins Kloster führt mit der Lüge, ihm himmlischen Trost zu spenden, und es den Bütteln ausliefert, um vor seinem Gott die eigene Schuld zu entsühnen; ein Vater, der die Liebe seines Kindes mit Hinterlist mordet, der ist im vierten Gebot nit inbegriffen!«

»Ergreifet die Renitente!« rief die Äbtissin den Nonnen zu. »Gebet ihr die Geißel, damit sie das Ungeheuerliche büße!«

Rasch ergriffen die Nonnen das aufgeregte Mädchen und zerrten es aus dem Sprechzimmer in den dunklen Gang zur Büßerzelle.

Der Ratsherr war, entkräftet von dem Ringen in seinem Gewissen, in einen Stuhl gesunken. Die Anklage seines Kindes gellte in seinen Ohren und in der Tiefe seiner Seele, seine Lippen murmelten immer nur das eine: »Ich tue Rechtens; ich muß, ich muß!«

Die Äbtissin, deren Zorn sich wieder besänftigt hatte, sagte, als sie den Ratsherrn so hilflos sah: »Sie ist des Teufels! Danket Gott, daß er Euch zu mir wies. Ich will ihr die wilde Art austreiben und sie Eurem Vaterherzen gereinigt wiedergeben. Aber habt Geduld und Vertrauen, lasset mich das Stämmlein biegen, bis es gefügig wird!«

Der Ratsherr taumelte aus der Sprechstube; seine Sinne waren ihm wie ausgelöscht, er hatte nur ein Gefühl tiefster Abspannung. Sein Wille war gottergeben, und er ließ seine Tochter im Kloster zurück.

Ihm war, als gellten ihm die Worte Margaretens von allen Seiten entgegen. Aus jedem Baum der Landstraße glaubte er, ihren Schrei zu hören: »Ein Vater, der sein Kind betrügt ...«

Er ließ die Pferde peitschen, daß sie schneller ausgriffen, der Schrei des gequälten Kindes lief ihm nach. In Nürnberg hallte er ihm aus allen Gassen entgegen. Es litt ihn nicht, nach St. Johannis zu fahren, er lief in die Herrentrinkstube und ertränkte sein Gewissen im Weine. In später Nachtstunde führten ihn die Ratsknechte in seine Stadtwohnung, wo er, an Leib und Seele erkrankt, eine Woche hindurch im Fieber lag.

Als Kaspar an diesem Abend in seine Stube trat, fand er den Zettel seiner Schwester. Er las ihn erst lächelnd, fragte dann die Magd, wo der Ratsherr sei; als er hörte, daß er mit Margarete am Nachmittage weggefahren wäre, ohne zu sagen wohin, las er den Zettel wieder, aber mit besorgter Miene. Er lief zu Frau Kathi, von der er erfuhr, was Margarete plane. Was mit ihr geschehen war, ahnte ihre Freundin nicht. Da las er den Zettel zum dritten Male, und nun wußte er, daß sie ihn verlassen mußte. Vom Schmerz überwältigt, warf er sich über den Tisch und schluchzte bitterlich. Er wartete auf den Vater; der kam nicht.

In der Nacht übermannte ihn die Sehnsucht nach der Geliebten. Er griff zur Laute. Sie schrieb ihm doch: »Wenn Dir das Herz blutet, so nimm Deine Laute und spiele das Lied, das mich zu Dir rief. Ich werde bei Dir sein, wenn ich Dir auch fern bin.« Er spielte das Lied, und da war ihm, als höre er ein Weinen. Er legte die Laute weg. Nun wußte er, daß sie litt, daß sie um der Liebe willen leiden mußte. In dieser Nacht der Sorge beschloß er, sie zu suchen.

Am andern Morgen packte er sein Felleisen, hing sich die Laute um die Schulter und schritt durch Nürnberg. Er ging zum Frauentor hinaus, über die Wiesen, ziellos. Kam er in eine Ortschaft, da spielte er das Lied auf der Laute, das sie in jener Nacht zu ihm rief. Die Leute liefen ihm nach, sie hielten ihn für närrisch. Er sah sie nicht, er fragte in die Luft hinein: »Wo weilest du, mein geliebtes Schwesterlein?«

Dürers Mutter lag seit einem Jahre krank darnieder. An einem Dienstag, im Mai 1514, verschied sie. Die Sorge um ihren Albrecht machte ihr das Sterben schwer. Die fromme Frau hatte den Sohn im Kirchenglauben wankend gesehen; sie hatte ihn grübeln sehen im Suchen nach Gott, belauscht, wenn er mit Stabius und Pirkheimer über Religionsfragen sprach, und erfuhr doch nicht, wieviel tiefer sein Glauben war als der ihre. Das Mutterherz umsorgte die Zerrissenheit seiner Seele, in der sie alle Enttäuschungen in der Kunst auf die Religion bezog. Daß ihr Sohn ein großer Maler sei, vom Kaiser gerühmt und geehrt, das war ihr Stolz; wie er aber im Kampfe um diesen Ruhm litt, das begriff sie nicht. Alle antiken Versuche Dürers bezog sie in ihrer Einfalt auf ketzerische Ideen; vor den Göttern der Griechen hatte sie mehr Angst, als Dürer selbst sie bei Mantegna litt. Sie verstand nichts sonst von der Götterwelt, als daß sie heidnisch und antichristlich sei. Und so war sie in großer Sorge um das Seelenheil ihres Sohnes.

Einige Stunden vor ihrem Tode ging eine Wandlung in ihr vor. Der Gedanke, daß sie sterben müsse, ließ ihr keine Ruhe, sie mußte endlich mit ihrem Sohne von Gott sprechen und ihn zu ihm führen. Diese heiligste Muttersorge verklärte ihr abgehärmtes, verfallenes Gesicht so eigenartig, daß Dürer sie verwundert anstaunte.

»Mutter, Ihr seid so schön heut, zeigt ein so sanftes Ertragen Eurer Not, und in Euren Augen ist ein Licht, wie selten sonst!«

Sie griff nach seiner Hand und drückte sie herzinnig. Leise sprach sie, und ihr Sprechen war ganz andere als sonst. Die bescheidene Frau, die sich nie mit ihrer Meinung vordrängte, außer wenn sie ihren Sohn zu tugendsamem Lebenswandel ermahnte, fand nun Worte zu Dürer wie nie zuvor. Ihr verhärmter, eingefallener Mund lächelte versonnen, ihr Blick kam wie aus dem Jenseits.

»Weißt du nit, daß der Vater auf mich wartet im Himmel? Mein Albrecht, bald bist du ohne Mutter auch. Und eh ich sterbe, versprich mir, wend' dich nit ab vom christlichen Glauben. Vor Gott zu kommen, fürcht' ich mich nit so, als davor, daß du von Gott gehst. Bedenk', es ist im Menschenleben nur der alleinige Trost: an Gott zu glauben. Was nützt dir mein Segen, wenn du nit den guten Glauben hast?«

»Ich hab' ihn doch, Mutter; warum zweifelt Ihr an meinem Glauben? Gott ist mir so nahe wie Euch.«

Die Mutter sah den Sohn ruhig an und schüttelte ungläubig den Kopf.

»Das, was du zum Kaiser gesagt hast und was du mit dem Wilibald besprichst, ist nit der wahre Glauben, mein Sohn. Schau', du bist so ein gerühmter Meister worden, hab' nur Freude an dir erlebt, und ich werd's Gott danken, so ich ihn von Angesicht zu Angesicht erschaue, daß er meinen Leib mit dir gesegnet hat. Aber so wie du mit dem Wilibald geredet hast, so darfst du zu deiner Mutter jetzt nit reden. Gott ist über uns, nit in uns. So vermessen Ding glaub' ich nie und nimmer, und auch du sollst das nit glauben. Du gehst in keine Kirche mehr.«

»Mutter!« stöhnte Dürer, dem der klare Sinn der Rede in die Seele schnitt. »Keiner ist frommer denn ich. Bedenket doch, wie viele Marienbilder und Passionen des Heilands ich aufgerissen hab'. Da muß das Herz dabei sein, die Hand könnt's nit allein. Soll ich die Bilder, die ich selbsteigen gemalt hab', auch noch in der Kirche anbeten? In mir ist eine Kirche mit allen Heiligen –«

»Und Heidenbildern. Albrecht, lüg' nit die Mutter an, ich schau' dir auf den Grund. Die Marienbilder sind nit deine einzige Freude! Du tust es um des Lebens Notdurft, weil's die Agnes will. Die Gottesnähe verspürt einer im Wunderbaren, das keine Gestalt hat, nit aber im Schauen durch die Schaugläser in den Gestirnen, durch die du beim Wilibald suchst. Den wahren Himmel erreicht ein Schauglas nie. Mit dem Herzen, nit aber mit den Augen mußt du Gott suchen. Du bist am falschen

Wege! Gott ist im geheimnisvollen Ahnen, im Walten unsichtbarer Mächte, er ist – das Glück, das zur Erde steigt und doch ewig sehnsuchtsvoll, weltenfern und himmelhoch bleibt, weil es nur für den leuchtend ist, den es im rechten Glauben begnadet.«

Die Worte der Mutter tropften auf den Spiegel seiner Seele wie Tränen. Das Glaubensbekenntnis von Gott im Glück erschien ihm wie ein Jenseitsmahnen.

»Was meinet Ihr mit dem Glück, Mutter?« fragte er verwundert.

Sie lächelte, und ihr Gesicht war überstrahlt von innerster Andacht.

»Uns ist ein Kindlein geboren, es wandelt unter uns, keiner sieht es. Hundert Arme, Kranke und Beladene rufen es. Seine Stimme gibt den Trost im Ertragen, heilt die Kranken, macht die Armen reich und entlastet die Beladenen. Und wird in deinem Schaffen eine Sehnsucht erfüllt, so hat das Kindlein es getan. Mich hat's oft angelächelt, wenn ich zu ihm gebetet hab', und ist gekommen und hat mir Trost gebracht. Albrecht, das gläubige Erharren der himmlischen Gnade ist Glück, der Trost ist Glück; und erfüllt es dein Gebet oder dein Sehnen, dann bist du vom Glück begnadet. Und das ist so geheimnisvoll, so weltenfern und himmelhoch und steigt doch zu uns auf die Erde, in unser Herz.«

»Das Glück!« Dürer schluchzte. Hatte er danach gesucht, war es zu ihm gekommen in den Stunden seiner Sehnsucht und Gebete?

»Mutter, das Glück ist mir so fremd, mir hat sich's nie genahet.«

»Weil du nit daran glaubst. Albrecht, das ist kein Gott, der in uns Leben hat, und doch ist's der menschgewordene Gottessohn, der für uns gekreuzigt wurde. Da darf keiner fragen: Wie ist es, warum ist es? *Es ist!* Daran muß einer fest glauben. Es muß uns ein Geheimnis bleiben, eine Sehnsucht. Wär's dir ein greifbar, wissend Ding, und wolltest du's herausschälen wie aus einer Frucht, dann wärst du enttäuscht, wie du von Gott enttäuscht wärst, wolltest du ihn so hüllenlos seiner Glorie entkleiden, wie es die Gelehrten tun. Mir hat einmal der Seefahrer Martin

Beheim eine fremde Frucht, aus einem Lande über dem Meere, mitgebracht. So seltsam war diese Frucht, daß ich in ihr ein Geheimnis erträumte. Ich hab' sie gehütet wie einen Schatz, und mein Denken war um sie zu jeder Stunde. Ein Wunder hab' ich in dieser Frucht erträumt, fremde Schätze, unermeßlichen Reichtum, und der Besitz der Frucht hat mir ein Glück bedeutet. Aber dann kam die Neubegierde. Sie lockte: ›Öffne die Frucht, dann bist du reich.‹ – Mein Herz wurde ängstlich und rief: ›Brichst du die Frucht auf, wer weiß, ob du das Glück findest darin.‹ Aber die Neubegierde hat gesiegt. Was glaubst du, was ich darin gefunden hab'?«

Die kranke, sterbende Frau hob die Blicke empor und richtete sie auf den Sohn. Dürer war erschüttert von dem Sprechen der Mutter, die die Worte nie mit so viel Geist so stellen konnte wie in dieser Stunde.

»Mutter!« stöhnte er. »Auch ich hab' in Venedig in einer schönen Frucht, die meinen Augen ein Wunder erschien, nur Kerne gefunden, die faul waren und daran die Würmer nagten. Und diese Frucht war die Schönheit und hat mir Glück versprochen.«

»Mein Sohn!« – lächelnd strich die Kranke über Albrechts Locken – »Wie dir's erging, erging's auch mir, und so mag's allen ergehen, die das Glück in Dingen suchen, die verschlossen sind. Das Glück muß ein Geheimnis bleiben, weil es Gott ist, den wir im Wissen nit finden, der nur in unserem Hoffen und Glauben lebt. Was wir als geschlossene Frucht in unserem Kinderherzen aufgenommen haben, müssen wir noch in unserer Sterbestunde unberührt dem Tode übergeben, der es offenbart, ob in der Frucht der ewige Reichtum ist, oder ob Würmer unseren Lebenskern, den Glauben an das Glück, zerfressen haben.«

Dieses tiefgläubige Bekenntnis eines Mutterherzens erregte Dürer. Er kniete nieder und barg sein Gesicht in die Hände der Sterbenden, die in erhabener Ruhe verharrte und dem irdischen Glück nachsann, das ihr nicht geworden war. Das unnennbare Gefühl im Beten zu Gott erfüllte sie mit Inbrunst. Sie hatte nie an Gott gezweifelt, in ihres Lebens größter Not warf sie sich stets auf die Knie und hob ihre Hände empor. Aus diesem Glaubenskreise war sie nie herausgetreten, und den Trost, den sie in ihrer Inbrunst gewann, fühlte sie als das unnahbare Glück, das ihr ein Ausströmen von Gott zu sein schien. Und Dürer war von den Worten und dem Gleichnis von der Frucht in seinem Innersten aufgewühlt, es schien ihm unfaßbar, daß in Einfalt die Mutter in dieser Stunde eine solche Klarheit überkam, daß sie so anschaulich zu reden wußte.

»Mutter!« schluchzte er, denn er fühlte, daß ihre Seele zu ihm sprach, die schon ihre Schwingen zum Fluge in die Ewigkeit ausbreitete. »Warum mußte ich so lange irren und fragen? Warum habt Ihr nit früher den Balsam Eurer Worte in meine wunde Seele geträufelt?«

Sie strich mit ihrer zitternden Hand über seine Locken.

»Ich hab' erst jetzt erkannt, was das ist, was in uns so nach Gott ruft. Ich hab' dich wohl irren sehen, aber den rechten Weg konnt' ich dir doch nit weisen. Es ist schier so, als ob ich ein Unrecht getan hätt', dich irren zu lassen. Aber es mag von Gott kommen, daß du durch die Zweifel selbsteigen hättest müssen das Wunderbare finden, das uns den Glauben gibt ohne Fragen. Im Vielwissen geht die Seele allein und nimmt das Herz nit mit auf den Irrgang. Im Herzen aber geht doch in der Stunde der Erkenntnis das Samenkörnlein auf, das Gott dahinein gesät hat. Auch bei dir wird das so sein, erst mußt du alle Fehlwege gehen, ehe du den rechten wirst finden. Bleib stark, du mein Albrecht, dich hat Gott erlesen zu Besonderem, und hüte dich vor der Sünde! Daß dein Herz fromm ist, das hat das Mutterauge erschaut, und mein Segen soll dich geleiten auf dem frommen Wege zum Erkennen. Der Allmächtige gebe dir Trost und Frieden.« Sie legte ihre Hände auf Dürers Haupt, und ihre Augen blickten verklärt und erfüllt von ihrer Mission als Mutter empor, als sehe sie den Himmel weit geöffnet. Leise hauchte sie:

»Und jetzt geh, mein Sohn. Der Vater wartet auf mich. Hole mir den Priester, ich will meine Seele rein und unbefleckt zu meinen Kindern im Himmel aufsteigen lassen.« –

Der Priester kam zu einer Verklärten, sie fürchtete sich nicht, vor Gott hinzutreten, wußte sie doch, daß ihr Sohn jetzt auf

dem rechten Wege war. Aber in ihrem Verscheiden kam eine
große Angst über sie; sie verlangte nach geweihtem Wasser und
konnte lange nicht sprechen. Mit zwei Stößen, die ihren Leib
erschütterten, schied sie von hinnen. Ihr letzter Blick traf mahnend ihren Sohn, der auf die Knie gesunken war und in seinem
Schmerz betete. Er fand wieder die gläubigen Worte im Gebet,
wie sie ihn die Mutter gelehrt hatte, und sein Herz erschauerte
vor dem starken Willen der Sterbenden, der ihm alle Zweifel
nahm. In sein Gedenkbuch schrieb er über das Sterben seiner
Mutter:

»An einem Erchtag, was der 17. Tag im Maien, zwu Stund
vor Nacht, ist mein frumme Mutter Barbara Dürerin ver-
schieden christlich mit allen Sakramenten, aus päpstli-
chem Gewalt van Pein und Schuld geabsolvirt. Sie hat mir
och vor ihren Segen geben und den gottlichen Fried
gewünst mit viel schöner Lehr, auf daß ich mich vor Sünden sollt hüten. Sie begehrt auch vor zu trinken Sant
Johanns Segen[1], als sie dann thät. Und sie forcht den Tod
hart, abr sie saget, für[2] Gott zu kummen fürchtet sie sich
nit. Sie ist auch hart gestorben, und ich merkt, daß sie
etwas Grausams sach. Dann sie fordret das Weichwassr,
und hätt doch vor lang nit geredt. Also brachen ihr die
Augen. Ich sach auch, wie ihr der Tod zween groß Stoß
ans Herz gab, und wie sie die Mund und Augen zuthät
und verschied mit Schmerzen. Ich betet ihr vor. Dovan
hab ich solchen Schmerzen gehabt, daß ichs nit aussprechen kann. Gott sei ihr genädig. Item ihr meinst Freud ist
allweg gewest, von Gott zu reden, und sach gern die Ehr
Gottes. Und sie was im 63. Johr, do sie starb. Und ich hab
sie noch meinem Vermügen begehn[3] lassen. Gott der
Herr verleich mir, daß ich auch ein seligs End nehm, und

---

[1] Abchiedstrunk.
[2] = vor.
[3] Begraben.

daß Gott mit seinem himmlischen Heer, mein Vater, Mutter und Freund zu meinem End wöllen kummen, und daß uns der allmächtig Gott das ewig Leben geb. Amen. Und im ihrem Tod sach sie viel lieblicher, dann do sie noch das Leben hätt.«

Nach dem Begräbnis seiner Mutter kehrte Dürer mit Pirkheimer vom St. Johannisfriedhof nach Nürnberg zurück. In seiner Seele war ein neuer Zwiespalt entbrannt; der Mutter Worte gaben ihm zu denken. Er erzählte seinem Freunde von dem wunderbaren Deuten der sterbenden Frau, die in ihrer frommgläubigen Überzeugung wie eine Erleuchtete vom wahren Christenglauben gesprochen hatte, als hätte sie das Übernatürliche erblickt. »Es war nit gut von mir«, sagte er bekümmert, »daß ich meine Mutter so weit hab' in meine Seele blicken lassen. Sie war ein arm, einfältig Weiblein, das in des Lebens Not allezeit wunderlich blieb. Aber erkläret mir, hochweiser Wilibaldus, wie so ein Weiblein, das doch sonst nit mit dem Wort hat umgehen können, in der Sterbestunde also klar und tief ergreifend hat reden müssen?«

Pirkheimer blieb stehen und sah den ängstlichen Freund an, ernst sagte er: ·

»Was fraget Ihr nach Rätseln, da Euch doch das Durchschauen einer Menschenseele näher liegt als mir? Habet Ihr mir nit erzählt, wie der sterbende Tag alles schmutzige Gewässer und öde Steinzeug in Venedig übergoldete und mit Purpur behängt? Habet Ihr nit in Verzückung dem schwindenden Jahr sein Sterbekleid besehen und gesagt: Im Sterben zeigt das Wunderbare in der Natur die wahre Schönheit? O Albrecht, was wissen wir armselige Menschen Sicheres vom Jenseits? Hat nit Euer Vater einmal gesagt: Eine Mutter ist heilig!? Es mag ein Geheimnisvolles in einer Seele wohnen, die es offenbaren muß, ehe sie den Leib des Menschen verläßt und ins unendliche Jenseits entfleucht. Ein Mutterherz hört nit eher auf zu schlagen, als bis es alle seine Pflichten erfüllt hat. Empfindungen, die Eure Mutter um Euch nit hat aussprechen können, hat ihr die letzte Stunde klargemacht in dem einen Gedanken, daß sie zu Euch jetzt wird nimmer reden können. Glaubt nit, daß ein so arm Weiblein einfältig in der Seele ist. Die Seele ist ein Teil von Gott, im Jenseitsblick mag sie von der Erleuchtung umstrahlet sein, aber im Leben hat sie sich nit zurechtgefunden; die Natur war ihr auf Erden nit der Vermittler, damit ihres Geistes Kraft in hundertfältiger Gestalt zutage treten konnte. – In ihren Kindern ist ihres Geistes Wirken zum Ausströmen gekommen, in Euch erblickt ihre Seele das Fortdauern ihres Geistes, und den wollte sie für ihre Erkenntnis wecken und zur Erlösung führen.«

Dürer stöhnte auf: »Das Gleichnis von der Frucht ist aber so viel Philosophie, daß ich's nimmer fassen kann, wie das die Mutter hat so weise ausdeuten können! Der Gedanke, daß das Wissen den Glauben nimmt, ist so wahr, ich hab' es an mir verspürt!«

»Mutterworte sind immer wahr. Und der ist der größte Philosoph, der aus der Erfahrung seine Lehre zieht. Denket an Aristoteles, Albrecht! Wie er nach den Ursachen geforscht hat; so mag Eure sterbende Mutter an Euch Ursachen gefunden haben, daß sich ihre Seele im Scheiden mit dem Gold der Klarheit und dem Purpur der Weisheit umkleidet hat, wie es die Stunden des Tages und des Jahres im Scheiden tun.«

Dürer schaute den Freund mißtrauisch an. War dieses Bekenntnis das Ergebnis seiner Forschung? War es das Ergebnis einer unsicheren Gelehrtheit? Wie konnte der Astronom und Weltweise, der mit Leidenschaft sein Wissen verteidigte, jetzt vor einer einfältigen Frau seine Streitbarkeit in Trugschlüssen verlieren?

»Ihr wisset nit mehr denn ich!« sagte er gedrückt. »Der wahren Gottesfurcht ist keine Wissenschaft gewachsen. Auch Ihr habt Furcht vor Gott, den Ihr in Eurer Weisheit anders sehet, als ihn meine Mutter deutete.«

Langsam schritten die Freunde über die Wiese. Nachdenklich geworden, sann Pirkheimer über Dürers Wankelmut in allen Dingen. Er nahm sich vor, den sensiblen Freund aus dem Chaos der Weltweisheit auf den weniger unsicheren Weg der Glaubensideale zu führen.

»Der erste Gedanke an Gott war Furcht«, sagte er belehrend.
»Der Mensch, der aus dem Keim des Urstoffes die Wandlungen
bis zu seiner Vollendung hat durchmachen müssen, ist an die
bestimmte Vorstellung einer Kraft gebunden, die sein Entstehen,
sein Schicksal und dessen Erfüllung veranlaßt. Auf allen Stufen
seiner geistigen Entwicklung trat ihm diese Kraft entgegen. Auf
jeder Stufe erlebte er ein Neues aus ihr über Gott und Welt. Die
ersten Menschen mögen auf den untersten Stufen in ihren
Gefühlen nur die Furcht und die Freude gekannt haben. Die
Furcht vor der Kraft, die stärker war als sie: das Feuer, das Wasser, der Sturm und das Erdbeben; die Freude über ihre eigene
Kraft, die sie im Ringen unter sich und mit den Elementen sie-
gen ließ. Die Furcht wird sie im Unverstand zur Angst getrieben
haben, und so mag der Anfang der Religion in der Wahrneh-
mung zu deuten sein, daß über den Menschen ein unsichtbares
Wesen herrsche, das nur in den Begriffen der Sinne zu ahnen ist.
Die Wissenschaft hat viele tausend Jahre später erst Regeln aufgestellt, sie ist in der Welturssache, im Gedanken an das Erschaffen aus dem Vernichten, zu einer Gottesvorstellung gekommen
und hat übernatürliche Erscheinungen und Rätsel in der Natur
auf verständlichere Art erklärt. Aber wie gering ist das Wissen
noch. Und das Eindringen in das System des Weltenschöpfers ist
uns allezeit ein verschlossen Tor geblieben. Die alten Griechen
haben viel mehr gewußt als wir heute. Heraklit, Anaxymenes,
Platon und Aristoteles sahen die Gottheit in den Elementen der
Erde und haben den Urstoff als Ursache der Gottheit bezeich-
net. Glaubet mir, Albrecht, die Religion ist der ärgste Feind der
Menschheit, das hat schon Epikur dargelegt, der sie als Unwis-
senheit, Lüge und Aberglauben hinstellte und nur in der Wissen-
schaft ihren Bezwinger erkannte. Und doch hat er unrecht. Die
Religion ist eine befreiende Sehnsucht im Herzen des unfreien
Menschen; wenn er keinen Glauben hat, ist er unglücklich. Im
Glauben ist das Gute zu finden, das dem Bösen kein Schützer ist.
Was wir glauben, ist das Vorbild, in dem wir uns selbst finden
sollen. Wenn uns Christus der Herr oder der Lichtgott Apollo
Vorbild ist, so haben wir ein festes Maß für unseren guten Wan-

del. Nimmt sich einer den Buttadeus oder gar den Teufel zum Vorbild, so wird er so sein wie die.«

»Das ist doch Religion!« rief Dürer streitbar. »Wie kann ich Euer Wort verstehen, daß die Religion der größte Feind der Menschheit sei?«

Pirkheimer hatte nun den Freund dort, wo er ihn haben wollte. Lächelnd sprach er weiter:

»Das ist der Glaube an die Verwirklichung des Ideals auf Erden. Das ist das freie Denken an einen Gott, aber nicht die Furcht vor Gott, wie sie in der konfessionellen Religion zum Ausdruck kommt. Die Religion ist keine verstandesmäßige Vorstellung vom Weltall und dessen letzten Ursachen, der Gottheit, sie ist das Gefühl gottesfürchtiger Frömmigkeit, die sich eine Regel aufstellt. Albrecht, glaubet an das, was Euch am höchsten steht: an das Leben. Ihr habt das Neue und Alte, das in der Wissenschaft ergründet wurde, allezeit auf Gott bezogen. Ihr habt den Schriften der Stoiker und Neuplatoniker, die ich Euch leider zu lesen gab, zu viel Bedeutung gegeben und habt sie zu wenig verstanden. Ihr wurdet irre an den Eleaten und ihrer Lehre*) von der Weltsubstanz; Euer sensibler Geist hat all diese Dinge zu einer Deutung mißbraucht, die Euch den Herzensglauben erschüttert hat. Ihr habt Gott aus seinem Himmel auf unsere Erde gestellt. Das ist nit Gott im religiösen Begriff, das ist Gott, wie ihn die Wissenschaft deutet: das Erschaffen und Vernichten. Euer Geist sucht ihn so. Lasset Euer Herz nach Gott suchen, das findet ihn dort, wo ihn Eure Mutter jetzt wohl gefunden hat: im Himmel der Seligen, im Nirwana der Gläubigen. Das Wort Eurer sterbenden Mutter ist wahr. Es muß der Denker erst alle Freiheit haben, sich von allem loslösen ohne Furcht und Zweifel, ehe er vom Herzensglauben Urlaub nimmt. Ihr seid kein Averroës, kein Aristoteles, die den Gottesglauben in Weltweisheit umsetzen, Ihr seid ein deutscher Tafelmaler, der die sichtbare Gestalt des unsichtbaren Gottes darstellen muß. Ihr seid ein Poet! Lasset ab

---

*) Eleatische Schule der vorsokratischen Philosophie nach dem Griechen Xenophanes zu Elea. Blütezeit um 590 bis 460 v. Chr.

von dem verderblichen Grübeln. Suchet Gott im Herzen, nit in der Seele. Fraget nit danach, wer Christus war, fraget nit um der heiligen Maria Herkunft; seid der Poet und glorifizieret die heiligen Legenden, das ist Euch dienlicher! Ich bin auch ein Poet. Wenn mir das Herz überquillt, und ich finde in der Legende der schmerzensreichen Mutter herzinnigeren Trost als in den Schriften der Griechen oder Araber, dann forme ich mir die Worte zu einem Klang, den jeder gern hört; zu einem Lied, das zum Herzen spricht. Ich bilde mir nit ein, den Ruf eines Weltweisen darum zu gewinnen, daß ich die Religion der Christen anfeinde, wie es die Gelehrten getan haben zur Zeit Petrarcas, und ich hätt' wohl die Kraft und die Freiheit dazu!«

Dürer ließ seine Hände nervös durch den Bart gleiten, seine Augen bekamen Glanz, seine Gesichtszüge hellten sich auf; plötzlich legte er seine Hand auf Pirkheimers Schulter und sagte freudig:

»Jetzt hab' ich Euch verstanden, und ich sag' Euch, daß ich niemalen glücklichere Stunden hab' erleben können, als wenn ich mit meinem Stift die liebe Jesusmutter so ganz als Mutter des reinen Herzens auf die Holzstöckeln aufgerissen hab'. Aber Gott ist mir allezeit ein Unbekannter geblieben: weil ihn die Kirchengelehrten als den hingestellt haben, der eine Seele jahrtausendelang martert im Fegefeuer. Da hat mir die Mutter gesagt, er sei das Glück, das weltenferne, das allerinnigste Glück, das gnadenbringend im Herzen einzieht, wenn man den wahren Glauben hat.«

»Wenn das eine sterbende Mutter sagt, dann könnt Ihr's glauben!« Sinnend blickte Pirkheimer zum Himmel empor, als suche er dort nach einer klareren Deutung; dann sagte er herzensmilde:

»Das Glück! Es mag uns allen mit ihm ergehen wie Euch mit der Schönheit: Was ist das Glück? Es hat kein Maß zur Proportion, es läßt sich nit feststellen als greifbares Ding. Keiner weiß, wie es ist, so wie keiner weiß, wie die Schönheit ist. Und jeder ersehnt, jeder empfindet es als das Heiligste. Im Unverhofften, das von irgendwoher kommt, von wo es das Herz ersehnt, bringt es uns eine Gnade. Es ist das, was dem Menschen als Lohn für sein Glauben und Schaffen zuteil wird: Es ist göttlich! Das Glück ist übernatürlich! Albrecht, glaubet Eurer Mutter, das *Glück ist Gott!* Ist es in uns, so ist uns Gott nahe, flieht es uns, dann suchen wir nach dem Gott, weil er sich uns nit offenbart. Glaubet an das. Alle guten Symbole des Christenglaubens sind im Glück zu erkennen. Es ist das Brot des Herrn und ist das Blut des Herrn, es ist Gott Vater, Gott Sohn und der Heilige Geist. – Oft wenn ich in meiner Weisheit zu ertrinken glaube, wenn der Boden unter mir wankt, wenn alles in mir zusammenfällt, das Unergründbare und Unerfüllbare mich verzagen läßt, da erfaßt mich der Schauer der Ohnmacht. Ich blicke in mich hinein und finde alles öde und verlassen. Wenn ein Glücksstrahl mir aus dem Chaos heraus ein Verslein zuträgt, ein bettelarmes, schlichtes Ding, einen leichthüpfenden, klingenden Gesellen, dann ist mir der Himmel offen, dann spüre ich die Gottesgnade in mir: das Glück, das mich befreit und meinen Geist wieder lebendig macht. Da geht mein Herz den Gnaden nach, die Gott mir schickt. Sehet, Albrecht, die Poesie ist tiefe Religion, sie kommt aus der Unendlichkeit des Geistes und steigt in unser Herz hinein. Und alle Poesie ist Religion, und alle Religion ist Poesie. Das Märlein vom Glück, das Eure Mutter von Gott hat, ist die schönste Poesie. Himmelsschönheit, Engelsreinheit, Trost und Zuversicht singt uns die Marienlegende, die Märtyrergeschichte Christi und der Glaube an ein besseres Jenseits. Da erlebt das Herz des Menschen die reinste Freude, und die Gelehrtheit will sie uns nehmen und verlachen, auf daß wir unglücklich werden!«

Ein unendliches Glücksgefühl stieg in Dürer auf, er dachte daran, wie auch ihm beim Entwerfen der Marienbilder so poesievoll zumute war, wie er sich in die liebe Legende der Mutter aller Mütter hineinversenkte und wie es ihm als eine Gnade erschien, wenn er ein Holzstöckel, einen Kupferstich oder eine Tafel fertig hatte, die den Leidensweg des Heilands wies. Trotz der Engen im mittelalterlichen Kirchenzwang fand er doch immer bei seiner frommen Arbeit ein Glücksgefühl, das ihn von dem quälenden Grübeln befreite. Er reichte seinem besonnenen Freunde gerührt die Hand und rief freudig:

»Wilibald, wie danke ich Euch für diesen Trost. Er hat mich an meiner Mutter reine Religion glauben lassen. Das Bangen eines sterbenden Mutterherzens wußte es, daß ich irreging, es hat mich wieder zu dem Gott geführt, der unsere Poesie ist, ins wunderbare Märchenland von Himmel und Seligkeit. In der Kunst baut die Religion eine Gedankenwelt auf, die dem Gemeinen die Vorstellung des Göttlichen weiset.«

»Sehet Ihr? Und der Gelehrte, der in alle Mysterien der Kulturepochen Einblick nimmt, braucht keine Darstellung des Göttlichen, er bedenkt sie nach seiner Art. Das Volk aber will Zeremonien der Kirche, die ihm weihevolle Glaubensstimmung schaffen, weil es in seiner Beschränktheit ohne die Priester am Altar und ohne die Darstellung der Messiade nit glauben kann! Die Kirche ist das Schaustellen des Gottesbegriffes in Sakramenten und Symbolen. Die Glaubenslehre ist das Drama vom menschgewordenen Gotte, das in die gläubigen Seelen greift, die dabei mit Gott und den Heiligen in geistige Berührung kommen. Sehet, Albrecht, das ist eine heilige Sache, die Ihr bedenken müßt. Daran soll ein Grüblergeist nit rühren, er würde sich selbst und anderen Haltlosen den letzten Trost nehmen. Diese heilige Poesie trennt den Menschen vom Tiere, erhält die Moral, festiget Gesetze und reift die Kultur. In dieser Religion ruht das Glück, und das Glück ist Gott!«

Dürer atmete auf, er reichte gerührt dem Freunde die Hand: »Gebet mir Urlaub, mein Herz ist allzu voll, ich will es in die Kirche tragen.«

In der St. Moritzkapelle warf sich Dürer auf die Altarstufen und betete. Ihm war, als sehe er die Mutter lächeln, als hörte er sie sagen: »Ich hab's gewußt, daß der fromme, reine Herzensglauben in dir ist, daß dein Suchen nach Gott dich wieder dorthin treiben wird, wohin dich die Enttäuschung führen mußte: in die Kirche.«

Dürer fand wieder festen Boden im Dogma der Kirche. Er war ja stets innerlich fromm geblieben und suchte nach Vorstellungen. Er hatte in seiner grüblerischen Art keinen tieferen Einblick in das im Endlichen sich offenbarende Unendliche gewinnen können; das theoretische Gottesbewußtsein hatte er mit den religiösen Anschauungen verwechselt. Zunächst erwuchs scheinbar dieser Zwiespalt in ihm aus den Heiligenbildern, bei deren Entwurf er an das Göttliche in den Gestalten nicht herankommen konnte. Sein Unvermögen, Übernatürliches gestalten zu sollen, quälte ihn, und da er nur in äußeren Eindrücken des Lebens Formen dafür fand, schien in ihm das religiöse Gefühl zu verflachen. Seine Wahrheitsliebe fand im Formelwesen nicht die Erfüllung. So begann er, den Gottesbegriff in der Natur zu suchen. –

Aus dem Mißerfolg seines jahrelangen Grübelns und mystischen Forschens wachte nun Dürer wieder auf und wurde ein strengerer Kritiker an seinen Vorstellungen. Sein Drängen nach Vollkommenerem, als bisher geschaffen wurde, erlahmte aber bald wieder an der geringen Teilnahme des Kunstbedürfnisses. Das deutsche Gemüt schreckte vor tieferer Gedankenfülle zurück, es war noch nicht reif, ein Schönheitsideal anzuerkennen. Es suchte in der Kunst den simplen Ausdruck. Ein Spielzeug, wie es Hans Frey und der alte Sebastian Lindenast hausbacken erfanden, das durch Wasserkünste oder durch Umdrehung eines Uhrschlüssels Kurzweil schuf, fand bei den Patriziern größere Bewunderung als ein Werk, daran der Geist eines Künstlers sich erschöpft hatte. Seit die Mutter starb, war es Dürer, als wäre sein Jugendmut erlahmt. Die matte Seele des Kampfmüden hing dem Zauber erträumten Lebensglückes nicht mehr an, der umherschweifende Geist, der nirgends Genüge fand, kehrte in sich selbst zurück. Wenn Dürer sprach, fühlte er, daß seine Worte keinen Klang hatten, daß seine Unbefangenheit im Widerspruch stand mit dem grauen Schatten, der über seiner Zukunft lag. Eine neue Macht, gebieterischer und finsterer, beherrschte ihn: die Melancholie. Das Glück war ihm kein erreichbarer Gott, er glaubte, es nicht zu finden; er wollte nicht ohne Antwort bleiben auf sein Fragen, ihm war der menschlich nähere Gottesbegriff in der Natur oder im menschgewordenen Gotte Jesus Christus greifbarer als das Glück in

Gott, weil ihn das Glück betrogen hatte im Leben wie im Schaffen und weil es ihm nichts anderes schien als die Schönheit, von der er keine feste Vorstellung fand. So war ihm auch der Trost der Mutter keine eigentliche Erlösung aus seinen Zweifeln geworden.

Des Kaisers neuer Auftrag, seine Regentenherrlichkeit in einem »*Triumphzuge*« darzustellen, kam Dürer in dieser Stimmung gelegen. Wieder saß er tagelang mit seinem Freunde Wilibald beisammen im Ersinnen allegorischer Nachbildungen prunkvollster Auszüge und sinnreicher Auslegung der Eitelkeitsbefriedigung Maximilians. Es galt, den Kaiser im Krönungsornat auf dem Prunkwagen, von Tugenden geleitet, von Genien gekrönt, darzustellen, umgeben von den Allegorien der Vernunft, der Macht, des Ansehens, der Vorsicht und Mäßigung, Festigkeit und Schnelligkeit und vieler anderer, dem Kaiser zugedachten Eigenschaften. An den prunkvoll geschirrten Pferden und leichtbeweglichen Frauengestalten konnte Dürer seine Erfindungsgabe im Ornamentalen und Figuralen bekunden. Die Entwürfe aber führte der Meister nicht aus, er ließ einige davon von seinen Gesellen auf Holz zeichnen, andere sollte der Augsburger Maler Hans Burgkmair nach den Entwürfen Dürers ausführen.

Auch diese Ruhmesschilderungen Maximilians konnten Dürer nicht befriedigen, sie zogen ihn wieder in die Grübeleien zurück, in die er immer mehr versank. Er fühlte, daß mit seinem Ruhme die Selbstqualen kamen.

Er verfiel immer tiefer in schwermütige Gedanken. Da löste sich aus seiner Seele Trauer ein Bild, das sein Innerstes widerspiegelte, und sein Stichel grub es in die harte Kupferplatte. Dürer sann jetzt philosophischen Ideen nach, er wollte die Enttäuschungen darstellen, die den Forscher bezwingen, und die Enttäuschungen, die den Gottsucher befallen, und begann mit dem traurigsten und tiefsinnigsten: der »Melancholia I«. Ein beflügeltes Weib, das, von aller Forscherqual entmutigt, in sich versunken an der Pforte der Rätsel sitzt, vergrübelt sich in unentwirrbare Probleme. Die Blicke sehen in unbestimmte Fernen, der lorbeergezierte Kopf stützt sich auf die Faust. Rings um das Weib liegen symbolisch Kugel und Richtscheit, Werkzeuge und Steine, Siegel, Alchimistentiegel und Trümmer. Ein schlafender Hund ruht teilnahmslos, als Sinnbild der Treue, unter dem Gerät. Auf einem Mühlsteine sitzt ein kleiner Genius, Schriftzeichen in eine Tafel grabend. An der Mauer hängen Sanduhr, Glocke und Waage; in die Steine eingemeißelt ist die rätselhafte Zahlentafel: das magische Quadrat. Das Weib hält lässig den Zirkel in der Hand, entmutigt von Maßen, die es nicht messen konnte, das Buch des Wissens ruht geschlossen in ihrem Schoße. Schwere Trauer liegt über dem lichtlosen Bilde, keine Klarheit, nur Schmerz und Enttäuschung drängen sich auf. Im Durchblick ist das graue, unendliche Meer zu sehen mit einer sehnsuchtslockenden Küstenlandschaft. Über dem Meer auf düsterem Himmel baut sich ein Regenbogen auf, darin ein kometenartiges Licht unheimlich erstrahlt. Dem trauernden Weibe scheint das Ahnen in die Seele zu schimmern, als wolle es an die Unergründlichkeit des Universums mahnen, das kein Menschengeist erfassen kann; das den Forscher zum Wahnsinn führt, ihn entmutigt, weil er erkennen muß, daß aller Menschengeist zu schwach ist, die unfaßbare Urkraft des Weltenschöpfers zu ergründen.

Kein Trost will kommen, der dem grübelnden Weibe Melancholia die Entmutigung abnimmt. Dürer mag in diesem Stich alle seine Schwermut bezwungen haben, so daß er das zweite Blatt nicht ausführen wollte.

Und dieses Bild, das aus Dürers Schwermut entsprungen war, führte ihn zur befreienden Kunst zurück. Er fand wieder Trost, weil er sieghaft aus tiefem Seelenkampfe hervorgegangen war. Jetzt suchte er das Kleine in der Natur auf, da er das Große nicht erreichen konnte. Seine Liebe für das Unbeachtete, für das Winzige am Wege, das keinem auffiel, wuchs bis zur Naivität. Er malte mit peinlichster Genauigkeit Käfer, Tiere aller Art, Hähne und Hunde, malte mit unendlichem Fleiße die unscheinbarsten Pflanzen, wie Schafgarbe, Wegerich, Löwenzahn und Gräser, in vollkommener Naturtreue. Diese Pflanzenstudien und Rasenstücke erweiterten sich zu Landschaftsbildchen, die er, in Wasserfarben, der Natur ablauschte. Ihm wurde die Natur seiner Umgebung in den kleinsten Schöpfungen offenbar, sie gab ihm wieder die Freude am Erlauschen, die er am Schauglase im Anblick der gewaltigen Schöpfermacht verloren hatte. Er entwarf in Wasserfarben auch eine »*Madonna mit den Tieren*« und malte seine Liebe zu den kleinsten und großen Tieren hinein, poetisch wie ein Kindermärlein, in gläubiger Verehrung zur Mutter Christi, die er in diese lyrische Legende stellte: in die Verehrung der Tiere.

Frei von jeder Grübelei, nur dem Drange nach Gestaltung nachjagend, schuf er die herrlichen Randleisten zu Kaiser Maximilians Gebetbuch. Da schwelgte er froh und frei, seine Heiterkeit strahlte auf, gab ihm frohe Laune und Stunden frömmster Erbauung wieder.

In dieses Erlösen und Erfrischen seiner Seele traf eine unverhoffte Freude. Der göttliche Urbinat Raffael sandte ihm durch den römischen Maler Thomas Vincidor, der nach Antwerpen reiste, einige Handzeichnungen. Diese sollten dem deutschen Meister bekunden, wie hoch der Liebling des Papstes und Roms die Kunst Dürers schätzte. Raffael bewunderte den deutschen Kunstgenossen neidlos, er sammelte dessen Blätter und schmückte damit sein Atelier. Er nahm sie zu Vorbildern, was Dürers Holzschnitt aus der großen Passion: »Kreuztragung Christi« beweist, dessen Komposition Raffael in einem Gemälde später einfach wiederholte. Den unter der Kreuzeslast zusammenbrechenden Christus kopierte er fast genau; so hoch wurde die Kunst Dürers in Rom eingeschätzt. Die unbedingte Verehrung seiner Werke mußte in dem Liebling des Papstes den Wunsch erwecken, dem deutschen Meister näherzutreten, ihm gleichzeitig auch seine Kunst zu zeigen.

Dürer hörte die Erzählungen des Überbringers, der ihm von Roms Kunst berichtete und freimütig bekannte, wie dort die Maler den deutschen Meister ehrten. Diese Huldigung beglückte den zaghaften, kleinmütigen Dürer, denn auch er hatte viel Rühmliches von Raffael gehört und die Stiche gesehen, die Markanton von den Fresken im Vatikan herstellte. Nun erkannte er erst recht in den Originalen des Urbinaten dessen Genie und sichere Hand. Ein männlicher Akt, mit Rötelstift gezeichnet, den ihm Raffael nebst anderen Bildern schickte, erregte insbesondere Meister Albrechts Entzücken. Auf dieses Blatt schrieb er später, als er vom frühen Tode Raffaels erfuhr:

»1515. Raffahell de Urbin, der so hoch beim Pobst geacht ist gewest, der hat dyses nackete Bild gemacht und hat es dem Albrecht Dürer gen Nornberg geschickt, ihm seyn Hand zu weisen.«

Um dem römischen Malerfürsten »seine Hand zu weisen«, schickte ihm Dürer einige Stiche und ein Selbstporträt, das er auf dünne Seide mit durchsichtigen Wasserfarben transparentartig gemalt hatte, so daß das Bild von beiden Seiten gleich sichtbar war. Später erfuhr Dürer, daß sich Raffael darüber dermaßen verwundert habe, daß er sich von diesem »Tüchlein« nicht trennen konnte. Die Sicherheit dieser eigenartigen Transparentmalerei war für ihn Gegenstand eifriger Bewunderung, er entnahm die Züge Dürers für ein Bild in den Stanzen. Als er 1520 starb, vererbte er das kostbare Kleinod seinem Lieblingsschüler Giula Romano, der es hoch in Ehren hielt. So hatte sich Dürer bei dem genialen Malerfürsten hohe Achtung verschafft durch seine Kunst.

Diese beiden Künstler standen sich wohl wie zwei entfernte Welten gegenüber: Raffael, der ideale Bekenner der Schönheit, dem die Antike alles war, und Dürer, der Grübler und Gottsucher, der die Natur, aber nicht die Schönheit begriff, dem die Wahrheit alles war und den die Antike nicht erfüllen konnte. Jeder dieser beiden Pioniere der Kunst war in seiner Art der Größte geworden.

Wie Dürer durch die Ehrung Raffaels beglückt war, so erfreute sich sein Freund Pirkheimer über eine Ehrung seitens des Nürnberger Rates, der ihm für seine Verdienste um der Reichsstadt Rechte vor dem Augsburger Reichstage einen prunkvollen Ehrenpokal überreichte, ein Meisterwerk Nürnberger Goldschmiedekunst. So fanden die beiden Freunde hohe Anerkennung für ihre Leistungen, die ihrem ewigen Ruhme voranleuchteten.

Margarete starrte seit Monaten durch das vergitterte Fenster der Büßerinnenzelle im Kloster zu Engelthal, jeder Freiheit beraubt. Sie hatte kein geordnetes Denken mehr, alle Geschehnisse in dieser Gefangenschaft durchwirbelten ihren Sinn und härteten ihren Trotz. Ließ die Äbtissin fragen, ob sie bereue und ihr den Schimpf, den sie ihr angetan hatte, abbitten wolle, gab sie immer nur die trotzig-stolze Antwort:

»Ehe die Domina den Schimpf, den sie mir angetan hat, nit von mir nimmt und mich freiläßt, früher kann ich nit bereuen. Sie ist in meinen Augen keine fromme Frau.«

Die Äbtissin wollte nun die Demütigung der stolzen Ratstochter erzwingen. Sie gab ihr keine Freiheit. Dem Ratsherrn ließ sie von der störrischen, sündhaften Sinnesart seiner Tochter berichten, sie empfing ihn selbst nicht mehr. Der irrte, von seinen Kindern verlassen, in tiefstem Kummer umher, zerquält und verhärtet im Glauben, daß er recht tue. Sein Haar war weiß geworden, sein Gesicht spitz und eigenwillig. Er gab sich immer mehr fanatischen Religionsübungen hin, die ihn nicht trösten konnten. Er fühlte seine Grausamkeit, übertünchte sie aber mit dem Selbstbewußtsein, seine schwere Pflicht erfüllt zu haben.

In einer Nacht kam Kaspar von seiner monatelangen zwecklosen Wanderung heim. In seiner Seele war ein harter Trotz stark geworden, der alle Liebe für den Vater verscheuchte, weil er ihn von seiner geliebten Schwester trennte. Seine Schmerzen trieben ihn zur schonungslosesten Anklage gegen den Zerstörer seines Glückes. Er ging in dieser Nacht an des Ratsherrn Bett und schrie ihn an:

»Wo habt Ihr meine Schwester hingetan?«

Der Vater sah seinen Sohn entsetzt an. Was war für eine Veränderung mit diesem blühend schönen Jüngling vor sich gegangen? Er war zum Manne geworden, als hätte er eine Reihe Jahre seines Lebens übersprungen. Verwahrlost sein Gewand, sein Haar verwildert, die Wangen eingefallen und verhärmt.

Die stattliche Körperfülle abgemagert bis auf die Knochen, in den lauernden, haßerfüllten Augen sprühte unheimliches Feuer – er war nicht mehr das Bild der Jugend, ein gebrochener Mann stand vor dem Vater, der erschrocken aufschrie.

»Du lieber Gott, sei mir gnädig«, dachte der Ratsherr, »was ist aus meinem Sohne geworden? Der Haß springt ihm aus den Augen. Wo war er diese lange, lange Zeit hindurch?«

»Wo habt Ihr meine Schwester hingetan?« schrie Kaspar wieder.

Da hob der Ratsherr seine Hand empor und sagte milde:

»Gott hat es gewollt. Ich bin sein schwaches Werkzeug und muß die Sünde von meinen Kindern abwehren. Wie könnte ich es verantworten vor dem Allmächtigen, diese sündhafte Liebe zu dulden?«

»Vor Gott könnt Ihr es niemalen verantworten, was Eure Kinder erleiden müssen um Eurer Schuld willen! Wer sagt Euch aber, daß unsere Liebe sündhaft sei? Hat sie nit Gott selber erweckt? Was haben wir getan? Was hat Eure Tochter begangen, daß Ihr sie von mir trennt? O so herzlieb ist sie gewesen in ihrem Verlangen wie ein Engel so keusch. Und immer hat sie es bezwungen. Sie weiß doch, daß sie meine Schwester ist! Glaubet Ihr, ich hätte sie je aus ihrer keuschen Liebe herausgeführt mit sündhaftem Verlangen wie Ihr meine arme Mutter?«

Der Ratsherr konnte diese Blicke nicht ertragen, die wie Schwerter durch seine Seele gingen. Ein Zittern befiel ihn, er brachte kein einziges Wort hervor und erwartete den tödlichen Stoß, der diesem Haß zuzutrauen war. Kaspar aber sprach weiter, mit heiserer, gebrochener Stimme:

»Warum habt Ihr mir das Leben geben müssen? Ich verachte es, denn aus ihm ist das Leid Eurer Tochter erwachsen! Ich hörte in einer Nacht, da alle Geister um mich schrien, auch Margarete schreien nach ihrem Vater, den sie anklagt. Könnt Ihr das ertragen, Ehrbarer? Ich weiß nun, daß Ihr sie in ein Kloster gesperrt habet. Gott! Gott! Wenn du die Qualen sehen würdest, die wir erleiden müssen, deine Faust würde den zerschlagen, der sie geschaffen hat!«

Fassungslos sank der Ratsherr vor seinem Sohne auf die Knie und rief:

»Nimm das Wort zurück. Bändige deinen Haß! Denke an deine tote Mutter ...«

»Nehmt das heilige Wort nit auf Eure Lippen«, unterbrach ihn Kaspar. »Saget mir, wo meine Schwester ist, daß ich sie befreien kann!«

»Ich hab' geschworen vor dem Allmächtigen ...« stöhnte der Ratsherr.

»Dann haltet Euern Schwur! Gott mag es sich gefallen lassen, wenn einer zu ihm schwört, um Menschenherzen zerschlagen zu können.«

Mit raschen Schritten verließ Kaspar das Schlafgemach seines Vaters. Er hörte nicht die verzweifelten Rufe des gebrochenen Mannes, er wendete sich nicht mehr um, sein Mitleid für ihn erlosch. Er irrte die Nacht durch über Wiesen dahin, warf sich zerquält im Walde ins Moos und sann darüber nach, was er nun beginnen sollte.

Am frühen Morgen ging er zu Meister Nunnenbeck und mahnte ihn daran, daß ihm Erika als Haushälterin dienen wollte, sobald er ihrer bedürfe. Nun sei es an der Zeit, er möge sie freigeben, damit sie ihm den Haushalt führe. Ungern entschloß sich der greise Meister dazu, denn er hatte die fleißige Magd liebgewonnen, sie war ihm wie eine Tochter des Hauses. Da er aber die Leidensgeschichte Kaspars kannte, willigte er in seine Bitte.

Einige Tage später trat Erika mit ihrer geringen Habe in Kaspars Werkstatt, wo er seine Arbeiten wieder aufgenommen hatte. Aber erschrocken schrie sie auf, als sie sein gramverwüstetes Gesicht erblickte.

»Was ist Euch widerfahren? Herr, Herr! Wie sehet Ihr aus?«

»Mich hat das Schicksal gezeichnet, erschrecket nit vor mir!« sagte er traurig. »Es hat mir eine Braut gegeben, die mein

Weib werden sollte, und sehet, Erika, sie ist meine Schwester geworden!«

Erschrocken fuhr die Magd zurück:

»So ist des ehrbaren Rates Hirschvogel Tochter Eure Schwester? Ich hörte davon, daß sie Eure Braut war. Oh, das ist furchtbar!«

»Ja, Erika, es ist furchtbar!« sagte Kaspar mit erloschener Stimme. »Mein Lebensglück ist zerschlagen, mein Glauben dahin. Ich bin ein Verzweifelter, ein Gottesleugner geworden, der den Vater verachtet, weil er meine unschuldige Schwester hat ins Kloster gesperrt, daß ihr Sinn sich von mir abwende. Was mag sie erleiden? Aber ich weiß, daß ihr keiner Nonne List, keine Gewalt die Liebe aus ihrem Herzen reißen kann. Ihre Liebe zu mir ist stärker als alle Erdenmacht!«

Es war ein verzweifelter Aufschrei, und Erika erschauerte davor. Ihr Mitleid wuchs, sie sann nach, wie sie ihrem Erretter helfen könne.

»Wisset Ihr, in welchem Kloster Eure Liebste schmachtet?« fragte sie ergriffen.

Kaspar aber sagte entmutigt, vom Suchen hilflos, daß es ihm der Ratsherr nicht verraten habe. Eine plötzliche Eingebung ließ Erika keine Ruhe mehr, sie wollte ihm helfen, ihm, der ihr in ihrer größten Not geholfen hatte.

»Vertrauet mir«, sagte sie mit flehenden Blicken, »ich will sie suchen. Ich kenne die Nonnenklöster. Als Magd will ich mich verdingen bei den Ordensschwestern, und wenn ich keinen Lohn begehre, nehmen sie mich gern. Ich will von Kloster zu Kloster wandern, in jedem die Ratstochter suchen, bis ich sie finde; dann will ich Euch rufen, damit Ihr sie befreiet! Kein Weg wird mir zu weit sein, keine Mühe zu groß, um Euch Trost zu bringen.«

Kaspar hörte Erikas Worte, er spürte ihr Gefühl des Mitleids, seine Verzweiflung floh, und eine neue Zuversicht erfüllte ihn. In seinen Augen flammte wieder ein Hoffnungsblick auf.

Noch an demselben Tage machte sich Erika auf den Weg und wurde als Magd im St. Klarakloster aufgenommen. Die Äbtissin, Wilibald Pirkheimers gelehrte Schwester Charitas, wunderte sich nicht wenig, daß ihr eine Magd ohne Lohn dienen wollte. Sie wunderte sich aber eine Woche später noch mehr, als ihr die Küchenmeisterin klagte, daß diese willige, fleißige Magd von einem Gang nach der Meierei nicht mehr zurückgekommen sei, und meinte, daß man sie wohl abgefangen habe.

Erika aber hatte im Klarakloster Margarete nicht gefunden und suchte ein anderes Kloster auf, verließ es wieder heimlich und zog nun weiter, bis sie ins Kloster Engelthal kam. Wochen waren verstrichen, ohne daß sie Kaspar einigen Trost bringen konnte, und wieder war es Lenz geworden.

Margarete saß noch immer vor dem Gitterfenster in ihrer Zelle, ihre Not war noch größer geworden. An einem Morgen, als Hirschvogel, ohne vorgelassen zu werden, traurig wieder aus dem Kloster lief, stand plötzlich die Domina vor ihr. Mit gütigem Blick sah sie die Gefangene an, die entsetzt vor ihr zurückprallte, und sagte milde:

»Armes Kind! Wie weit hat dich dein Trotz getrieben! Du siehst zum Erbarmen aus. Höre, was ich dir verkünden will!«

»Domina!« schrie in freudiger Aufwallung Margarete auf. »Kommet Ihr endlich, mich zu erlösen?«

»Wie gerne wollte ich dich erlösen, meine Tochter, so dein Sinn sich beugen will.« Forschend sah die Domina ihr Opfer an. »Ich will dir eine Beraterin geben, die deinen Trotz wandeln soll.«

Margarete sank enttäuscht auf ihr Lager und wehrte ab. Die Äbtissin aber trat auf sie zu und sagte in strengem Ton:

»Du mußt gehorsamen! Weißt du, daß dein frommer Vater ein Greis geworden ist, weil seine Tochter den Weg der Sünde ertrotzen will und keine Reue empfindet? Weißt du auch, daß dein armer Bruder sich von dir abwendet, da du den Willen deines Vaters schmähst?«

»Kaspar?« schrie die Gemarterte auf. Ihr war einen Augenblick zumute, als versänke alles um sie her. Er, der sie liebte, wie konnte er sich von ihr abwenden? Nein – nein, das ist Lüge, sagte sie sich:

»Ihr lüget! Es ist nit möglich, oh, da müßte sich die Erde eher aus ihren Angeln heben, bevor Kaspar sich von mir abwenden könnte!«

Die Äbtissin biß sich ärgerlich auf die Lippen, aber sie beherrschte sich und sprach ruhig:

»Noch immer willst du nit begreifen, daß dein Trotz zum Himmel schreit! Deine Seele ist gottesfern, ohne Geläute, ohne Gebet. Laß dich ermahnen, gehe ein in den Willen Jesu, der dich erlösen wird von allem sündhaften Freveln, denn siehe, es harret deiner der himmlische Bräutigam. Kannst du so viel Glück ermessen? Willst du mit deinem Trotz das Himmelstor versperren? Du wirst einst Rechenschaft ablegen müssen beim Jüngsten Gericht!«

Vor der Wucht dieser Worte war Margarete still geworden. In ihrer Seele lebte die Frömmigkeit nur zaghaft, aber sie fühlte, daß sie sich ändern und mit Klugheit das Weitere an sich herantreten lassen müsse. Demütig faltete sie die Hände und flüsterte:

»Wie kann mich Gott strafen? Was hab' ich Übles getan? Brüder und Schwestern sind wir alle im Sinne der Kirche, und Christus hat gesagt. ›Liebet euch untereinander!‹ Darf ich meinen Bruder nit liebhaben?«

»Du hast deinen Bruder anders lieb, als es Christus will. Du mußt alle irdischen Begierden aus der Liebe scheiden, alle Fleischeslüste meiden. So du aber in Unzucht seiner begehrest, kommt Gottes Zorn über dich, zermalmend wie die Mühlräder das Korn! Schwöre mir, daß du der sündhaften Liebe zu deinem Bruder entsagen wirst, dann will ich dir beistehen!«

Da erwachte Margarete aus ihrem Wanken; ihr Herz empörte sich. Sie stieß das Kruzifix, das ihr die Domina vor Augen hielt, zurück, hob sich empor, und mit zitternder Stimme rief sie:

»Ich kann die Liebe zu meinem Bruder nit abschwören, die ist von Gott! Mich gelüstet's nit, Nonne zu werden! Ich liebe die Welt und die Freiheit. Aber ich will vor Gott bekennen, daß diese reine Liebe zu meinem Bruder rein bleiben soll, rein von solchen Gelüsten, von denen ich nichts weiß. Mein Herz soll ihm gehören, meine Seele soll in ihm sein unlöslich, das kann mir Gott nit wehren. Ich kenne die sündhafte Liebe nit, erst Euer Wort hat mir von ihr gesprochen. Gehet hinweg von mir, Domina, Euch schickt nit Jesus Christus!«

»Schlange!« zischte die Äbtissin zwischen ihren Zähnen. Sie stellte das Kruzifix auf das Tischlein und verließ die Zelle. Sie schickte die Schwester Regina, eine lachende Lebensanbeterin, zu Margarete; sie sollte sie auf andere Weise ans Kloster fesseln.

Regina trat lustig lachend zu der Verzweifelten, schloß sie in ihre Arme und küßte sie. Mit sanfter, lieblicher Stimme sagte sie:

»Es war klug von dir, daß du der Domina deinen guten Willen gezeigt hast. Jetzt bist du der strengen Klausur ledig und sollst eine Kemenate haben wie eine Fürstin, daß sich das Herz erfreuen kann. Denke nit, daß wir *nur* beten. Komm mit mir, ich will dir den Garten zeigen, der voller Blumen ist.«

Das silberhelle Lachen Reginas erquickte Margarete. Stumm ließ sie sich in den Garten führen. Als sie nach so langen Monaten die Sonne wiedersah, als sie die Blumen in ihrer Buntheit erblickte, als sie die warme, frische Luft einsog, atmete sie auf.

»Es ist ein Traum nur, ein lockender Traum!« flüsterte sie ängstlich, als müßte diese Schönheit vor dem lauten Wort wieder versinken.

Mitleid ergriff die Nonne, als sie Margaretes innige Freude sah.

»Es ist kein Traum, armes Kind. Wie mag deine Seele gefroren haben in dieser düsteren Zelle, daß dich die Schönheit jetzt so ergreift.« Sie zog die Taumelnde, die sich kaum auf den Füßen halten konnte, auf eine Bank in einer Hecke und schlang die Arme liebkosend um ihren Hals. Langsam kam Margarete zu sich. Ein rosiger Glanz huschte über ihr Gesicht, die Liebkosung tat ihr wohl, sie dachte an die lachende Kathi Gärtnerin. Zaghaft fragte sie: »Bist du denn glücklich in diesem Kloster? Kannst du es aushalten hier?«

»Wie glücklich ich bin, sagt dir denn das mein Lachen nit? Ins Kloster Engelthal geht jede gern. Ich war ein armes Mägdlein, kein Vater, keine Mutter konnte mich schützen, sie verstarben an einer Seuche. Die Verwandten betrogen mich um die Erbschaft. Ein Jahr lang hab' ich ihnen wie eine Magd gedient; gepeinigt und gedemütigt lief ich davon. Ich lief durch Felder und Wälder, kam zu einem Weiher und warf mich müde ins Gras. Es war so heiß; da hab' ich gebadet. Wie ich wieder mein Gewand such', war's dahin, ein Landstreicher mag's gestohlen haben. Nun war ich nackt und bettelarm. Da hab' ich geweint. Weißt du, was das ist, ohne Vater und Mutter, ohne Geld und Gewand dazustehen?«

»Ich weiß es«, sagte Margarete traurig; »hab' auch keine Mutter, der Vater ist für mich verloren. Hab' kein Gut, nur das Gewand ist mir verblieben.«

»Dummes, dummes Mägdlein, du!« lachte Regina. »Dein Vater wird dich schon holen, und wenn nit, dann ist das Kloster dein Schutz!«

»Ich will im Kloster mein Leben nit vermauern lassen! Sprich weiter, wie ging dir's?«

Regina neigte sich über Margarete und flüsterte ihr zu: »Wie ich so verzagt im Grase stand, kam ein wunderschöner Ritter auf einem Falben dahergeritten. Der sah mich in meiner Nacktheit, sprang vom Roß, nahm mich um den Leib und hob mich auf den Falben hinauf. Ich ließ mich heben; der Ritter war so schön. Hurtig trabte das Rößlein einer Burg zu. In der Kemenate mit Seidenbetten und Bärenfellen war ein Leben voller Glück und Sonnenschein, bis sie einmal den schönen Ritter erschlagen heimtrugen und mich aus der Burg verjagten. Da hab' ich mir gedacht: Ist's kein Ritter, soll's ein anderer sein. Ich bin weiter gewandert, bis ich ins Engelthalkloster kam.«

»Und habt Ihr nie den anderen gefunden?«

»Vielleicht«, lachte die Nonne. »O du sanfte Margarete!«

»Im Kloster ist es doch allzu still!«

»Nicht immer! Wir haben Wein, da trinken wir und tanzen auch, und wenn Besuch kommt, ist es sehr lustig bei uns.«

»Und weiß das die Äbtissin?« Margarete war empört aufgesprungen. Regina lachte.

»Vielleicht. Manchmal auch nicht. Aber sie ist so gut.«

»Ja«, sagte Margarete, »sie mag mit anderen gut sein. Ich verspüre nichts davon.« Gekränkt wendete sie sich von Regina ab. Die ging ihr nach, eingedenk der Rolle, die ihr die Domina zugeteilt.

»Du willst nur deinen Bruder umhalsen, und das ist Sünde! Wenn du aber andere umhalsen würdest, das wird die Domina nicht erzürnen. Sei vernünftig. Heut nacht wollen wir im Garten mit den anderen lustig sein. Da kannst du zuschauen oder mithalten, die Domina erlaubt es dir. Sei klug, verscherze dir die Freiheit nit.«

Regina führte die Widerwillige in ein prächtig ausgestattetes Gemach, das mit einer Klosterzelle wenig Ähnlichkeit hatte.

»Das ist jetzt deine Kemenate! Von diesem Fenster kannst du in den Garten sehen. Ich will dich dann hinabführen, und da kannst du bleiben oder auch nit.«

Mit Küssen und Streicheln verließ Regina die Sinnende, die sich auf ein Ruhebett warf und weinte. Jetzt erkannte Margarete, daß eine List der Äbtissin ihr nachstellte. Ihr Trotz schwoll mächtig an. Sie erhob sich und sah eine Magd vor das Ruhebett treten, die ihr leise zuraunte:

»Erschrecket nit, herzliebe Jungfraue. Mich schickt Kaspar, Euer Bruder!«

»Kaspar?« jubelte Margarete und sprang auf.

»Bleibet ruhig, seid klug. Niemand darf es ahnen«, fuhr die Magd flüsternd fort. »Seid jetzt auch listig. Verstellet Euch, so gut Ihr könnt, denn morgen um die erste Nachtstunde wird Euch Kaspar befreien. Sein Herz schmachtet nach Euch. Da, nehmt das Zeichen von ihm, daß Ihr mir glaubet!«

Erika schob ihr die Rose vom Barett Kaspars in die Hand und flüsterte ihr ins Ohr:

»Tuet alles, was die Domina will. Zeiget Euch wie gewandelt, als fändet Ihr Freude im Kloster, da werdet Ihr alle Freiheit haben. Die Rettung ist nahe, morgen will ich Euch alles Nähere sagen. Glaubet mir, ich bin Erika, die Euer Bruder errettet hat!«

Margarete drückte ihre bebenden Lippen in die Kußrose, ihre Gedanken, ihre Liebe war bei Kaspar, sie zitterte am ganzen

Leibe. Als sie der Botin solcher Freudennachricht danken wollte, war diese verschwunden, so leise, wie sie gekommen war. Berauscht von der Glücksverheißung, vergrub sie ihr Gesicht in die Seidenpolster; Weinen und Lachen erschütterte abwechselnd ihren Leib.

Als die Nacht kam, fand Regina die Trotzige wie verwandelt. Sie kam ihr mit ausgebreiteten Armen entgegen und jubelte:

»Jetzt will ich wieder frei sein und alles vergessen. O Regina, das Leben ist so schön.«

Reginas silberhelles Lachen über den Wandel schallte durch das Gemach. Sie führte Margarete zum Fenster und wies nach dem Garten, wo die Nonnen lustwandelten, sich neckten, lachten und lustig waren. Auf einem Rasenplatz saß ein Spielmann bei einer Pechfackel und strich die Fiedel. Auf Tischen standen Kannen mit Wein und Silberbecher, Obst und Leckerbissen.

»Regina, das gefällt mir!« sagte Margarete tapfer, das Blut aber stieg ihr ins Gesicht.

Widerstrebend, jedoch einer inneren Stimme folgend, ließ sie sich in den Garten führen. Sie sah sich nicht um, sie war in ihrer Freude, daß ihr bald Kaspar nahe sein werde, so eingesponnen, daß das Lachen um sie herum wie aus der Ferne zu ihr herüberrauschte. Sie sah im Geiste nur Kaspar, der sie befreien wollte. In ihrem Taumel war ihr das Lachen der Nonnen Lustigkeit, ihr Kichern Scherz. Wie ein Regen im Sonnenschein fiel um sie herum das Tropfen und Rauschen der Sinnenfreude.

»Siehe dort die Schwester Cecilia, wie sie dem Jüngling die Obstschale reicht –« flüsterte Regina.

»Ja, ich sehe den schönen Jüngling mit der Laute –« hauchte Margarete mit geschlossenen Augen; in ihrem Seelenbilde stand Kaspar und winkte.

Wie unberührt von dem, was um sie war, wankte Margarete durch den Garten. Jemand riß ihr die Begleiterin mit lockendem Zuruf von der Seite. Und als sie ihr nachblickte, ergriff sie ein Schauer, sie glaubte, daß sich alles, was ihr so schön erschien, in Häßlichkeit gewandelt hätte. Taumelnd lief die im Grauen bebende Jungfrau ihrer Kammer zu. Dort warf sie sich in einen Stuhl und weinte. Sie weinte um das reine Ideal der Liebe. Jetzt verstand sie ihres Vaters Sorge, der Äbtissin Mahnen, denn sie hatte Unwürdiges gesehen. Durchrüttelt von wirbelnden Gefühlen, die in ihr arbeiteten wie unirdische Mächte, sank sie auf die Knie, hob die Hände gefaltet empor und rief:

»Mutter Gottes, du Mutter des Gekreuzigten! Du hast unbefleckt empfangen, nimm dieses Grauen von mir, gib mir wieder den Glauben an die Liebe, die nit Sünde ist. Scheuche diese Hölle aus meinem Empfinden, ich kann so nit mehr an die Liebe glauben!«

Müde und wie gebrochen verkroch sie sich in den weichen Polstern des Bettes. Im Traume sah sie den Bruder weinen. Sie neigte sich über ihn und küßte ihn auf die Stirn. »Bruder!« schluchzte auch sie. »Wir wollen die Sünde fliehen, ich kann nit mehr deine Geliebte, ich will dir eine Schwester sein. Ich will dir den reinen Kelch der Seele tragen, auf daß in dieses Gefäß sich unsere keusche Liebe ergieße.«

Als Margarete am Morgen ihre Haare sorgsam kräuselte und sich vor dem Spiegel besah, trat Regina in ihr Gemach, sie trug ein Gewand der Novizen am Arme und breitete es vor Margarete aus.

»Das sollst du fortan tragen. Ich habe der Domina von deiner Wandlung berichtet, sie hat dir verziehen. Jetzt bist du frei, kannst tun und lassen, was dir beliebt, nur die Tore des Klosters bleiben dir verschlossen!«

Margarete sann: »Was bedarf ich der Tore, wenn mein Bruder mich hinausführt?« Sie legte das Novizenkleid an und dachte: »So will ich das Kleid der Nonnen tragen und einen reinen Leib darin verhüllen. Es soll mir ein unantastbarer Schutz sein, der meinem Bruder das Symbol der Keuschheit sein muß.« Regina umarmte die Willige und sagte:

»Und morgen, meine liebe, süße Taube, morgen wird dein Vater kommen, alle Schwestern des Ordens werden sich versammeln; vor dem Gekreuzigten sollst du das Gelübde tun, das dich an das Kloster bindet!«

Margarete wollte entsetzt aufschreien, aber die Stimme Erikas klang wie ein mahnender Ruf in ihrer Seele: »Tuet alles, was die Domina will, die Rettung ist nahe.« Da sagte sie listig lächelnd: »Sie sollen alle kommen, die Schwestern. Ich will den göttlichen Bräutigam erwarten! Meinem Liebsten hab' ich entsagt, nach ihm trage ich kein Begehren mehr.«

Als Margarete in den blumenbunten Garten trat, lachte ihr das Herz. Sie preßte die Hände darüber, als wolle sie es am Zerspringen hindern. Neben ihrer Freude über die baldige Erlösung aus dem Kloster schlich aber auch eine bange Wehmut durch ihr Gemüt. Wo sollte sie nun hin? Zurück zu ihrem Vater, der sie dem Kloster übergab und nun kommen wollte, um ihrer Einkleidung als Novize beizuwohnen? Nimmermehr, diesen Vater konnte sie nicht achten. Eher wollte sie als Magd dienen, als in das Vaterhaus zurückkehren, das sie so grausam verstieß. Zu Kaspar durfte sie nicht, denn das wäre Sünde, mit dem Bruder in Gemeinschaft zu leben; die Gerechtsame würde sie verfolgen. Wo sollte sie hin? Sie war arm, bettelarm, wie Regina es war, da ihr die Eltern starben.

Wie sie so im Garten stand und ihre Not erwog, ertönte vom Kloster her der schrille Ruf einer Glocke. »Die Domina läutet die Schwestern zusammen«, dachte Margarete, »was mag es geben, daß zu dieser Unzeit die Glocke ruft?« Sie hatte in ihrer Versonnenheit nicht gehört, wie zwei Reiter im Klosterhofe einritten und eine arge Unruhe unter den Nonnen entstand.

Die Reiter kamen vom Nürnberger Rat und überbrachten der Äbtissin ein gesiegeltes Schreiben, darin stand, daß, über Anklage wegen Sittenlosigkeit der Nonnen zu Engelthal, Papst Leo X. Befehl gebe, das Kloster zu visitieren. Die Äbtissin möge freiwillig dem Provinzial des Predigerordens Lorenz Taufkirchner und der Kommission den freien Eintritt ins Kloster gewähren, widrigenfalls der Rat Gewalt brauchen müsse.

Die Domina nahm das Schreiben kühl und hoheitsvoll auf, las es durch, wies den Boten an, im Sprechzimmer auf Antwort zu harren, bis sie den Konvent einberufen und befragt habe.

In den Klosterräumen ging es nun zu wie in einem Bienenhause. Aufgeregt huschten die Nonnen von allen Seiten, dem Ruf der Konventglocke folgend; sie liefen über die Stiegen dem Saale zu, stolperten durch den Kreuzgang, der für die Besucher als Stallung hergerichtet war. Manches Nönnlein zitterte vor Angst.

Die Domina setzte sich, ihre Aufregung beherrschend, auf ihr Throngestühl. Blitzartig durchfuhren Fragen ihr Hirn. Wer war der Angeber? Ist die Bulle des Papstes Wahrheit oder List? Wird man Gewalt anwenden dürfen, da kein Männerfuß die Klosterräume nach der Ordensregel betreten dürfe? Unter allen Umständen mußte sie Zeit gewinnen, ehe sie den Kampf mit dem Nürnberger Rat aufnehmen wollte. Als alle Schwestern versammelt waren und sich die Tür schloß, rief sie mit bebender Stimme in den Saal hinein:

»Ich sehe eure fragenden und ängstlichen Blicke, liebe Schwestern. Es ist nun eine böse Stunde über unsere Freuden hereingebrochen, Gott gebe, daß sie günstig vorübergehe. Papst Leo X. hat dem ehrbaren Rat zu Nürnberg befohlen, uns eine Kommission zu schicken, die unser Kloster visitieren soll. Wir sind verraten, Schwestern! So frag' ich euch denn auf euer Gewissen, kennt eine von uns Schleicher oder Lauscher in diesen Mauern? Besinnet euch, danach will ich messen, wie weit ich gehen darf mit Weigerung oder Nachgeben. Es ginge mit uns zu Ende, wenn wir nit klug sind!«

Eine Bewegung fuhr durch die Reihen der Erschrockenen, aber keine hatte Wissen von einer Verdächtigen. Da erhob sich Schwester Regina:

»Domina!« rief sie mit zitternder Stimme. »Von uns ist's wohl keine, die Verrat üben könnte, aber der allzu rasche Wandel der Ratstochter, die Ihr so lange habt büßen lassen, mag Verdacht erwecken!«

»Du irrest, Regina! Mit keinem Menschen bis gestern abend ist Margarete zusammengekommen! So schnell ist eine Anzeige nach Rom nit denkbar!«

»Dann ist sie eine Hexe und mit dem Teufel im Bunde. Sie ist danach! Nehmt Euch in acht vor ihr, Domina! Sie hasset

Euch, sie könnte alles aussagen bei der Kommission von dem gestrigen Feste!«

Die Domina war betroffen. Auch ihr kam die rasche Wandlung Margaretens jetzt verdächtig vor. Die Zeit lang blieb sie trotzig, und über eine Nacht war sie willig geworden. Sie erhob sich und rief:

»Jetzt ist nit die Stunde, über sie zu richten. Schwester Ursula, führe die Ratstochter in die Büßerinnenzelle zurück und bewache sie dort. Und ihr, Schwestern, ratet mir, was ich tun soll. Freien Eintritt dürfen wir dem Kommissari nit verstatten. Wollen wir uns wehren, oder sollen wir uns ergeben?«

Da brach ein Sturm los. Einige Nonnen streckten, in ihrer Empörung über den Verrat, die Arme hoch in die Luft und jammerten. Die Stimmen schrien immer lauter, daß kein Wort verständlich wurde. Da gebot die Domina strenge:

»Ruhe! Ich rate euch, friedlichen Entschluß zu fassen! Es heißt rasch handeln, die Boten harren. Erfahren es die Herren vom Rate, wie wir es mit der Klosterzucht halten, wird über uns der Bann verhängt. Können wir aber der Gefahr trotzen, so gewinnen wir Zeit, das Kloster in Ordnung zu bringen!«

Ein Schreckensruf aus vierzig Kehlen gellte durch den angsterfüllten Raum:

»Nit ergeben! Sie sollen es wagen! Wir wollen uns wehren!«

Die Äbtissin erhob sich, ihr Entschluß war gefaßt. Laut rief sie:

»So rüstet euch zur Abwehr! Wir wollen so lange Widerstand leisten, bis wir alle Spuren verwischt haben, die uns verraten können! Gehet ans Werk, schaffet Steine zum Tor, leget Pechfackeln in die Tonnen, räumt den weltlichen Kram beiseite, machet rasch, eine Stunde nur ist uns dazu gegeben!«

Als die Äbtissin über die Stufen ihres Hochsitzes herabstieg, trat atemlos Ursula zu ihr hin und rief erregt:

»Hochwürdige Domina, die Ratstochter war wie eine Furie. Sie wehrte sich, kratzte und biß mich. Sie ist des Teufels! Keine andere hat uns verraten als sie!«

Die Äbtissin erschrak und sah Ursula ernst an:

»Hat sie es gezeigt?«

»Das nit, aber ihre Gebärden waren so, als erwarte sie in den nächsten Stunden eine Befreiung. Sie weinte heftig, war so wild und verzweifelt, daß ich sie kaum bezwingen konnte. Ich mußte nach den Mägden rufen. Die fleißige Erika hat sie bald bezwungen, jetzt wacht sie bei ihr in der Zelle!«

Die Domina keuchte. Zornadern schwollen auf ihrer Stirne an.

Sie schritt hastig in ihr Gemach und schrieb an den Rat von Nürnberg, die Ordensschwestern hätten einmütig beschlossen, die Pforten des Klosters freiwillig nicht zu öffnen. Jede Gewalt wäre gegen die heiligen Regeln und Privilegien. Sie stelle sich aber persönlich dem Rat zur Verfügung, um alle Verleumdungen entschieden zurückzuweisen und aufzuklären. Einen anderen Willen habe sie nicht, da das Kloster in Ordnung sei. Den Brief versiegelte sie mit ihrem Wappen und übergab ihn den Boten, die alsogleich grinsend wegritten.

Kaum eine Stunde war vergangen, da pochten Lanzenschäfte an das Klostertor. Bei diesem Getöse schrien die Nonnen auf.

Vor dem Tore rief die mächtige Stimme des Stadthauptmanns:

»Öffnet dem Fähnlein des ehrbaren Rates und der Kommission, sonst gebrauchen wir Gewalt!«

Eine Schwester, die schreiend die Nonnen zur Wehr rief, läutete die Sturmglocke. Ein Steinhagel flog über die Mauer in die harrende Reiterschar. Fluchen und Drohen erscholl zurück. Der Abend war hereingebrochen, Pechfackeln wurden angezündet und übers Tor auf die Stadtknechte geworfen, die die Fackeln wieder zurückwarfen, daß die Funken stoben. Die Nonnen wichen kreischend aus, eine aber traf die brennende Fackel, und ihr Gewand brannte lichterloh. Sie lief schreiend davon, keine Schwester half ihr.

Auf ihrem Lager weinte Margarete vor Angst, sie hörte den ungeheuren Lärm, wußte aber nicht, was geschehen war. Erika saß bei ihr und sprach ihr gut zu. Als es finster genug war, öffnete diese die Zellentür. Der Gang war leer, alle Nonnen waren im Hofe versammelt. Rasch zog sie Margarete mit sich fort in den Garten, führte sie zur Mauer und verkroch sich mit ihr in ein Gebüsch, der Stunde harrend, in der Kaspar sein Zeichen auf der Laute geben wollte.

Inzwischen hatten die Nürnberger Stadtknechte das Klostertor eingestoßen und ihre Feuerbüchsen auf die Nonnen gerichtet. Der Hauptmann schrie in den Tumult hinein:

»Hebet die Hände hoch; unterläßt es eine, dann mag die Kugel ihre Seele in die Hölle jagen!«

Die Angst ließ keiner Schwester die Arme unten. Die Stadtknechte fielen über sie her und banden ihnen die Hände.

Da traten die Oberin und einige Nonnen vom Kloster St. Katharina, die zur Visitation der Klosterräume befohlen waren, an die Domina heran, und die Oberin rief ihr triumphierend zu:

»Ergebet Euch! Keine andere Wahl bleibt Euch mehr. Wollt Ihr gebunden in Ketten liegen? Ich selbst will die Visitation vornehmen, daß keines Söldlings Fuß Eure Schwelle entweihe!«

Zornbebend schrie die Domina:

»Weichet zurück. Ihr seid schlimmer als zehn Lanzenknechte. Ich kenne Eure Gesinnung, denn Ihr traget einen Groll, weil ich statt Euer Äbtissin wurde. Weichet, oder ich durchbohre Euer falsches Herz mit meinem Stahl!«

Die Oberin vom Katharinakloster sah ihre Gegnerin verächtlich an, dann wendete sie sich dem Stadthauptmann zu und rief:

»Meine Macht ist zu Ende. Güte hilft nit. Ich gebe Euch das Recht, Gewalt zu gebrauchen. Die Domina ist renitent! Wäre sie schuldlos, brauchte sie kein Schwert!«

Der Hauptmann gab ein Zeichen, zehn Knechte fielen über die beiden Nonnen her, schlugen ihnen mit Hellebarden die Schwerter aus den Händen, erfaßten die wütende Domina und legten sie in Ketten.

Als die Arbeit getan war, trieben die Knechte die Nonnen zu einer Schar zusammen und führten sie unter wüsten Zurufen aus dem Klosterhofe hinaus. Die Äbtissin wurde auf ein Roß gehoben und von Reitern umringt abgeführt.

Die Untersuchung ergab, daß in Engelthal nicht allezeit ein fromm gottgefälliges Leben geführt worden war*).

Margarete saß mit Erika in dem Busche an der Mauer. Das Wasser im Graben, der die Klostermauer umgab, rauschte melancholisch, die wüsten Stimmen der Stadtwächter und Nonnen waren verklungen. Stern um Stern traten aus der verschleierten Himmelskuppel hervor, und kein Geräusch störte die ängstlichen Lauscher, die leise miteinander das Kommende besprachen. Erika hatte Margaretes Lage sofort erfaßt und sich angeboten, ihr als Magd dorthin zu folgen, wohin sie Kaspar zu führen gedenke; sie hatte, während die Nacht hereinbrach, ein großes, verschnürtes Gepäckstück aus ihrer Mägdekammer in das Versteck gebracht, in dem sie das Notwendigste für Margarete verwahrt hielt.

In der Angst, die Domina könnte ihre Flucht aus der Zelle bemerken und sie suchen lassen, wagte Margarete kaum zu atmen. Da hörte sie plötzlich die Laute Kaspars singen, jubelnd und jauchzend. Mit einem Aufschrei sprang sie aus dem Gebüsch. Die Magd hatte in der letzten Nacht, in der die Nonnen ein freies Leben führten, eine Leiter in das verwachsene Gestrüpp versteckt; jetzt lehnte sie sie an die Mauer hinauf, und bald hatten die beiden den hohen Wall erstiegen. Während Erika die Leiter aufzog und an der anderen Seite der Mauer hinabließ, zitterte Margarete in Angst und Freude. »Kaspar, mein geliebter Bruder, kommst du endlich? Kommst du schon?« rief sie verzagt und doch jubelnd in die Nacht hinaus.

»Ich komme! Harre noch eine kleine Weile – ich komme!« klang es über dem Wassergraben zu der Lauschenden. Noch sah sie ihn nicht, sie hörte nur das Wasser plätschern, als würde es von kräftigen Armen durchfurcht. Sie blickte in den Himmel hinauf, ihre Seele betete zu Gott, er möge ihre Errettung beschützen. Da sprang aus dem düstern Gewölk gegen Westen

---

*) Siehe Anhang: Nürnberger Chronik 1516.

zu ein leuchtender Stern hervor, der schien sich zu drehen, schien der Betenden zu winken. Sie hob die Arme zu ihm auf und jauchzte:

»Du leuchtest mir, Stern der Ferne, du rufest mich, Stern der Hoffnung, dir will ich entgegengehen; dich schickt mir Gott als Wegweiser, du Stern der neuen Heimat!«

Das Plätschern kam näher, sie vernahm ein Waten in den Fluten; dann hörte sie, wie ein harter Gegenstand an die Mauer stieß. Frohlockend rief unmittelbar unter ihr die Stimme Kaspars:

»Margarete, herzliebes Schwesterlein, ich bin da, komm herab, fürchte dich nit; so tief und so breit auch der Graben ist, so tief und so stark ist meine Liebe zu dir, die dich tragen wird!«

»Kaspar!« jauchzte sie; dann stieg sie die Leiter hinunter. Zwei starke Arme ergriffen sie und setzten sie auf ein breites Brett, das am Wasser lag.

»Erschreck' nit, Liebste, so du mich siehst. Hab' müssen das Gewand abtun, um herüberschwimmen zu können. Erschreck' nit, du armes Schwesterlein!«

Sie hörte nur die liebe Stimme, den süßen Ton, den sie so lange nicht vernommen hatte, der sie berauschte; vor ihren Augen lag ein dichter Nebel der Trunkenheit, der ihr alles verschleierte, was sie umgab. Sie zitterte, als sie Kaspars Arme spürte, die sie behutsam auf das Brett setzten. Ihre Lippen flüsterten nur immerzu:

»So hab' ich dich wieder – so hab' ich dich wieder –«

Kaspar war ins Wasser getaucht, mit kräftigen Stößen trieb er das Brett, auf dem Margarete saß, über den breiten Graben ans andere Ufer, wo es in dem Geröll sich festhielt. Wie von einem Traume umfangen, kroch die Befreite in die Büsche hinauf und sank dort auf dem Rasen in die Knie. Kaspar trieb das Brett wieder zurück und holte Erika mit ihrem Bündel.

Margarete wollte beten, könnte es aber nicht. Heimliche Hände hielten ihre Sinne in einer Gewalt, als wollten sie die Andacht aus ihrem Herzen reißen.

Aus dieser Versunkenheit weckten sie die Stimme der Magd und Kaspars Rufe. Sie blickte nach dem Ufer, sah ihren Bruder aus dem Wasser springen in seiner nackten Schönheit, eine wilde Angst stieg in ihr auf, sie schrie entsetzt und lief davon. Wie eine Spukgestalt, der Nacht entsprungen, in der sie die keusche Liebe besudelt sah, kam ihr jetzt der Bruder vor. Erika lief ihr nach und hielt sie fest.

»Was ist Euch, was schreckt Euch so? Keiner verfolgt uns«, sprach sie eindringlich. Margarete aber hielt die Hände vor ihre Augen und rief entsetzt:

»Der Spuk von gestern verfolgt uns doch, saht Ihr ihn denn nit?«

Erika verstand sie nun, auch sie hatte solchen »Spuk« gesehen. Lachend flüsterte sie der Entsetzten zu:

»Es ist ja Euer Bruder! Weil er hat müssen durch den breiten Graben schwimmen und das Brett treiben, legte er doch sein Gewand ab. Sehet hin, er zieht es ja wieder an! Schreckt Euch das so, daß Ihr Euch ängstigen müßt?«

Da lösten sich die Schauer ihres Abscheus, sie klammerte sich an Erika und schluchzte:

»So unheilig darf ich meinen Bruder nit sehen. Wie könnte ich ihn sonst liebhaben! Ach, Erika, ich hab's doch nit gewußt, wie sündig die Liebe ist, mir war sie so lilienhaft. Saget mir, kann ein Weib das ertragen? Muß nit mit ihrer Scham alles Glückhafte versinken? Jetzt glaube ich's, daß die Liebe von Schwester zu Bruder unkeusch wäre, wenn man sie so verstünde.«

Als Kaspar angekleidet in Mantel und Barett kam, lief sie ihm jauchzend entgegen, sank in seine Arme und jubelte:

»Kaspar, Bruder! Herzlieber Bruder mein, daß ich dich nur wiederhabe!«

Es war eine überwältigende Minute, in der ihre Liebe im Freudentaumel zum Himmel rief. Sie schmiegte sich an ihn, und er küßte in stummem Glück ihren Mund und ihre Augen.

Als sie sich zaghaft aus seinen Armen löste und er sie mit fragenden Augen anblickte, sagte sie ernst:

»Was nun? Wir haben kein Vaterhaus mehr, armer Bruder! Wo sollen wir hin?«

»Die Welt steht uns offen!« flüsterte er beklommen. »Die ist so schön, so weit!«

»Der Stern dort oben soll uns führen, Bruder; er nur weiß, wohin. So es einen Vater im Himmel gibt, muß er wieder gutmachen, was unser Vater auf Erden uns angetan hat!«

Erschrocken fuhr Kaspar zurück. Obzwar sein Glauben in dem Jahre, in dem er mit seiner Not gerungen hatte, ihn trotzig von Gott entfernte, fühlte er sich mit ihm in dieser Minute doch wieder versöhnt. Nie schien ihm Gott näher als jetzt.

»Schwesterlein!« sagte er liebevoll. »Weißt du noch, was Meister Albrecht einmal gesagt hatte, als uns sein Wort Trost gab in großer Not?«

»Ja, mein lieber Bruder. Er sagte, daß es keine Not auf Erden gäbe, die so stark sein könne, um uns vom Wege Gottes abzuwenden.«

Mit frohem Mut nahmen sich die Geschwister an den Händen und schritten in die Nacht hinein. Die Sterne leuchteten ihnen auf dem Wege, den sie unbekanntem Ziele entgegengingen. In ihnen war heiliger Frieden, sie fühlten sich frei und wieder vereint.

An einer Wegkreuzung blieb Margarete stehen und sagte leise:

»Wir wollen den geraden Weg nehmen, lieber Bruder; in dem entsagungsschweren Verzicht dürfen wir nit abirren von der Erkenntnis, wenn wir das Leben in Liebe gehen wollen, wie es uns das Glück bestimmt hat.«

»Ja, Schwester«, sagte Kaspar. »Das Glücksahnen werden wir nur im Innern tragen müssen, wenn es sich uns dereinst entschleiern soll. Und dann werden wir auch von unserer Angst befreit sein.«


Die mächtigen Hammerschläge, mit denen Luther seine 95 Thesen wider Papst und Ablaß an das Tor der Schloßkirche zu Wittenberg anschlug, ließen die Grundfesten des Heiligen Deutschen Reiches erzittern, warfen ihr Echo über alle

Gaue und fanden in der Freien Reichsstadt Nürnberg mächtigen Widerhall. Aufruhr tobte unter den Humanisten und unter den Ratsherren; ein freies Aufatmen weitete die Brust des Bürgers. Der Boden Nürnbergs war empfänglich geworden für die Tat des kühnen Mönches, der die Liebe Christi gegen das Fegefeuer der Gottesgelehrten stellte. Die Fehden, die zwischen Nürnberg und Rom hin und wider schwankten, ließen die Ratsherren erkennen, wie groß die Macht des Papstes war. Die Abordnungen gegen die Vermehrung von Feiertagen kamen stets unverrichteter Sache aus Rom zurück. Der ehrbare Rat, darüber unwillig, verbot im Stadtbereich den Mönchen den Verkauf von Ablaßbriefen, Reliquien und Heiligenkram, er verbot den Klöstern den Ausschank von Wein und Bier in ihren öffentlichen Trinkstuben, schaffte diese schließlich ab und riß die höhere Gewalt über Kirchen und Klöster an sich.

Schon früher fand die Lehre Johannes Huß' in der Reichsstadt Aufnahme. Jetzt meldete sich eine deutsche Stimme; Luther rief dem verzagten Gewissen zu, daß der Papst keine Macht habe, für Geld Sünden zu vergeben. Diese kühnen Worte fachten die aufflackernden Flämmchen der Erkenntnisreichen zu mächtigem Brande an.

Die Ratsherren wurden uneinig; ein Teil der Ehrbaren, die der fanatische Hans Hirschvogel an sich riß, protestierte dagegen, daß Luthers Thesen am Rathause angeschlagen werden sollten. Wilibald Pirkheimer, Hieronymus Ebner, Kaspar Nützel und ihr Anhang sowie der Stadtschreiber Lazarus Spengler traten energisch für Luther ein und bereiteten sich für den Kampf vor, den sie mit Zähigkeit führen wollten. Dagegen stellten sich an die Seite Hans Hirschvogels: der Karmeliterprior Andreas Stoß, ein Sohn des Bildschnitzers Veit Stoß; der Dominikanerprior Konrad Pflügel; sein Prediger Ludwig Hirschvogel, des Ratsherrn Neffe, und andere Prediger, die von den Kanzeln eine Fehde gegen den Wittenberger und seinen Anhang eröffneten. In diese Fehde griff mit einem Male der Mönch Blasius Stöckl ein, der im Karthäuserkloster für Luther das Wortschwert schwang, ihm folgten bald der Augustinerprior Wolfgang Volprecht, der Propst von St. Sebald Georg Peßler und Hektor Pömer in St. Lorenz. Es entspann sich ein erbitterter Kampf für und gegen Luther. Eine zündende Schrift Lazarus Spenglers für Luthers Lehre fand rasche Verbreitung; dieser »Apologia« folgte Pirkheimers satirische Schrift, die den rührigen Lutherfeind, Dr. Eck, dem Gelächter preisgab. So stritten die führenden Geister um die Reform der Kirche, während die lutherische Bewegung im Volke immer mehr um sich griff.

Albrecht Dürer atmete auf. Der *eine* war aufgestanden, den er vorausahnte. Was wird der Kaiser sagen? dachte er. Wird auch der Mönch die Gewalt haben, den eisernen Ritter »Gewissen« und seine Heerschar, die »Ängste«, mit seinem Schwerte zu bezwingen? Wird er? Wie wollte Dürer ihn verehren! Konterfeien wollte er, wie keinen noch, diesen kühnen Mönch, der ihm endlich die Zweifel nahm, dem Grübler.

In Dürers Werkstatt war ein freier Geist am Werke. Der Meister konnte seinen Gesellen und Malknaben Luthers Erleuchtung nicht genug rühmen; er offenbarte ihnen seine eigenen Ansichten über den Gottesglauben, erzählte von seinen Seelenqualen, von seinem Suchen nach Gott im Wirken des Weltalls, in der nahen Natur und in der Seele des Menschen, und seine Worte fanden insbesondere bei drei Malknaben, den Brüdern Barthel und Hans Beham und Georg Penz, Nahrung, die aus dem Glaubensstreit Schlüsse zogen, welche sie später weitab von der Kirchenlehre und von Luther trieben. Auch andere Enthusiasten ergriff der Taumel, sich Religionsprobleme auszudenken, um für Freiheit und Reform schwärmen zu können, und so war bald der neue Wille zur kirchenpolitischen und sozialen Umgestaltung bestehender Zwangsformen Gemeingut dilettantischer Geheimbündelei geworden.

Diesem Treiben wollte der Ratsherr Hans Hirschvogel nun seine ganze Kraft entgegenstellen. Seit Margarete aus dem Kloster geflohen war und mit Kaspar in die Fremde zog, verhärtete sich sein Gemüt immer mehr. Zum verhärmten, früh gebrochenen Greise geworden, gab er sich rückhaltlos seinem Fanatismus hin und wurde ein erbitterter Gegner Martin Luthers, suchte jene auf, von denen er wußte, daß sie sich der neuen Kirchenreform anschlossen, und wollte sie davon abbringen.

So kam er auch kampfbereit zu Albrecht Dürer. Der fleißige Meister, der an seinem Kupferstich »Hieronymus im Gehäuse« arbeitete und den Hirschvogel aus seinen Grübeleien scheuchte, war erstaunt, den Ratsherrn in seiner Werkstatt zu sehen. Er wußte sogleich, was der Eiferer von ihm wollte, und stellte sich bereit, seine so qualvoll erlangte Glaubensfreiheit zu verteidigen.

Der Ratsherr sah ihn durchdringend an mit seinen harten Stahlaugen, reckte seine hagere Gestalt gebieterisch empor und sprach:

»Meister Albrecht, ich hörte, daß Ihr Euch der Sache des Ketzers Martinus annehmet. Ihr seid wohl gar Eures Glaubens nit mehr sicher? Will ein Handwerksmann sich in Gelehrtenfragen mischen?«

Eine Weile war Stille in der Arbeitsstube. Die beiden schauten sich herausfordernd in die Augen, dann sagte Dürer, dem es nicht um Kampf zu tun war:

»*Meines Glaubens bin ich sicherer denn je.* Ich bin so erfüllt von ihm wie mein ›Hieronymus im Gehäus‹, den ich in dieser unfriedlichen Gegenwart in mein Stüblein gerufen hab', aus seiner Klause in Bethlehem, damit er für das deutsche Volk eine neue Vulgata schreibe. Sehet doch, Ehrbarer, wie er bei meinem Butzenscheibenfenster sitzet und die hebräische Bibel übersetzt, dieweilen ihn der getreue Löwe bewacht. So wird Martinus ins Deutsche übersetzen, was Jesus gelehrt hat. Der Heilige Geist steckt in ihm ein Lichtlein auf, das dem Volk leuchtet, das aber kein Ehrbarer wird ausblasen können.«

Hirschvogel fuhr sich erregt über den schneeweißen Scheitel:

»Dem Volk?« Wild lachte er auf, mit höhnischer Stimme schrie er: »Das Volk ist treulos in Recht und Glauben. Ein Scheiterhaufen sollt' errichtet werden, Tausende und Abertausende dieser Abtrünnigen sollten verbrannt werden!«

»Ehrbarer! Ihr seid wahnwitzig!« fiel Dürer dem Erregten in die Rede, der aber schrie noch heftiger:

»Der Papst wird seine Macht nit ungenutzt lassen, er wird die rebellischen Horden züchtigen, er wird aber auch die Unbelehrbaren ausrotten wie giftig Unkraut. Um elender Pfennige willen stehen sie wider ihn auf. Was für Zeiten sind hereingebrochen?! Eine neue Sintflut wird die Menschen ersäufen, die von der alleinseligmachenden Kirche abfallen und Gottes Stellvertreter auf Erden einen Seelenschacherer und Pfennigmarkter schimpfen. Auspeitschen sollte der ehrbare Rat die Aufwiegler!« Er ließ sich keuchend in einen Stuhl sinken.

Dürer nahm diesen Ausbruch von Herrschsucht nicht ernst, er wußte, daß eine andere Verbitterung den Ratsherrn zu diesem Eifer trieb, um sein Gewissen damit zu besänftigen, sein böses Gewissen, das ihm aus den Augen sah. Ruhig sagte Dürer, seinen Grabstichel an einem Schleifstein schärfend:

»Alles Neue faßt den Menschen am tiefsten an, Ehrbarer. Die Finsternis steckt so hart in uns, daß auch unser Nachtappen fehlte. Darin sind wir alle gleich, mehr wissen wir nit. Was in eines Sehnsüchtigen Seele blüht, was ihn loszulösen vermag von Angst und Schauern und ihn zu Gott führt, das kann uns keiner verwehren! Es ist an der Zeit, Ehrbarer, daß wir Gott in der Liebe erkennen, denn sonst müßte die ganze Menschheit verzweifeln! Wenn Luther die Finsternis verscheuchen will und Licht bringt, wer sollt' ihm nit zujauchzen? Ehrbarer, wolltet Ihr alle jene ausrotten, die sich dieser Erkenntnis zuneigen, Nürnberg würde leer werden. Das könnt Ihr mit Eurem Zorn nit richten! Die Flammen schlagen über alle Dächer, bald brennt das ganze Deutsche Reich! Wir müssen die Ohren verhalten und mit dem Herzen lauschen.«

Wütend schlug Hirschvogel mit der Faust auf den Tisch und rief in hellem Zorn:

»Was habt Ihr für einen Trotz in Euch, Meister! Wie scheint Ihr doch gewandelt, seit ich Euch nit sah? Seid auch Ihr so ein Schwarmgeist worden, habt auch Ihr Euch losgelöst von Papst und Kirche? Wollt auch Ihr mit einer neuen Lüge die Lüge von der Finsternis übermalen? Ihr seid ein Ketzer!«

Da legte Dürer den Grabstichel beiseite, wischte die Finger an einem Tuche rein, reckte seine Gestalt, und seine Augen blitzten auf.

»Mein Glaube an Gott ist geläutert aus dem Irrfeuer hervorgegangen. Ich gedenke der wunderbaren Messe des heiligen Gregor, wo Christus der Herr vom Kreuze herab ist auf den Altar gestiegen, lebendig, der Fesseln ledig, und seine Wundmale hat gewiesen. Ich hab' das Bild auf Holz aufgerissen, um diese Legende dem Volke zu zeigen. Wir stehen wieder in einer Zeit wie damals, als Juda in Ängsten lag und Gott hat seinen Sohn lebendig werden lassen, um das Volk durch Liebe zu erlösen und sein wahres Wort zu künden. Jetzt hat Gott in einem Deutschen seinen Sohn wieder zum Leben gerufen, durch ihn sein wahres Wort zu künden und die Liebe zu befreien von dem Kreuz, auf daß sie abermalen zu uns sprechen möge: ›Herr, vergib ihnen, denn sie wissen nit, was sie tun!‹ O möge der Erleuchtete nit erlahmen, denn sein Ringen wird blutig sein müssen. Herr im Himmel, dein Wille geschehe, dein ist die Macht, dir sei Lob und Preis!«

Der Ratsherr blickte ihn fassungslos an, er fand keine Worte zur Erwiderung.

Dürer hob seine Hände empor, und seine Augen schienen zu leuchten.

Seine flammenden Blicke bohrten sich in Hirschvogels Gesicht.

»Und Ihr, Ehrbarer? Habet Ihr Euch losgekauft? Gehet in Euch, glaubet daran, daß nur Gott der Herr Euch die Seelenpein, die Ihr an Euren unschuldigen Kindern verbrochen habet, vergeben kann; daß Euer Vermögen zu gering ist, um Euch von dieser Sünde zu lösen. Und wolltet Ihr alle Schätze der Welt für einen Ablaß dieser Sünde geben, in Eurem Gewissen würde sie doch schreien in furchtbarer Stimmengewalt, die kein Eifern übertönen kann! Fanget an, endlich mit dem Herzen zu lauschen!«

Zitternd schlug Hirschvogel die Hände vor sein Gesicht. Mit erloschener Stimme flüsterte er, keuchend und bebend:

»Lasset das! – Es ist vorbei. – Gott hat mir geholfen!«

»Gott?« rief Dürer mit dröhnender Stimme. »Ehrbarer, wie könnet Ihr von Gott dem Gerechten, der über Euch richten wird, erwarten, daß er Euch verzeiht, wenn Ihr nit bereuen wollt? Wo ist Euer Herz, das so ergriffen den Sohn suchte in ruhelosen Stunden? Wo ist Eure Liebe zur hold erblühten Tochter, die Ihr in grausamer Klosterhaft den Zweifeln preisgabt, in denen der stärkste Glaube wankend wird, anstatt sie in Demut auf den Weg zu weisen, den sie suchte? Bedenket, wie Eure Kinder in der Fremde irren müssen, ohne Vater, ohne Mutter, ohne Frieden, wie zwei Verbannte. Und Ihr vermöget es noch, im Streite gegen die Erkenntnis Euer Gewissen zu betäuben, einen Scheiterhaufen zu errichten, auf dem Ihr die Leiber derer verbrennen wollet, deren Seelen in der Verirrung das Licht der Liebe erschauen? Ehrbarer, habet Ihr noch ein Gewissen, dann suchet Eure Kinder und führet sie wieder heim, damit ihre Liebe Eure Schuld tilge vor Gott, dem Allmächtigen!«

Wie Keulenschläge trafen die entrüsteten Worte Dürers den Ratsherrn; dessen Lippen bebten. Stöhnend rief er:

»Wie soll ich die Ohren verschließen und mit dem Herzen lauschen, wenn mein Herze also bluten muß?« Er konnte die Blicke Dürers nicht länger mehr ertragen und verhüllte sein Gesicht.

Dürer nahm den Stichel, setzte sich zu seiner Kupferplatte und überließ den Ratsherrn seiner Zerknirschung. Es war lange still in dem Gemache, nur die Stiche des Meisters knitterten leise, feine Späne aus dem Metall aushebend.

Plötzlich sprang Hirschvogel auf. Ein ohnmächtiger Zorn durchbebte ihn, ein höhnischer Trotz belebte ihn, er schritt stolzen Schrittes, wie ein Sieger, zur Tür, wendete sich hastig um und rief tonlos:

»Auch Ihr habet mich verlassen! Auch Ihr seid mein Feind! Ich will auch *das* ertragen! Meine Kraft ist der alleinseligmachenden Kirche geweiht.«

Dann schlug er die Tür hinter sich zu und ging.

Durch das Tor Nürnbergs ritten drei Abgesandte aus der Reichsstadt, um an dem Augsburger Reichstage teilzunehmen. Das Deutsche Reich stand in Gefahr, zu zersplittern, Fürsten und Stände richteten sich gegen den immer mehr eingeschüchterten Kaiser. Martin Luther, der den Ruf des Papstes, nach Rom zu kommen und zu widerrufen, ausschlug, trotz der Streitschriften Dr. Ecks und des Dominikaners Hoogstraeten, wollte, gestützt durch Kurfürst Friedrich den Weisen, in einer öffentlichen Disputation seine Ansichten aussprechen. Der päpstliche Legat, Kardinal Thomas Cajetanus, wurde auf den Reichstag zu Augsburg geschickt, um die Fürsten zum Türkenkriege zu bewegen und Luther zum Schweigen zu bringen. Da nahmen sich die Nürnberger vor, Maximilian und Luther zu schützen. Um dem melancholischen Kaiser eine Freude zu bereiten, wählten die Ratsherren als Abgesandte Albrecht Dürer, Konrad Nützel und Lazarus Spengler, drei Getreue, von denen der Kaiser insbesondere Dürer herzlich zugetan war.

Die drei Reiter trabten in den hellen Sonnenschein hinaus und waren frohen Mutes. Sie neckten einander. Da Spengler wußte, daß Nützel, der ein energischer Mann von scharfem Geiste war, sich in nichtigen Dingen gewaltig erhitzte, so neckte er ihn wegen des Wappenstreits, den der Ratsherr mit dem Geschlecht der Stromer führte. Denn die Stromer trugen das gleiche Wappen wie die Nützel, und das wollte der stolze Patrizier nicht leiden.

Dürer wußte, daß Nützel als Pfleger des Klaraklosters mit der gelehrten Äbtissin Charitas, Pirkheimers Schwester, in freundschaftlichen Beziehungen stand, so suchte er ihn darüber zu necken. Nützel aber lachte:

»Laßt mir die Charitas und mein Wappen, die sind mir beide gleich lieb. Will sehen, ob ich beide erkämpfe, erst aber müssen wir in Augsburg die Lanze brechen für unseren Martinus!«

Dürer lachte, spottend sagte er:

»Da wird Euch aber der Ehrbare Hans Hirschvogel auch die Fehde ansagen wie mir!«

»Laßt den Wahnwitzigen!« wehrte Nützel ab. »Er ist ein früher Greis voller Bosheit. Dem will ich mich schon stellen, sobald Luther am Reichstag als Sieger hervorgeht, und das wird er! Alle warten darauf! Wir wollen den Kaiser auch dazu gewinnen, darum hat Euch der Rat zum Abgesandten erwählt. Macht Eure Sache gut, lieber Meister! Ein Maler kann der Majestät mehr sagen denn ein Staatsmann! Euch leiht er williger sein Ohr, denn Eure Kunst geht ihm wahrlich über Reich und Krone, trägt sie doch seinen Ruhm in die Nachwelt.«

»Der arme, liebe Kaiser!« seufzte Dürer, und seine Gedanken eilten ihm voraus. Diesmal wollte er ihn konterfeien und ihm mit den Entwürfen zum »Triumphzuge« eine Freude bereiten.

Als die drei Abgesandten durch die Tore der festlich geschmückten Stadt Augsburg einritten, stand hoher Ernst in ihren Gesichtern. Vor dem Rathause erwartete sie Grünbeck, der Geheimschreiber des Kaisers, mit Konrad Peutinger, dem Augsburger Stadtschreiber und Vermittler des Kaisers in Kunstsachen. Als sie Dürer vom Pferde steigen sahen, waren sie nicht wenig erstaunt. Peutinger rief erfreut aus:

»Meister Albrecht, Euch schickt der liebe Gott! Der Kaiser hat solch ein Verlangen in dieser trüben Zeit nach Trost! Das wird ihm eine Freude sein, da Euch der Nürnberger Rat als Abgesandten schickt.«

Dürer reckte sich in befriedigtem Stolz. Als die Augsburger Ratsherren erfuhren, daß Dürer gekommen sei, brachten sie ihm Ehren dar, denn des Meisters Ruhm war längst in Augsburg lebendig.

Peutinger führte Dürer in sein gastliches Haus und bot ihm an, bei ihm zu wohnen, solange er in Augsburg bleiben könne. Alle Männer der Kunst und Wissenschaft lud der einflußreiche Stadtschreiber zu Gaste, und Dürers Grübeln taute auf, seine Stimme bekam wieder Wohlklang, und bald wurde er der gefeierte Mittelpunkt in diesem Kreise erwählter Männer.

Nur wenige Tage war Dürer in Augsburg, da ließ ihn Maximilian rufen. Hoch auf der Pfalz. der königlichen Burg, in einem traulichen Stübchen, saß der Kaiser, in einen Pelzmantel gehüllt bei seiner Arbeit, als ihm Dürer gemeldet wurde. Erst zaghaft, dann aber mit sicheren Schritten trat der Meister vor ihn hin.

Eine Weile musterte ihn der Kaiser wohlgefällig, dann streckte er ihm die Hand entgegen und rief:

»Daß Ihr mich so überraschet, ist mir willkommen. Wenige Getreue hangen mir an, noch nie hab' ich so viel erduldet wie jetzt. Eure Kunst ist mir allezeit ein Tröster, und gerne denke ich an Euch. Alle stehen sie gegen mich auf, ich und mein Wille sind ihnen nichts. Seit Christo muß keiner so viel leiden wie ich!«

Die Augen des Kaisers umdüsterten sich, seine Hände legten sich zusammen wie bei einem fromm ergebenen Dulder. Seine Augen schlossen sich.

Dürer wagte nichts zu erwidern, er fühlte tiefes Mitleid mit dem Beherrscher des Deutschen Reiches.

Plötzlich fuhr der Kaiser auf und rief erregt:

»Habet Ihr des Wittenbergers Hammerschläge vernommen? Was saget Ihr zu diesem Manne, der dem Papst widersteht?«

Dürer neigte sich tief vor der Majestät, eine innere Stimme warnte ihn vor Übereifer, ihm war zumute wie einem Angeklagten, der sich vor dem Richter verantworten soll. Als er aber die milden, fragenden Augen des Kaisers auf sich ruhen fühlte, da wußte er, daß er sprechen müsse, wie es ihm auf der Seele brannte.

»Kaiserliche Majestät, ich vermeine, hier hat in eines deutschen Mannes ehrliche Seele Gott seinen guten Willen hineingegossen. Die kühnen Hammerschläge haben erweckt, was Kraft verlor und schlief! Ich vermeine aber, es handelt sich hier nit allein um das wahre Wort Christi, das Luther herausgräbt aus der Kirchenlehre, ein großes Wetter wird aufziehen über das Reich, wie damals in Eurer Majestät Traum. Eine riesenmächtige Hand wird sich über alle Lande legen.«

Der Kaiser sah versonnen zum Fenster hinaus, seine Hände fuhren unruhig über den Pelz. Dürers Worte engten ihn ein, gaben ihm aber bald wieder freien Ideenflug, und seine Augen bekamen Glanz.

»Die Riesenhand!« sagte er leise, als spräche er für sich. »Sie steht nun wieder vor mir. Meine Macht sinkt dahin, meine

Gewalt ist nit mehr groß genug. Das Reich steht in Flammen. Die Hand, die damalen nach meinem päpstlichen Stuhle griff, greift jetzt nach meiner Monarchie. Ich werde es nit aufhalten können, wenn mein Reich zerfällt. Wie wird es mit meinem Türkenkreuzzuge werden, der mir so am Herzen liegt? Wird sich meine Sehnsucht erfüllen? Werden die Reichsstände meinem geliebten Erben und Enkel Karl die römische Krone billigen? Wie bin ich doch verzagt. Wird der Streit zwischen Papst und Luther den Qualm wegblasen können, der durch mein Reich zieht? Wird er die Herrschsucht einzelner zügeln und alle zusammenschweißen zur deutschen Einigkeit? – Wird ein erneuter Glaube die tiefen Gräben, die überall aufgerissen sind um die deutschen Stämme, verschütten können?«

Die Worte des Kaisers ergriffen Dürer derart, daß er es nicht wagte, zu erwidern. Erst als die fragenden Augen Maximilians ihn traurig ansahen, nahm er sich den Mut und sagte ebenso leise:

»Kaiserliche Majestät, verzaget nit. Gott ist gerecht, und das ganze Volk steht auf Eurer Seite. Vertrauet nur! Wie der Heiland gesprochen hat zum Töchterlein des Jairus, also spricht Martin Luther zum deutschen Volke: ›Stehe auf!‹ Dieses Machtwort, Majestät, ist der Zauber, der das Volk befreien wird vom Schlaf. Gott gebe, daß in diesem Ringen nach Klarheit und Wahrheit die Kaiserliche Majestät dem Volke erhalten bleibe. Euch liebt es, Euch wird es folgen, wohin Ihr es auch führen wollt. Mögen der Fürsten Herrschgelüste auch das Reich zerreißen, das Volk wird es wieder aufbauen helfen für Euch! Bleibet nur Ihr uns erhalten!«

Der Kaiser war aus seiner Melancholie erwacht; bewegt rief er:

»Das gute Volk! Wie gern wollt' ich's erlösen und befreien von allen Härten der Zeit. Ich aber bin alt und in meinem Wollen zerfahren, ich werde wohl sterben müssen, noch ehe dem armen Volke kann geholfen werden!«

Dürer stand an den Tisch gelehnt, seine Locken lagen auf den breiten Schultern, er preßte die Hand auf die Brust, seine Augen glühten, als er sprach:

»Das Volk lag jahrhundertelang im Zwang. Wenn es jetzt aufsteht, ist's kein Wunder. Martin Luther ruft es. Er will ihm das Wort Gottes unverfälscht geben.«

Der Kaiser sprang auf, setzte sich aber ermattet wieder.

»Dürer«, sagte er, »Ihr kommet aus dem Lande Zukunft, lasset mich im Reiche der Vergangenheit. Ich sehe alles anders und kann's nit wenden. Der Wittenberger soll kommen, ich will ihm nit trotzen. Zerfällt mein Reich darüber, so sollet Ihr mich, lieber Meister, in meinem ›Triumphzug‹ in die Ewigkeit führen. Zeiget mir, was Ihr ersonnen habet für meinen Ruhm, das andere überlassen wir dem Geiste, der stärker ist als wir!«

Dürer atmete erleichtert auf, als er des Kaisers Schwermut verfliegen sah. Er nahm die Mappe, die er mitgebracht hatte, und legte Maximilian seine Entwürfe und Handabdrucke der schon geschnittenen Holzstöckel vor, die einen Teil des mächtigen »Triumphzuges« darstellten. Bald war die gute Stimmung des Kaisers wiederhergestellt. Er dachte nicht mehr daran, wie die Fürsten sein Reich in Kreise und Länder zerteilen wollten, er bangte nicht mehr um die römische Krone für seinen Enkel Karl, er sonnte sich an seinem Ruhm, den die Entwürfe veranschaulichten. Er besprach Änderungen, nahm selbst die Kohle und zeichnete in die Skizzen hinein. Da er aber nicht gewohnt war, Stift und Feder mit leichter Hand zu führen, so brach die spröde Reißkohle bei jedem Strich, den er ausdrucksvoll machte, ab. Darüber ärgerte er sich. Als er sah, wie Dürer die Kohle leicht handhabe, so daß sie nicht abbrach, lachte er und sagte:

»Was habt Ihr doch für gebrechlich Werkzeug. Euch bröckelt das Ding nit ab. Wie kommt es, daß es mir mit jedem Strich, den ich führe, zerbricht?«

Dürer lächelte verschmitzt und sagte, während er eine Figur entwarf, die der Kaiser wünschte:

»Kaiserliche Majestät, ich möchte wohl nit, daß Eure gnädigen Hände so geschickt zeichnen könnten wie die meinen!«

Der Kaiser lachte, weil Dürer ihm so zu verstehen gab, daß des Kaisers Beruf ein anderer sei als der seine, da er ihm sonst gefährlich werden könnte. Mit lustig zwinkernden Augen sah der Kaiser Dürer an, dann sagte er gnädig:

»Ihr müßt Euch nit fürchten, Meister, ich würd's Eurer Kunst niemalen gleichtun können, zerbricht mir doch mein festgefügtes Reich unter meinen zitternden Händen, wie sollte da so ein Stücklein Holzkohle nit auch zerbrechen? Ihr aber baut damit Werke für die Ewigkeit. Ich hab' Euch wohl verstanden!«

Der Geheimschreiber kam schon das zweite Mal, den Kaiser zu mahnen, daß er sich für die Reichstagssitzung bereit halten möge; die Stände harren seiner. Da stand der Kaiser mißmutig auf und verabschiedete Meister Albrecht. Wehmütig sagte er noch:

»So müsset Ihr wieder gehen, Dürer! Meine frohen Stunden sind immer bald dahin. Lasse ich Euch rufen, dann haltet Euch bereit, von mir ein Konterfei aufzureißen. Es wird wohl mein letztes sein!«


Der Kaiser war mit den Staatsgeschäften derart in Anspruch genommen, daß er Dürer erst eine Woche später wieder rufen ließ. Seine mühsam errungene innere Ruhe war ihm aber zerronnen. Die Stände hatten die Reichsreform wieder aufgegriffen. Waren unter Albrecht II. schon Wahlbezirke errichtet worden für das verschollene Reichsregiment, so ging man jetzt daran, diese Reichskreise auszubauen, den Landfrieden und die Rechtspflege auf Kreise zu erweitern, welche Verfassungskörper des Reiches, gebildet auf ständischer Grundlage, sein sollten. Das wurde auf diesem Reichstage zu Augsburg festgelegt. Man errichtete zehn Kreise im Reich – außer Böhmen und seinen Nebenlanden –, die als Selbstverwaltungskörper der Stände galten. So kam das große Reich, das Maximilian I. mühevoll vereinigt hatte, in Zerfall, und der Kaiser war mehr denn je auf den römischen Stuhl angewiesen. Die Hoffnung, seinen Enkel Karl von Spanien zum römischen König ausrufen zu lassen, scheiterte daran, daß man vorgab, nur neben dem *gekrönten* Kaiser könne ein römischer König anerkannt werden. Da Maximilian vom Papst nicht gekrönt war, konnte neben ihm sein Enkel Karl nicht König von Rom werden.

Der Kaiser war auf Verhandlungen mit Rom angewiesen, zu denen es überhaupt nicht mehr kam. Auch der Plan des Türkenkreuzzuges scheiterte und war nun nur noch vom Papst abhängig gemacht worden. So konnte der Kaiser seinem Volke keine Gnaden mehr austeilen, weil er keine mehr zu vergeben hatte. Mehr denn je war er der Macht des Papstes unterstellt.

Der Reichstag zu Augsburg brachte eine Fülle von Beschwerden, für die man keinen Ausweg wußte. Es zeigte sich, daß der Kaiser in seinem Reiche alle Macht verwirkt hatte, daß die Monarchie verloren war, und auch ein willensstärkerer, selbständigerer Monarch, als Maximilian I. es war, hätte sie nicht mehr retten können. So ließ dieser Reichstag alle Hoffnungen des Kaisers unerfüllt, wodurch Maximilian immer mehr an Seele und Körper litt. Seine Gesundheit wurde durch diese schweren Tage stark erschüttert.

Für Dürer hatte er nur eine knappe Stunde übrig, in der ihn der Meister konterfeite. Die frohe Laune, die seine Gesellschaft ihm immer brachte, fand er nun nicht mehr. In jener knappen Stunde saß er stumm, entmutigt und verzagt vor dem Meister. Sein Gesicht war knochiger geworden, seine Augen leblos – kaum daß er sie aufschlug. Unter dem Bewußtsein, daß diesen guten Monarchen ein schwerer Schicksalsschlag so zusammenbrechen ließ, litt Dürer namenlos; er erkannte, daß Macht und Größe, Ruhm und Würde auf Erden nichts bedeuten, und tröstete sich mit seinem eigenen Geschick. Er schuf eine Kohlezeichnung von Kaiser Max, in die er mit sicheren, festen Linien alle die teuren Züge hineintrug, wahrheitsgetreu und unbeschönigt, wie es seine Art war. So brachte er das Konterfei eines Mannes zustande, dem man es ansah, daß er als Herrscher und Mensch zugleich Schiffbruch erlitten hatte. Kaum ein anderer Historiograph hätte diesen »letzten Ritter« so tief ergreifend wie Dürer darzustellen vermocht.

Als der Kaiser die Zeichnung besah, seufzte er:

»Wir waren einmal ein schöner Ritter, in den sich alle lieben Mägdlein gern verschaut hatten. Was ist jetzt geworden aus Uns? Dahin! – Alles dahin! Jetzt bleibt Uns nur noch das eine – der Tod. Meister, getreuer Meister, Eure Liebe können Wir nit lohnen, Wir sind zu arm geworden.«

Über Dürers Wangen liefen Tränen der Rührung bei diesem ergreifenden Bekenntnis des einst so geliebten, mächtigen Kaisers, der für sein Volk so viel getan hatte. –

Noch einmal führte Maximilian Augsburgs Frauen zum Tanz, aber ohne Freude; sein Sinn war umdüstert, er zog sich in früher Stunde von dem Feste zurück. Das Reichstagsende wollte er nicht abwarten, am andern Morgen ritt er mit dem kleinen Häuflein seiner Getreuen über das Lerchfeld hinaus, wendete sich noch einmal gegen Augsburg und rief schmerzerfüllt:

»Segne dich Gott, liebes Augsburg, und alle frommen Bürger darin! Wir haben wohl manchen guten Mut in dir gehabt, Wir werden dich nun nicht mehr wiedersehen!«

Als er, zu Tode erschöpft, vor die Tore Innsbrucks kam und willens war, dort zu sterben, ließen ihn die Herren vom Rate nicht einreiten. Er habe allzu viele Schulden bei ihnen gemacht, erklärten sie, und sie könnten ihm nichts mehr borgen. So zog der gedemütigte, todkranke Kaiser weiter. Er hatte sich in der Hofkirche zu Innsbruck eine Grabstätte errichtet, fand aber dort nicht die ersehnte letzte Ruhe. Gebrochen ritt er gegen Wien zu und starb, ehe er es erreicht hatte.

Seine irdischen Überreste wurden in der St. Georgskirche zu Wiener Neustadt prunklos bestattet. So fand der »letzte Ritter« ein tragisches Ende. –

Das getreue Herz Dürers blutete, als er diese Nachricht erhielt, die bald die deutschen Lande mit Trauer erfüllte. Er malte nach der Kohlezeichnung, die er in Augsburg »hoch oben auf der Pfalz« aufriß, ein Ölbild vom Kaiser, in das er sein Geschautes und seine Liebe hineinlegte. In lackroter Schaube*) mit Zobelkragen, den Kopf mit einem schwarzen Sammethut

---

*) Schaube = faltiger, langer Mantel oder Oberrock aus Tuchstoff.

bedeckt, nur mit dem Marienmedaillon auf der Krempe geschmückt, das Haar ergraut, in der linken Hand das Symbol der Fruchtbarkeit: den Granatapfel, das Antlitz von hoheitsvoller Milde und Wehmut durchströmt, die müden Augen halb geschlossen, so überlieferte Dürer des Kaisers letztes Konterfei der Nachwelt. Auf den tiefgrünen Hintergrund schrieb er ergreifende Worte als Inschrift, die mit dem rührenden Satze schlossen: »Oh, daß ihn Gott der Allmächtige in die Zahl der Lebenden zurückführen wollte!«

Obzwar der Kaiser in Augsburg »Unserem Getreuen Dürer« mittels einer Urkunde an den Nürnberger Rat eine Zuwendung von 200 Goldgulden für die Riesenarbeiten festlegen ließ, konnte sie Dürer doch nicht erhalten, trotz aller Mahnungen. Er schrieb endlich an den Bürgermeister und Rat von Nürnberg:

»Fürsichtigen ehrbern und weisen gönstigen lieben Herrn. Euer Ehrberkeit tragen gut Wissen, daß ich auf nächstgehaltnen Reichstag bei Römischer Kaiserlicher Majestät, unserm allergnädigsten Herren hochlöblicher Gedächtnus, nit ahn sunder Mühe und Fürdrung erlangt, daß mir Ihr Kaiserliche Majestät für mein fleißige Arbeit und Mühe, die ich von Ihrer Majestät wegen etwo lange Zeit gebraucht, zweihundert Gulden rheinsch van gemeiner Stadt Nörnberg jährlich gefallender Stadtsteuer gnädiglich verschafft und des Ihrer Majestät Geschäft und Befelch, mit derselben gewohnlichen Handzeichen unterzeichent, zugeschickt, dorfür auch notdorftiglich quittirt hat laut der Quittanzen, so ich versiegelt beihändig hab. Nun bin ich zu Eurer Ehrberkeit je der unterthänigen hohen Zuversicht, dieselb werde mich als ihren gehorsamen Burger, der viel Zeit in Kaiserlicher Majestät als unser aller rechten Herrn Dienst und Arbeit und doch ahn große Belohnung zubracht und domit andern seinen Nutz und Vortheil merklich versaumt hat, gönstlich bedenken und mir solche zweihundert Gulden auf Kaiserlicher Majestät Geschäft und Quittung itzo folgen lassen, domit ich doch meiner gehabten Mühe, Arbeit und Fleiß, wie auch Kaiserlicher Majestät Gemüte ahnzweifelich gewest ist, ziemliche Ergetzung und Ersattung haben mög. So bin ich dargegen urbütig, wo Euer Ehrberkeit sölcher zweihundert Gulden halben van einem zukünftigen Kaiser oder Künig angefordert oder der sunst je nit geroten[1]) wollten und wurdens wollen van mir haben, daß ich Euer Ehrberkeit und gemeine Stadt in Solchem entheben und dorum zu Gewißheit und Unterpfand mein Behausung unter der Festen am Eck gelegen, so meins Vaters seligen gewest ist, einsetzen und verpfänden will, domit Euer Ehrberkeit des keinen Nochtheil odr Schaden tragen müge. Das will ich um Euer Ehrberkeit als mein gönstig gebietend Herren ganz willig verdienen.

Euer Weisheit                                    williger Burger
                                                 Albrecht Dürer.«

So schwer es der Rat im Interesse Dürers empfand, die Bitte mußte mit dem Hinweis abgelehnt werden, daß der Kaiser nichts hinterlassen habe, von dem die 200 Gulden behoben werden könnten. Es solle auf dem Gnadenwege vom neuen Kaiser die Auszahlung erwirkt werden. Auch sein Jahrgeld, das ihm vom Kaiser ausgesetzt war, schien verlorenzugehen, er mußte es nun von dem Reichsnachfolger wieder bestätigen lassen.

So hatte Dürer seinen Kaiser verloren, den er so liebte, daß er viele Jahre hindurch seine Zeit und seinen Fleiß ohne Entlohnung aufwandte, ohne sich darüber zu kränken. Er war ja reichen Lohn für seine Kunst nie gewöhnt, und des Kaisers Gnade war ihm viel mehr gewesen als Goldeswert. Dieser Reichstag zu Augsburg, der den Kaiser so niederdrückte, der aber auch Luther keine Disputation gewährte, weil der päpstliche Legat nur darauf drang, daß er die Thesen widerrufe oder sich mit des Papstes Bann abzufinden habe, brachte kein Ergebnis für den Reformationsgedanken. Dürer aber fand neue Gönner und reichen

---

[1]) Entraten.

Gewinn. Außer einigen hohen Würdenträgern konterfeite er den Kardinal Albrecht von Brandenburg, Primas und Kurfürst des Reiches, Erzbischof zu Mainz und Magdeburg, der ihn mit hohen Ehren auszeichnete und ihm ein mächtiger Gönner zu werden versprach.

Mit Martin Luther aber kam Dürer nicht in Berührung, der fand erst nach Augsburg, als der Kaiser in seiner Betrübnis die Stadt auf immer verlassen hatte.

Zwei glückselig Träumende schritten über die Wiesen, durch die Wälder, zwischen wogenden Kornfeldern dahin. Sie hielten sich an den Händen wie Kinder, die ein Märchenland suchen, und waren doch erwachsene Menschen, welche die Blüte der Jugend überschritten hatten.

Wer den Weg nicht sucht, kein Ziel hat, wessen Sehnsucht in einer Zeit strebt, wo erwachende Stürme die Luft schwängern und die Gemüter aufwühlen, und der doch zu reineren Quellen findet; wer in der Seele eine Liebe trägt, die im Leid den festeren Glauben ans Leben fand, der trägt ein Glück in sich, das den Irrenden über Schluchten führt und ihm die Fremde zum Märchen wandelt. So schritten die beiden, von Fluten reiner Liebe durchströmt, einer Zukunft entgegen, von der sie nichts ahnten. Das war das Märchen von Bruder und Schwester, die suchen gingen, um in ungekannten Fernen das Zauberschloß zu finden, in dem kein Herz zu leiden braucht.

Keiner, der den trunken Schreitenden begegnete, hätte erkannt, wie sie an Gottes Hand, erfüllt von sehnsuchtzitternden Schauern, dahinzogen. Wie war die Welt doch so schön! Sie hatte sich den Ziellosen erst erschlossen, seit sie wunschlos ihre Herzen wie Märtyrer einem Gott entgegentrugen, von dem sie wußten, daß er die Liebe sei. Sie sahen nun dieses Gottes Walten im Morgentau, in der Sonnengnade und in der Nacht, die vom Frieden erfüllt war. Manchmal schien ihnen die Schönheit der Natur in einen einzigen Freudenschrei gedrängt, in dem ihre Liebe aufstieg wie eine Lerche, die zum Himmel sang.

»Mein Bruder, bist du es wirklich? Bist du bei mir?«

»Hast du den Lautenklang meiner Seele nit vernommen, der dich gerufen hat, der dich rufen muß, der ewig nach dir ruft, Schwesterlein?«

»Seid still, ihr raunenden Wiesen; sei ruhig, du wogendes Korn; verstumme, du läutendes Herz – mein Bruder ruft mich, und ich bin bei ihm!«

Wie Kinder blieben sie stehen und sahen einander an.

»Ach! Was ist doch das für ein Licht, das über uns zittert? Bruder, ist es immer so hell, ist es immer so gnadenreich gewesen?«

Er nahm sie an der Hand und zog sie an seine Brust.

»Es ist immer so hell und gnadenreich, wenn du bei mir bist, Schwesterlein!«

»Und was ich um mich und in mir sehe, ist denn das alles auch wahr?«

Sie hob die Arme der Sonne zu und weinte. Er küßte die Tränen und flüsterte traumhaft:

»Was in bangen Nächten in uns war, was jetzt in der Sonne aufsteht, das war immer in uns. Wir haben es aber niemalen so schön gesehen! Und wir müssen es hüten als unser höchstes Gut, dann werden wir es immer so erschauen!«

Sie liefen, wieder befreit vom Überschwang, über die Waldwiesen und hielten Rast. Die treue Magd, die ihnen folgte, breitete ein Tüchlein aus, legte Brot und Käse vor und holte vom Quell einen Becher kühlen Wassers. Sie aßen, als säßen sie an eines Ratsherrn Tafel, und tranken, als tränken sie Wein aus dem Lande der Griechen. Dann legte sie sich in das weiche Gras, als wär's ein seidenes Prunkbett, und er lief über die Wiese, brach blühendes Kraut und flocht ein Kränzlein daraus.

»Für die Königin ein Krönlein«, sagte er. Als verliehe er die Krone Karls des Großen aus Nürnbergs silbernem Heiltumsschrein, setzte er das blühende Geflecht in das Gold ihrer Locken.

»Weil es der Bruder flocht, ist das Krönlein so rein und mit Demanten besetzt. So rein will ich's tragen zu meinem Nonnengewand.«

Er wendete sich ab von ihr und schluchzte auf. Sie wischte flink ein Tränlein aus ihren Augen. In beiden Seelen erklang die Harfe der Liebessehnsucht, aber beide legten die Hände über die schwingenden Saiten, daß sie verstummen mögen. Wie wenn ein Traum zerrinnt, der noch im Jenseits lacht, so sahen sich die beiden an und schritten weiter.

Nach einer Nacht, die müde Leiber stärkte, stand die Schwester am Brunnen, hatte ihr Hemdlein züchtig von der Schulter gelöst und wusch sich. Der Bruder sah von der Heubodenluke die feine Gestalt im Morgengrauen und bestaunte ihr heimliches Tun. Seine Augen tranken die lieblichen Formen und sogen sie ein, wie der Wasserspiegel am Brunnentrog. Hei, da schien das züchtige Schwesterlein in seinem Schauen zu entfliehen und seine Geliebte ihren Leib zu entblößen. Wie brannte da hurtig ein Feuer im Begehren des Mannes. Aber so, wie der Hofhund nur an der Kette zog, als er die Jungfrau sah, und nicht bellte, da sie ihn ja nicht bedrohte, so lag die Begierde Kaspars an der Kette und rief nicht lauter, als es ein entsagend Herzlein hören durfte. Nur ein leises Wimmern – dann schlummerte sie wieder ein.

Der Bruder löste die Heuhalme vom Gewand, lief in den Hof und rief in den Morgen hinein, der seine Sonnenfunken rotglühend aufsprühen ließ:

»Guten Morgen, Schwesterlein! Wie bist du doch jetzt wieder schön!«

Ein leises Kichern vom Brunnentrog tröpfelte in die Stille. Ein rasches Verhüllen von Brust und Hals, dann ein Knistern des Nonnenkleides, und wie eine Heilige stand die Schwester im Hofe und breitete ihre Arme aus.

»So lange warst du mir fern; oh, daß du jetzt wieder bei mir bist!«

Die Sonne erzählte ein neues Märlein, und zwei Kinder gingen Hand in Hand der aufsteigenden Märchenmutter entgegen, Woche für Woche.

An einem goldleuchtenden Abend saßen die beiden vor einer Hütte eines einsamen Dorfes auf der Holzbank. Das Licht war verträumt, die Schatten zogen über die Wege. Da hub ein leises Schluchzen in zwei Herzen an. Das war aus den Tagen heraufgestiegen, da die Geliebte noch keine Schwester, der Liebste noch kein Bruder waren. Das leise Schluchzen zog mit den Nebeln über die dampfenden Wiesen. Da sahen sich die beiden klagend an.

»Singe mir das Lied der ›Maienkönigin‹«, hauchten ihre Lippen leise, als gingen die Worte über tränenfeuchte Schollen.

»Das Lied – o das Lied –!« flüsterte seine Stimme, als stiege sie aus der Finsternis in den Tag herauf.

Er nahm die Laute und stimmte sie, präludierte mit mächtigem Anschlag, daß sie das Schluchzen der Schwester übertöne, dann sang er.

Das läutete die Bauern von den karg bestellten Tischen, die in Andacht ihre Hände falteten und dem Rufen folgten. Einer nach dem andern, Männer, Weiber, Kinder, scharten sich um die beiden, die aneinandergeschmiegt auf der Holzbank saßen, die Gegenwart vergessend.

Als das Lied verklungen war, kniete ein Greis auf die Erde nieder und rief mit bewegter Stimme:

»Wir haben die Abendglocke wieder, ihr Leut'! Diese Glocke der Liebe wird alle Bauren rufen, sie wird alle Bauren mahnen im Glauben an die göttliche Gerechtigkeit. Einer von uns geht durch die Lande, der trägt das heimliche Losungswort vom ›Neuen Wesen‹ von einem zum andern; es kommt die Stunde, wo sie aufstehen werden wider der Vögte und der Herren Gewalt. Und bis wir alle einig sind, dann wollen wir die Fron zerschlagen, keiner mehr wird hörig sein und zinsen. Es steht eine Zeit auf mit Zeichen und Wundern! Ein Geschwärm, ein Murren geht aus jeder Hütte heraus. Wollet ihr es wissen, ihr armen Leut'? Einer ist aufgestanden, der wider den Papst steht, der Christi Wort von der Liebe Gottes predigt, die alle Menschen gleichmacht, vor der nit arm noch reich besteht, die keinen Herrn und keinen Knecht erkennt! Leut', die Liebe Gottes wird uns erlösen, wie es der Mönch zu Wittenberg aus den heiligen Schriften predigt!«

Es folgte ein Aufatmen der Bauern. Der Lautenspieler hob seine Hand. Mit bebender Stimme rief er dem knienden Greise zu:

»Was ist es mit dem Wittenberger Mönch? Ist er der, den Albrecht Dürer hat kommen sehen? Leut', der bringt uns Heil!«

Der Greis erhob sich; wie ein Verzückter streckte er die Arme gegen den Himmel und rief laut:

»Jesus Christus will zu uns kommen! Hört ihr nit, ihr Leut', wie er rufet, wie damals am heiligen Ölberg zu den Schlafenden Jüngern: ›Stehet auf! Was schlafet ihr? Wachet und betet, daß ihr nit in Anfechtung fallet!‹ – Ihr Leut', wachet und betet, stehet auf! Fluch und Verdammnis, Hölle und Fegefeuer haben uns die Vögte und Herren verheißen, Christus aber hat gesagt: bei Gott ist die Liebe, er verzeiht dem, der bereut! – Brüder in Christo, bereuen wir nit unsere Sünden in der heiligen Beicht'? Tragen wir nit allerwegen unsere gläubigen Seelen zu Gott? Zinsen wir nit der heiligen Kirche, was wir im Schweiße unseres Angesichts erarbeiten? – O Brüder! Gott ist zufrieden mit uns, aber der Vogt ist unzufrieden, ihm ist Schweiß und Reue nit genug, da verwehrt er uns den heiligen Gottesdienst, hängt die Glocken aus und flucht! Brüder, wachet auf und betet, Gott ist uns nahe, höret den Wittenberger, den Erleuchteten!«

Da stand die Schwester auf, griff nach der Hand des Bruders und rief:

»Gott ist die Liebe! Ich habe es erkannt, Leute, betet zur Liebe, sie ist das Heiligste! O sage mir, du Mann mit den weißen Locken, wer ist der Wittenberger, der die Wahrheit kündet, zu ihm will ich pilgern, denn auch mein Herz ist voll von Liebe, so wird mir Gott helfen!«

Der Greis sah die Jungfrau an und sagte mit zitternder Stimme:

»Wir wollen mit Euch ziehen, drei Tage und drei Nächte lang. Im Wittenberger Kloster haust er, den sie Martin Luther nennen, der das Wort Christi in deutscher Sprache kündet. Er mag Trost wissen für jedes Menschenherz, zu ihm wollen wir unsere gemarterte Seele tragen. – Bestellet eure Hütten, ihr Leut'; wenn die Sonne aufsteht, wollen wir wandern. So uns eine, deren Herz voller Liebe ist, vorangeht im heiligen Gewand, da wird Gott auch uns helfen!«

»Amen«, erklang der Chor der Sehnsüchtigen.

Am andern Morgen pilgerte die kleine Schar der Bauern, in ihrer Mitte Brüderlein und Schwesterlein, die nun ein Ziel gefunden hatten. Wegmüde traten am vierten Morgen die Pilger in die Kirche des Augustinerklosters zu Wittenberg. Auf der Kanzel stand ein kleiner, unscheinbarer Mönch, dessen Worte wie Harfenton und Orgelbrausen in aller Herzen flossen. Er sprach frommen Trost in die Gemüter und scheuchte die Ängste davon. Wie die Sonne aus düsterem Himmel bricht und die Welt in bunte Farben taucht, so flossen die Worte von der Liebe Gottes aus des schlichten Mönches Brust in die geängstigten Seelen des Volkes.

In einer Ecke, an einen Pfeiler gelehnt, standen Bruder und Schwester. Sie hielten sich an den Händen, als zögen sie noch immer durch das Märchenland der Gottesschönheit.

»Kaspar, wir haben unsere Liebe leuchtend und rein vor Gott gestellt!«

»Ja, Margarete. Wir sind über Dornen geschritten, auf steinigen Wegen und haben die reine Liebe im Herzen getragen, wie Parzival im Becher des heiligen Gral das Blut Christi.«


In einer Wittenberger Herberge am Elbestrome hatte Erika für ihre »Königskinder« zwei Dachstüblein entdeckt, die, abgeschieden vom Zustrom der Fuhrleute, einen stillen Aufenthalt boten. Sie selbst verdingte sich bei der Wirtin als Magd und verlangte zum Lohn, daß die Ratstochter ohne Zahlung Kammer und Verpflegung erhalte. Diese wunderliche Treue der Magd erweckte bei der Wirtin großes Erstaunen; sie ließ sich das Geschick Margaretens erzählen, und Tränen der Rührung liefen über ihre dicken Wangen, als sie von dem großen Leid und der reinen Liebe der Jungfrau hörte. Die fromme Frau, zur Nächstenliebe erzogen, willigte nun freudig darein, daß die Nürnberger Ratstochter in ihrem Hause wie ihre eigene Tochter solle gehalten werden.

Als Erika ihre »Königskinder« in die stille Herberge brachte, war die Wirtin der Liebe voll.

Kaspar ging in die Zunftstube der Goldschmiede und bewarb sich um Arbeit als Goldschmiedegeselle. Als er seine Papiere vorwies, unter denen auch sein Meisterbrief war, sah ihn der Zunftvorsteher fragend an. Kaspar erklärte ihm, daß er nicht in Wittenberg bleiben werde; solange er aber nicht nach Nürnberg zurückmüsse, wolle er hier arbeiten. Der Vorsteher las den Meisterbrief durch, legte ihn auf den Tisch und stand auf. Lange sah er Kaspar an, dann bot er ihm die Hand und sagte:

»So Ihr derselbe Kaspar Prim seid, der in Augsburg für den Jakob Fugger neuartige Zierstücke und Farbenschmelzarbeit schuf, dann könnt Ihr bei mir frei einstehen, ohne Gesellenspruch, ich will Euch als Meister ehren. Sitzt ein Augsburger Geselle in meiner Werkstatt, der von nichts anderm redet denn von dem antikischen Becher, den Ihr für den Fugger gepunzt habt; er hat mit Euch gearbeitet und weiß nit ein noch aus mit der neuen Art.«

Der Geselle tat einen Freudensprung, als er Kaspar in die Werkstatt treten sah.

»Jetzt ist alles gut«, jubelte er, »das Antikische ist mir ein verschlossen Tor; macht *Ihr* die Münzschatulle für den Kurfürsten, Ihr seid der Meister dazu.«

Kaspar entwarf eine Zeichnung, die dem Meister Kolb derart Bedenken schuf, daß er den Kopf schüttelte: »Solch Fabeltiere, halb Mann und halb Roß, wird der Kurfürst nit verstehen. Will's ihm aber weisen.«

Der Kurfürst verstand die antike Form und trug die Ausführung dem Meister auf. An einem Abende sprach Friedrich der Weise mit seinem Hofmaler Lukas Cranach bei Meister Hans Kolb vor, sich nach der Arbeit zu erkundigen. Der Meister zeigte ihm den fertigen Deckel der Schatulle, den der Kurfürst lange besah. Dann sprach er:

»Wüßt' ich nit, daß Ihr Euer Lebtag nit aus Wittenberg herausgekommen seid, ich müßte schier glauben, Ihr wärt bei den Welschen in die Schule gegangen. Was Ihr mir da schafft, ist ganz aus Eurer Art, was hat Euch für ein neumodischer Geist angetrieben dazu? Nit einmal der Albrecht Dürer hätt' ein solch antikisch Ding so fein ersinnen können. Ihr seid wohl gar ein Hexenmeister!«

»Bin ich auch, Kurfürstliche Gnaden«, gab Meister Kolb frohgemut zurück. »Hab' mir einen Welschen und den Meister Albrecht in einer Person verschrieben. Ei ja, ein Wittenberger Goldschmied darf dem Martinus an Aufklärung nit zurückstehen!«

»Jetzt, da fällt der Himmel ein!« lachte der Kurfürst und ließ sich in einen Stuhl sinken. »Klärt mir das Mirakel auf.«

Meister Kolb schritt in die Gesellenstube und nahm Kaspar an der Hand: »Kommet, es tut sich Euch eine Gnade auf.« Er führte ihn zu dem Kurfürsten und sagte feierlich:

»Den Zauber verdanke ich dem Ehrdoktor Martin, er hat mir den welschen und den Nürnberger Meister in einer Person nach Wittenberg gelockt. Dieser hier, Kurfürstliche Gnaden, ist der Meister, der Aufriß und Treibarbeit zu der Münzschatulle geschaffen hat. Er hat in Welschland die Goldschmiedekunst erlernt, und bei Meister Albrecht ist er ein Meister im Aufreißen geworden. So hat sich also das Mirakel in Meister Kaspar gelöst.«

Der Kurfürst blinzelte mit seinen verquollenen Augen den Kaspar fragend an, dann rief er heiter:

»Daß Ihr von Dürer kommt, hör' ich gern; was macht der fleißige Meister? Ist er noch so grüblerisch? Erzählt mir alles, was Ihr von ihm wisset. Kommet her, Meister Lukas, Ihr hört ja auch so gern vom Dürer reden.«

Lukas Cranachs Angesicht glühte, als er solcher Huld sich gehorsam zeigte, und Kaspar erzählte, was er von Dürer wußte und was ihn nach Wittenberg getrieben hatte. Der Kurfürst fragte weiter, bis Kaspar von seinem Vater und der Not Margaretens alles berichtet hatte. Der Kurfürst hegte tiefstes Mitleid mit der Dulderin und verlangte, daß sie aus der Herberge in sein Schloß übersiedeln solle, er versprach, väterlich für sie zu sorgen. Lukas Cranach aber fiel ihm ins Wort.

»Verzeihet, Kurfürstliche Gnaden, wenn ich eine Bitte ausschreiben'. Die Jungfrau wird mit ihrer Seelennot in dem lauten Hoftreiben den Frieden nit finden, den sie sucht. Da mag's für sie besser sein, wenn sie in meiner Herberge Unterkunft sucht. Ich will sie halten, als wär' sie mein eigen Kind; kennt sie doch den Meister Albrecht, und das wird mir eine Herzensfreude sein, recht viel von ihm zu hören. Bei Euch im Schloß wär' sie vereinsamt, bei mir findet sie den Ehrdoktor, den Melanchthon und seine Braut, da wird gesungen und erbauliche Rede geführt. Laßt mir die Gnade!«

Der Kurfürst drohte dem greisen Meister schalkhaft mit dem Finger.

»Ei ja, der Lukas ist ein Jungfraunanbeter und kann nit viel genug Jugend um sich haben. Aber wir würfeln wie die Landsknechte um die Beute, laßt die Jungfrau selbsteigen wählen.«

Während der Kurfürst mit Kaspar über die Münzschatulle sprach, ließ sich Cranach von Meister Kolb über die Eigenschaften des neuen Gesellen berichten. Wie der alte Meister anfing, die Register aufzuziehen, daß sein Lobhymnus recht gewaltig erschalle, brach Cranach lustig seinen Redestrom ab:

»So ist er ein ganz besonderer Vogel. Wenn der Geselle ein solcher ist, da mag auch seine Schwester eine Besondere sein. Habt Ihr schon Meister Albrechts Konterfei vom gottseligen Max gesehen? Nit? Ist ein Bildnis voller Lauterkeit; der Fuggerbote hat's heut dem Kurfürsten gebracht mit dem Kupferstich vom Kardinal Albrecht. Vor dem Dürer muß sich unsereins verstecken. Gottselige Stunden erhoff' ich mir davon, wenn Meister Kaspars Schwester erzählen wird von dem wunderbaren Manne, der mich einmal in Basel so gerühmt hat wegen dem Paradiestäflein, das ich bei dem alten Holbein gemalt hab'. Du liebe Zeit! Was war das damals für eine arme Beschaulichkeit. Vor lauter Dummheit hab' ich die Welt wie ein Märlein angegafft. Der Dürer aber hat schon damals gezeigt, was er kann. Helfet mir, lieber Meister, daß die Jungfraue bei mir bleibt!«

Einige Tage später übersiedelte Margarete in das stattliche Haus Lukas Cranachs, wo es ihr gefiel. Ins Schloß hätte sie keine Macht bringen können. Wenn Meister Lukas emsig in frühester Morgenstunde schon bei der Arbeit saß, trieb es Margarete zu ihm. Der alte, gutmütige Meister war wie ein Vater zu ihr. Was er ihr von den Augen ablesen konnte, das tat er für sie, und sie erzählte von Dürer immer wieder, rühmte seine Ehrenhaftigkeit und Seelengüte. Von ihrem

Vater sprach sie nie, der war für sie ein Fremder geworden, sie fand noch nicht zu ihm zurück. Cranach hatte großen Gefallen an Kaspar, das merkte sie, und das tat ihr so wohl, weil sie über ihn sprechen konnte, von ihm schwärmen durfte und wußte, daß Cranach ihre Liebe zu ihm richtig einschätzte. Als er aber die Kupferstiche Kaspars sah, war er überrascht: »Als hätte sie der Dürer selbsteigen gestochen!« rief er begeistert. So verband die beiden bald eine rührende Zuneigung. Margarete ließ sich von Cranach malen, ritt mit ihm aus, und was ihr das liebste war, er brachte sie zu Dr. Luther und Philipp Melanchthon.

Im Garten des Augustinerklosters saßen sie an stillen Abenden bei Lautenklang und Gesang im Kreise, den Luther liebte, und dort lernte Margarete die junge, zarte Braut des Literaturprofessors Melanchthon kennen. Sie war die Tochter des Bürgermeisters Krapp und eine Freundin Luthers, dem sie von Herzen zugetan war, vielleicht mehr, als sie sollte. Auch Margarete lernte den Ehrdoktor schätzen. Seit sie seinen Lehren vom reinen Evangelium gefolgt war, stand in ihr der Glaube an Gott wieder fest. Gott, der die Liebe ist, war ihr immer nahegestanden in ihrem Kindergemüt, den Gott aber, zu dem sie ihr Vater und die Domina wies, diesen rächenden Gott konnte sie nicht anbeten. Aus innerster Überzeugung wurde sie eine Anhängerin Luthers. Diesem Manne, der das Wortschwert in heldenhaftem Mute führte, diesem wahrheitsliebenden Reformator, dem alle Herzen zujubelten, in engerer Gemeinschaft stundenlang zuzuhören, war ihr eine tiefinnige Befriedigung. Oft rieselte ein heiliger Schauer über ihren Leib, wenn sie daran dachte, wie nahe Luther Gott stehen möge, wenn aus seinen Augen unirdische Erleuchtung strahlte und aus seinem Munde das lebendige Wort Gottes quoll. Wie herzinnig, im reinen Verstehen ihrer Seelennot und Herzenspein, sprach er ihr Trost zu. Als sie ihm ihr Herz einmal ausgeschüttet hatte, nahm er sie bei der Hand und sagte mit bebender Stimme: »Gott ist die Verheißung. Ich hab' es nit gewußt, mein Heilsverlangen erschloß sich aus der Barmherzigkeit Gottes. Erst war die Feindschaft in meinem Gewissen, dann kam das Licht. So wie das Flimmern der Sterne den dunklen Himmel erhellt, so kam Lichtlein um Lichtlein über mich, bis ich die Helle sah, bis sie über alle Wege flutete, in alle Zeiten leuchtete und in die Ewigkeit leuchten wird. Die Barmherzigkeit Gottes ist glaublich für den in der Not Gebeugten. Die Kreatur weiß nichts von ihr. Aber sie ist als sichtbares Zeichen auf die Welt herniedergestiegen in der Gestalt Jesu Christi, des Sohnes Gottes. Diese Liebe ist überwältigend, ergreifend. Fasset Ihr sie, Jungfrau? Sie litt für uns Hohn und Spott, sie blutete für uns das Erlöserblut des Heils, sie starb für uns, für uns, die wir diese Liebe nit verdient haben. Ich bin überzeugt, daß es keiner Seele am Willen gebricht, Gott zu lieben; aber können wir denn so viel Liebe für ihn aufbringen wie er zu uns? Gott hat uns durch Christus, den Spiegel seines väterlichen Herzens, die Barmherzigkeit dargeboten, daran müssen wir reinen Sinnes glauben. So muß auch ein Christenmensch Zutrauen zu ihm haben, daß er Gott wohlgefalle, dann wird er alle Dinge wissen, alles vermögen und alle guten Dinge tun, nicht um Verdienste, um gute Werke zu sammeln, sondern, daß ihm eine Lust in Gott also wohlgefalle, er also umsonst Gott diene und seiner Barmherzigkeit helfe. Solcher Glaube und solche Zuversicht bringt auch die Liebe mit sich. Die Liebe ist dem Glauben gleich!« Margarete erkannte den tieferen Sinn dieser Worte, auch sie müsse Barmherzigkeit üben dem Vater gegenüber, wenn sie die Liebe Gottes verdienen wolle. Luther sah ihr Verstehen in ihren Augen und fuhr fort:

»So müsset Ihr Euer Herz erziehen, daß Eure Liebe zu Gott größer werde, daß sie zu den Menschen reiner werde und daß sie zu Euch selbst gerechter sei. Zu Euren Feinden müsset Ihr barmherzig sein, Euren Vater dürfet Ihr nit verachten, in Liebe müsset Ihr herausfinden, was durch sein Verschulden für Euch Gutes erwachse. Denn alles kommt von Gott, Not und Prüfung, wer sie nit besteht im wahren Glauben, der ist der Barmherzigkeit Gottes unwert. Sehet hinein in den Garten, dort stehen der Blumen allerhand, die Lilie beim Stachelkraut, die

Rosen klettern über giftige Kräuter hinauf, und *eine* Sonne hat ihnen Leben, *eine* Erde hat ihnen die Eigenschaften gegeben, die uns erfreuen oder bresthaft machen! Wir aber müssen sie pflegen, weil Gottes Liebe sie geschaffen hat. Er gehet zwischen ihnen und sondert sie, er läßt die Lilie von Dornen ritzen und die Rose vom Giftkraut anhauchen. Warum? Er weiß es, wir dürfen nit fragen, denn jedes Schicksal geht auf Abwegen; Abwege führen vom Guten und vom Bösen weg. Des Menschen Sinn kann in diesen Garten seine Schuld tragen, Gott wird ihm das Heilkräutlein wachsen lassen. Und das giftigste ist das heilsamste, es stößt das eigene Gift aus der Seele. So mag auch der Dornbusch Eures Vaters die Lilie in Euch geritzt und das Gift von Engelthal Eure Rose angehaucht haben, auf daß Ihr die Reinheit und Heiligkeit der Liebe schmerzhaft erkennet. Euer Bruder möge versuchen, den harten Sinn des Vaters in Barmherzigkeit zu wandeln. Das Heilkraut hat seine Schuldigkeit getan, es hat ein sündhaft Gebresten aus Eurem Herzen vertrieben, ein Mehr müßte Euch vergiften. Es wird sich auch der fromme Übereifer in Eurem Vater der Gotteswahrheit zuwenden, denn ich erkenne in dem Zuge des Geschickes die Linien, die Gott vorgezeichnet hat; sie führen alle zu ihm, zu seiner Liebe!«

Diesen Worten ging Margarete in ihrem stillen Sinnen nach, aber ihr Gemüt war noch nicht heil, und Kaspar war noch nicht geklärt genug, um zu überwinden und den Vater umzustimmen.

So blieben die Geschwister in Wittenberg, und ihr Vater, der's erfuhr, daß seine Kinder in Luthers Schutz standen und der Lehre dieses »Ketzers« anhingen, verstieß sie nun um so mehr, weil er sein eigen Fleisch und Blut im Lager seines Feindes wußte. Im Trotz ward seines Schwertes Schneide scharf geschliffen, und seine Hiebe wurden im Zorn ärger als zuvor. Er war entschlossen, nicht nachzugeben und keinen Schritt zurückzuweichen.

So wendete sich der harte Sinn des Vaters von seinen Kindern ab, während die Herzen der Kinder dem Vater sich allmählich näherten.

In Nürnberg war eine Seuche ausgebrochen. Tag für Tag wimmerte das Sterbeglöcklein von den Türmen. Mit unheimlicher Schnelle lief die Seuche von Haus zu Haus und forderte gierig nach Menschenopfern. Furchtbares Grauen erfaßte die Gemüter. Die sonst so belebten Straßen waren menschenleer, denn wer aus den Mauern der Stadt flüchten konnte, der verließ sie, und ängstliche Bürger schlossen sich in ihren Häusern ein. Handel und Wandel stockten, die Handwerker hatten keine Arbeit, nur die Schreiner schufen Tag und Nacht, um die schmalen Gehäuse für die Toten anzufertigen.

Überängstliche prophezeiten schlimme Tage, sogar vom Weltuntergang lief die Schreckenskunde in die mit Abwehrkraut gegen Ansteckung der Seuche verräucherten Häuser der Bürger. Der Mut sank, die Hoffnung war geschwunden, die reuigen, angsterfüllten Seelen beteten zu Gott um Gnade und Barmherzigkeit. Täglich zogen Prozessionen fromm Ergebener in den Willen Gottes nach der Gnadenkapelle »zu den vierzehn Heiligen« vor der Stadt, um dort zu beten.

Im Dürerhause stand Meister Albrecht vor dem Erkerfenster seiner Dachstube und blickte über die menschenleeren Gassen hinab, über denen die furchtbare Sonnenglut lag. Er sah zur Burg hinauf, und ein wehmütiger Seufzer entfuhr der geängstigten Brust. »Mein Kaiser, mein lieber, warum hast du so früh sterben müssen!« Eine Sehnsucht erfaßte den Getreuen, er sah Maximilian im Geiste beim Fenster sitzen, hörte seine Rede voller Güte und Traurigkeit. »Mit dir ist all mein froher Mut dahin«, dachte Dürer, denn die Sorge um den Verlust des vom Kaiser verliehenen Jahrgeldes und der 200 Gulden Lohn für die so mühevollen Arbeiten ließ ihn keine Ruhe finden. Der Rat von Nürnberg konnte ihm, so gern er es auch wollte, die Beträge nicht eher auszahlen, als bis die Urkunden von dem Nachfolger Maximilians, Karl V., bestätigt würden. »So muß ich halt dem jungen Kaiser ein Gnadengesuch unterbreiten und geduldig warten. Wird der auch in seiner Jugend den rechten Willen haben?«

Dürer wurde immer ängstlicher. Aussprechen mußte er sich, aussprechen! Mit wem aber? Pirkheimer und die meisten Ratsherren waren von Nürnberg geflüchtet – da dachte er an Agnes. Ja, sie wird ihm den Weg weisen. Er stieg in die Küche hinab, die in Rauchschwaden von Wacholderkraut, das stetig am Herd verglomm, gehüllt war. Die stattliche, beleibte Dürerin hantierte fleißig mit den Kochtöpfen herum.

Dürer schüttete ihr seine Sorgen aus, und sie schaute ihn traurig an:

»Ja, mit der Kaiserherrlichkeit hat's ein früh Ende genommen. Was hilft dir aller Ruhm und alle Ehr', ich kann dir dafür keine Mahlzeit kochen. Was hilft aber das Lamentieren? Schenken darfst du dem Kaiser nichts. Wenn der neue, Karl, gekrönt wird, mußt du zu ihm, wär' schad' um das liebe Geld. Sollen dir jetzt die helfen, die dich dem Kaiser Max haben ausgeliefert. Die Zeit ist schlecht, die Pest grausam, und die Not ist bei uns eingezogen. In Nürnberg ist bei Jahresfrist nit viel zu verdienen. Da mußt du fort von hier. Ein ander Land wird anderen Gewinn geben, du bist allüberall daheim mit deiner Kunst. Mich aber nimm mit, ich mag nit verderben in dieser Seuchengrube, will auch einmal die Welt besehen auf meine alten Tage. Liebster, bester Albrecht, komm mit mir zur ›Kapelle der vierzehn Heiligen‹; du bist voller Angst und Sorge; ein fromm Erheben zu Gottes Thron wird dir das Herz erleichtern. Geht doch heut in der Abendstunde eine Wallfahrt zu dem Gnadenort, der wollen wir nachziehen. Und hab' Mut und Gottvertrauen, ich will getreulich deiner warten!«

Die Worte waren Balsam für Dürers Gemüt. Er schloß sich mit Agnes der Wallfahrt an und kehrte gestärkt und im Willen ermutigt zurück. In den nächsten Tagen rüstete er zur Abreise, und noch im Julianfang fuhr er mit Weib und Magd aus der Peststadt hinaus, gegen den Rhein zu; er fuhr am Rhein entlang bis Köln und von dort im Wagen nach Antwerpen, wo Kaiser Karl vor der Krönung feierlichen Einzug halten wollte.

Ehe er diese Reise nach den Niederlanden antrat, schrieb er noch an des Kurfürsten Friedrich des Weisen Hofkaplan Georg Spalatin, der sein Vermittler war, einen langen Brief von seinen

Sorgen, darin er auch dem Kurfürsten danken ließ für die Zusendung der Schriften Martin Luthers:

»… Deshalb bitt ich, Euer Ehrwird wollent seinen Kürfurschtlichen Genaden mein unterthänige Dankbarkeit noch dem Höchsten anzeigen, und sein Churfürschtliche Gnaden in aller Unterthänigkeit bitten, daß er ihm den loblichen Doctor Martin Luther befohlen laß sein, van christlicher Wohrheit wegen, doran uns mehr leit[1]), dann an allen Reichtumen und Gewalt dieser Welt; das dann Alls mit der Zeit vergeht, allein die Wohrheit beleibt ewig. Und hilft mir Gott, daß ich zu Doktor Martinus Luther kumm, so will ich ihn mit Fleiß kunterfetten und in Kupfer stechen, zu einer langen Gedächtnuß des christlichen Manns, der mir aus großen Aengsten geholfen hat. Und ich bitt Euer Wirden, wo Doctor Martinus etwas Neues macht, das tewtzsch ist, wollt mirs um mein Geld zusenden.

Item als Ihr mir schreibt um die Schutzbüchlein Martini[2]), wissent, daß ihr keins mehr vorhanden ist. Man drückt sie abr zu Awgspurg … Aber wissent, daß dies Büchlein, wiewols hie gemacht ist, auf den Kanzlen für ein Ketzerbüchlein, das man verbrennen soll, verrufen ist worden, und verschmählich widr den geredt, ders ahnunderschrieben aus hat lassen gehn. Es hats auch Doktor Eck, als man sagt, öfflich zu Ingelstett verbrennen wollen, wie des Docter Rewleyns[3]) Büchlein geschehen ist etwen.

Item ich schick meinem gnädigsten Herren hiemit drei Drück van eim Kupfer, das ich gestochen hab aus seiner Begehr des noch meinem genadigsten Herren Mentz. Hab seiner Churfürstlichen Gnaden[4]) das Kupfer zuge-

---

[1]) Liegt.
[2]) Spenglers »Schutzrede«.
[3]) Reuchlin.
[4]) Albrecht von Brandenburg.

schickt mit 200 Abdrucken, ihn mit verehrt, dorgegen sich sein Churfürstliche Gnaden genädiglich gegen mir gehalten hat. Dann er hat mir geschenkt 200 fl. an Gold und 20 Elln Damast zu ein Rock. Hab das also mit Freuden und Dankbarkeit angenummen, und sonderlich zu der Zeit, do ich notig bin gewest ... Aber die hunder Gulden, mein Leben lang alle Johr von der Stadtsteuer aufzuheben, ... der wöllen mir mein Herren itz nit reichen. Muß also in meinen älteren Tagen manglen und mein lange Zeit, Mühe und Erbet an Kaiserlicher Majestät verloren haben. Dann so mir abgeht am Gesicht und Freiheit der Hand, würd mein Sach nit wol stehn ... Ich bitt Euer Ehrwird, so sich mein genädigster Herr der Schuld mit den Hirsgeweihen versehen will, daß Ihr mir dieselben wollt einmahnen, auf daß etwas Schons van Horneren kumm. Dann ich will zween Leuchter doraus machen ... Befelcht mich getreulich meinem genädigsten Herren, dem Kurfurschten   williger Albrecht Dürer
zu Nochnberg.«

Es ist bezeichnend für die Not Dürers, der auf das Jahrgeld des Kaisers angewiesen war, was ihn zu solchem Briefe trieb. Nun erhoffte sich der arme Meister in den Niederlanden reichen Gewinn, er nahm große Mengen seiner Kunstware, auch die seiner Freunde Hans Baldung Grien, Schäufelein und anderer, mit und versprach sich damit gute Geschäfte. Aber er wäre nicht der Albrecht Dürer gewesen, dem so vieles vereitelt wurde, wenn sich diese Hoffnung ganz erfüllt härte.

Antwerpen – die Alten nannten diese Königin der Niederlande: Antorff – war für die niederen Lande der Nordsee das, was für die Adria Venedig war. Aus aller Herren Ländern brachten Schiffe die Reichtümer in diese Stadt, die sich mächtig entfaltete, seit Kolumbus vor drei Jahrzehnten seine denkwürdige Seereise unternahm, die den neuen Erdteil erschloß, aus dem ungeahnte Schätze nach Europa flossen. Wie ein Siegeszug neuer Eroberungen lief die Kunde von diesem Wunderlande durch Deutschlands Gaue, in den reichen Kaufhäusern Antwerpens stapelten sich all die Schätze dieser »neuen Welt« auf und hoben den mächtigen Handel zu ungeahnter Höhe. In diesem Rahmen von Reichtum und Prunk konnten sich aber auch Kunst und Wissenschaft auf höheren Stufen entwickeln, es konnten, angeregt durch maßlose Prunkentfaltung, unsterbliche Werke entstehen, was in Deutschland nicht möglich war. Neu erbaute Häuser und Paläste wuchsen aus dem raschen Reichtum hervor in nie geschauter Pracht, und durch ihre Hallen flutete das frohe, freie, lustliebende Volk, Patrizier und Bürger.

Mit suchendem Blick und staunender Trunkenheit schritt Meister Albrecht, dem die fünfzig Jahre nichts anhaben konnten, durch die märchenschönen Straßen dieser königlichen Stadt. Sein Sinn für prunkvolle Architektur fand reiche Bilder, die ihn schwelgen ließen, und seine Not versank im Anblick dieser farbenfrohen Schönheit. Sein Mut ward gehoben, seine Eitelkeit belebt, denn er wurde geehrt, und ihm und seinem Ruhm zu huldigen, wetteiferten Maler, Gelehrte, Ratsherren und Patrizier, wo immer er sich zeigte. Sein Wirt, der jugendfrohe Jobst Plankfelt, führte den berühmten Gast mit stolzer Freude in den Kreisen gefeierter Männer ein.

Der Ersparnis halber bewohnte Frau Agnes mit ihrer Magd Susanna eine einfache Kammer, in der sie für sich kochten und wirtschafteten. Dürer speiste, wenn er nicht bei den Faktoren der Fugger oder Imhoffs oder bei dem reichen Seidenhändler und Zahlmeister der Statthalterin Erzherzogin Margarete (Maximilians Tochter) oder bei dem Genuesen Tommaso Bombelli oder bei Malern und Goldschmieden geladen war, bei seinem Wirt. Feste, die Dürer zu Ehren gegeben wurden, berauschten ihn, man überhäufte ihn mit Geschenken, und er teilte mit vollen Händen seine Kunstware aus, zeichnete Konterfeie seiner Gönner und malte Bilder für sie.

Unter den Antwerpner Malern trat ihm Joachim de Patenier am nächsten, dessen geschärftes Naturempfinden Dürer am meisten anzog. Patenier malte Landschaften, vermochte sie aber nicht zu beleben; da half ihm Dürer, Staffagen und Szenerien entwerfen. Oft verkehrte der gefeierte Meister bei dem gewaltigen Quentin Massys, den sie den Schmied von Antwerpen nannten, weil er breit und massig malte, mächtige, lebensgroße Gestalten monumental auf die Leinwand strich und weil er, wie man erzählte, vordem ein Schmied war; da seine Liebste aber einen Maler wollte, so sei er es auch geworden. Die Bilder Massys' wirkten gewaltig auf Dürer, der ja auch den kräftigen Formenausdruck bevorzugte, aber nie Gelegenheit fand, sich solchermaßen auszutoben. Massys war der erste, der Dürer aufsuchte, er blieb aber auch der einzige, der sich mit ihm messen konnte. Dieser Antwerpner Malerfürst veranlaßte, daß die Malergilde, die sogenannten »Schilderer«, dem berühmten Gaste und seinem Weibe zu Ehren in der Stube des Zunfthauses ein reiches Festessen gab, wo sie überaus köstlich bewirtet wurden. Dürer selbst beschrieb in seinem Tagebuche, das er über die niederländische Reise führte, womit er ein kostbares Dokument seines Erlebens und seiner Beliebtheit niederlegte, dieses Fest in seiner aufzeichnenden Art, darin wir uns die Farbenglut des Antwerpner Lebens hineinmalen müssen, denn seine trockenen Notizen gleichen mehr einem Wirtschaftsbuche. Er schrieb am 5. August 1520:

»Die Maler luden mich mit meinem Weib und der Magd auf ihre Stuben und hatten alle Dinge voll Silbergeschirr und anderem köstlichen Gezier, und überköstlichem Essen. Es waren auch ihre Weiber alle da. Und da ich zu Tisch geführt ward, da stand das Volk auf beiden Seiten, als führet man einen großen Herren. Es waren auch unter ihnen gar treffliche Personen von Namen, die sich alle mit tiefem Neigen auf das Allerdemütigste gegen mich erzeugten[1]. Und sie sagten, sie wollen alles das tun, von dem sie wüßten, das mir lieb sei. Und als ich also verehret bei

---

[1] Benehmen.

ihnen saß, da kam der Ratsbote der Herren[1] von Antorff mit zwei Knechten und schenkten mir von Rats wegen vier Kannen Wein und ließen mir sagen, ich solle somit von ihnen verehret sein und ihr Wohlwollen haben. Danach kam Meister Peter, der Stadt Zimmermann[2], und schenkte mir noch zwee Kannen Wein mit Erbietung seines willigen Dienstes. Also daß wir lange fröhlich beieinander waren. Und spät in der Nacht begleiteten sie uns mit Windlichtern gar ehrenvoll heim, baten mich, ich solle ihren guten Willen annehmen und tun was ich mag, dazu wollen sie mir alle behilflich sein[3].

So huldigten Kunstgenossen und Obrigkeit dem deutschen Meister wie einem Fürsten, der seine Armut verhüllte und sein Frieren in der Seele im Glanze seines Ruhmes erwärmte. In Antwerpen genoß Dürer ungekränkter als in Venedig die Huldigung Verständiger und mußte nicht um sein Ansehen buhlen. Hier galt er als der fertige Meister, der nicht mehr angezweifelt wurde. Auch von Schönheit und Frauengunst sollte er erfahren, wie viel tiefer und edler sie in Antwerpen sein konnten, als in Venedig.

An einem prächtigen Augustabend saß Meister Albrecht am Hafen und zeichnete in sein Büchlein mit flüchtiger Feder die Umrisse des Quai mit den Türmen und Schiffen. Er hatte sich einen bequemen Sitz auf der Stufe eines Haustores gewählt. Das Leben an der Schelde war nicht geringer bewegt als das am Hafenplatz zu Venedig, denn der junge Königssohn Karl sollte Einzug halten in Antwerpen, ehe er in Aachen die deutsche Kaiserkrone empfing. Reichtum, Kunst und Fröhlichkeit sollten dem Sohne der Niederlande huldigen, noch ehe er das Deut-

---

[1] Ratsherren.
[2] Baumeister.
[3] Übersetzt in verständlichere Schreibweise. (Heidrich: »Der schriftliche Nachlaß.«)

sche Reich betrat. So entfalteten Hoch und Nieder ein Bild frohen Lebens.

Im Hofraum des Hauses, auf dessen Torstufen Dürer saß und zeichnete, hockte unter den Arkaden des mächtigen Säulenganges ein Mädchen. Eine Fülle von Blumen und Bändern lag in Körben vor ihm, und es flocht daraus Kränze und Festons zum Schmuck für den Triumphbogen. Eine alte Dienerin half der Jungfrau, aber sie konnte ihr nichts recht machen. Ihre feinen, geschickten Hände wehrten dem plumpen Eingreifen der Dienerin ab, und ihre volltönende Altstimme lachte und eiferte:

»Es gibt nichts Drolligeres, als Euren Unverstand, Eva! Wollet gar gelbe Blumen neben blaue binden. Ei, was gäbe das doch für ein Farbenstückwerk für des Kaisers Triumphbogen, ging's nach Eurem Sinn!«

Die Magd stand mit gefalteten Händen da und gestand:

»Euch kann ich's nit recht tun, Susanna, Ihr vermöget der Farben Sinn zu fügen nach den Gesetzen der Kunst, die Euch wissend sind. Illuminieret Ihr doch gar köstliche Bildchen, die sogar der Statthalterin gefallen! Und bald werdet Ihr eine Malerin sein, wie's keine zweite gibt.«

»Seid still, Eva! Ich bin ein Würmlein gegen den *einen*, der in Nürnberg mächtig und ruhmreich schafft. Würde mir die Gnade zuteil, in dieses Mannes Seele schauen zu dürfen, da könnte es sein, daß meine Kunst wüchse!«

»Wie oft sagtet Ihr das schon, Susanna! Der Dürer ist Euch wie ein Herrgott. Seht zu, daß Euer Beten zu ihm nit Ketzerei wird. Gar manchen hat eine Sehnsucht zu einem Königsschloß führen wollen, da ist sie in einem Bauernhaus gelandet!«

Die Jungfrau warf der vorwitzigen Eva eine Handvoll Blumen an den Kopf und rief:

»Bin ich eine, die einen Heiligen von einem Götzen nicht unterscheiden kann? Meine Sehnsucht will kein Fürstenschloß suchen, ich will in eine Seele schauen dürfen, in die Gott die Erleuchtung gegossen hat. Wie arm ist ein Maler, wie dort der Thomas Vincidor. Sehet hin, Eva, die Allegorie für den Triumphbogen streicht er in buntem Durcheinander an, ohne

Geist und Klarheit, wer sie anschaut, sieht keine Form, nur Far-
benflecken! Und der ist Raffaels Schüler! Er hatte dem Geist des
Genius näherkommen können, aber ihn umnachtet der Grö-
ßenwahn! – Ach, wie arm ist seine Seele.«

Die Worte hallten in dem Hofraum laut genug, daß sie der
Jüngling, der am anderen Säulengange vor seiner Werkstatt
malte, hören mußte. Er warf Pinsel und Palette auf die Steine
und sprang lachend über die Fliesen des Hofes zu Susanna. Sie
erschrak nicht, sondern blickte ihm offen ins Gesicht, denn solche Herausforderung zu Wortgefechten hatte sie schon oft diesem temperamentvollen Bolognesen zugerufen. Thomas Vincidor stellte sich kampfbereit vor die lachende Jungfrau und
sprach im Pathos:

»Was suchet Ihr in meiner Seele? Suchet lieber in meinem
Herzen! Ihr seid die schönste Jungfrau Antorffs, Euch hat man
unter die Perlen gereiht, damit Eures Leibes Wunder den ver-
wöhnten Knabenkaiser in sinnlichen Rausch versetze. Ihr werdet als Genius der Kunst, als Göttin der Schönheit bei dem Festspiel einen größeren Triumph erleben als der Kaiser Karl.
Warum suchet Ihr nach Seelen? Suchet nach Herzen! Die
Schönheit und die Liebe sind das glückliche Paar, der Geist aber
ist ihr Behinderer. Hat Raffael eine Seele? Er liebt die Schönheit, nicht den Geist. Seine Fornarina, die göttliche Bäckers-
tochter, ist dumm, aber verliebt! Ihre Sinnenlust gibt ihm Ideen
für sein Schaffen, sie ist ihm Venus, Galatea, Andromeda und
Psyche. Wenn sie ihren Leib an den seinen schmiegt, da springen Funken in ihn, die Kunstwerke entflammen.« Er lachte und
reckte sich hoch.

»Susanna Horebout! Ihr könntet aus mir einen Raffael
machen, Ihr seid tausendmal schöner als die Fornarina. Wollt
Ihr nicht in meinem Herzen das Wunder wecken, das noch
schläft?«

»Lasset es schlafen, Euer Wunder!« spottete Susanna. »Es
könnte sein, daß ich keine Fornarina wäre, daß ich den Trunkenen mit meiner Wahrheit zum Ernüchterten seines Unverstan-
des machen würde und aus Eurem Wunder ein Qualm auf-

stiege, der wie ein Bock anwidert. Ich bin allzu begierdelos, um nach Herzen zu suchen. Ihr werdet die welsche Sitte bei uns Flamen nicht zum Leben rufen können! Und stell' ich meine nackte Schönheit vor den Kaiser hin, dann will ich den Sinn verkörpern helfen, der aus dem Genius Massys hervorgeht. Gott hat mich so geschaffen, wie ich bin, da muß ich auch Gott in der Kunst dienen. Kein Maler, kein Rhetoriker und kein Gelehrter vermag die Schönheit so lebendig zu geben als das Weib. Mit stolzen Augen, mit reinem Herzen, in Keuschheit meiner Unschuld will ich vor Kaiser und Volk meinen Leib enthüllen und Antorff durch Schönheit in Kunst den Ruhm mehren helfen. Thomas, könnet Ihr daran glauben?«

Der Jüngling hatte sich abgewendet, der Zorn Susannas verwirrte ihn, er wollte ihren Unmut nicht wachsen lassen. Aber die Frage reizte ihn, weil er im Weibe nur die Sinnenlust suchte.

»Nein, Susanna Horebout. Eure Schönheit ist anders. Sie lockt die Sünde, lockt die Lust, sie ist wie die Gewalt der Aphrodite, sie reißet nieder und baut nit auf. Sie strahlt wie die indische Isis taumelnde Lichter in die Mondnacht der Sinne, sie zündet die Flammen im Opferbecken der Liebe. Sie ist göttlich, weil sie die Liebe ist. Was vermag Eure Seele dagegen, sie ist eine Membrane, die keine Melodie schwingt. – Ihr seid die Göttin der Lust, als solche wird Euch König und Volk bestaunen, Ihr werdet Gelüste wecken, die mit fühlenden Fingern Euren Leib betasten. Es gibt keine größere Eitelkeit, als die ein Weib enthüllen heißt, wenn es seine Schönheit zeigen darf. Das Herz muß dem Weibe mehr sein als die Seele. Habet Ihr kein Herz, dann seid Ihr wie die Aphrodite des Pygmalion.«

Spätes Abendrot lag auf den Wänden und dem Steinboden. In diesem Gold stand Susanna wie eine Statue, mit vorgestreckten Armen, als wollte sie den ungestümen Welschen von sich fortweisen. Er aber ließ die Arme sinken, die so lebhaft mitgesprochen hatten, und besann sich plötzlich, daß er vor einer kühl erwägenden Nordländerin stehe, die sein Temperament mißdeuten könne. Als er die aufsteigende Glut des Zornes in ihrem edlen Antlitz erblickte, wendete er sich jählings beschämt und schritt hastig seiner Arbeitsstätte zu; er wollte jetzt nicht weiter nach seiner Art von Liebe sprechen, die er Susanna nicht verbergen konnte.

Mit glühenden Wangen und sprühenden Augen stand die Jungfrau unter den Blumen, wie eine zürnende Göttin. Die Worte Vincidors waren an ihrem reinen Empfinden abgeprallt, aber ihr war zumute, als hätte sie ein giftiges Reptil aufgefangen, das sie in ihren Händen zerdrücke. Eva legte begütigend die Hand auf ihre Schulter.

»Lasset den welschen Liederjahn. Muß ihm doch in der Kehle brennen, sein gottlos Reden. Wer Euren reinen Lebenswandel kennt, der geht Euch mit einer Bewunderung entgegen. Seid gutmütig, Susanna, der Thomas hat heut wieder seinen Weinrausch.«

Die Zornwelle, die über die Stirne lief, glättete sich, die stolze Schöne lächelte leise, als offenbare sie einen schönen Traum. Sie dachte an ihn, dem alle ihre reinen Empfindungen und Erhebungen zuströmten, sie dachte an Dürer. Das wußte sie, dieser Meister hätte niemalen so von einem Weibe denken, geschweige denn reden können, wie der Bologneser Maler, aus dem nur die Sinne sprachen. Aus Dürers »Marienleben« las sie heraus, wieviel tiefer der Nürnberger die Frau einschätzte, und sie sehnte sich danach, einmal aus seinem Munde zu hören, was er von der Schönheit des Weibes denke, ob sie eine Frage für die Seele oder eine Antwort für die Sinne sei.

Um aus dem Unmut herauszukommen, schritt sie durch den Hof, aus den Arkaden hinaus dem Tore zu, andere Menschen zu sehen, an die sie glauben konnte. Und sie ahnte nicht, daß jeder ihrer schwebenden Schritte sie dem näher brachte, den sie ersehnte, bis sie hinter Dürer stand, der auf den Steinstufen des Tores saß und, in die Zeichnung versunken, im Abendgold den sterbenden Tag in Antwerpen mit dem sterbenden Tag in Venedig verglich. Er dachte gerade, daß die Sonne immer dort am schönsten sei, wo das Gemüt des Menschen von Freude erfüllt ist, als er fühlte, daß Blicke auf ihm ruhten. Eine Weile ertrug er die innere Unruhe, dann wendete er sich jäh um und sah die stolze Schönheit, die mit unmutigem Zucken in ihren Zügen den ihr fremden Mann ernst und finster betrachtete.

Als der Meister den Unmut am Gesicht Susannas sah, erhob er sich, es kam ihm mit einem Male so unwürdig vor, auf den Steinstufen sitzenzubleiben beim Anblick dieses schönen Frauenwesens. Verwirrt zog er sein Barett und verneigte sich vor der Jungfraue:

»Es mag Euch unlieb sein, wenn ich auf Eures Tores Stufen hocke. Mich hat der Ausblick auf das schöne Hafenbild dazu getrieben, das ich in mein Büchlein aufgerissen hab'. Stört es Euch, dann will ich wieder gehen.«

Susanna wehrte freundlich ab; es kam ihr nicht in den Sinn, einen Maler zu vertreiben. Da sie aber an der Sprache und am Gewand den Deutschen erkannte, wurde sie freundlicher, und sie trat ihm einen Schritt näher.

»Bleibet nur und laßt Euch nicht stören, mein Unmut ist von anderer Seite aufgestiegen. Ihr seid wohl ein deutscher Maler?«

»Ein deutscher Maler ... Wohl bin ich ein solcher, aber was will das sagen?« Eine unendliche Wehmut ließ seine Stimme zittern, die Schönheit Susannas wühlte wieder seine so mühsam niedergerungene Sehnsucht nach der Antike auf. »Ich möchte ein welscher Maler sein,« sagte er zaghaft, »um die Schönheit zu verstehen, die Gott im Weibe lebendig werden ließ. Kein Maß vermag das Wunder zu fassen.«

Susanna öffnete ihre Augen weit und blickte Dürer erschrocken an.

»Warum sollte das ein welscher Maler wissen? Was Gott erschaffen hat, ist für alle da, das ist die einzige Wahrheit, ob schön, ob häßlich. Wie in Welschland die Maler ein Weib ansehen, hab' ich vorhin gehört, und das sündhafte Spiel dieser haltlosen Sinnlichkeit betrügt Auge und Seele. Ein deutscher Maler verstößt nicht gegen Sitte und Frömmigkeit, das weiß ich von einem, der mir vor allen andern ein Vorbild ist. Da wir von solchen Dingen sprechen, will ich an Euch eine Frage stellen. Was haltet Ihr von der Schönheit des Weibes? Ist sie ein Fragen, das man an die Seele stellt, oder eine sinnliche Antwort für das Herz?«

Diese Frage gab Dürer sein Gleichgewicht wieder. Ihm war, als stünde er in Venedig und hätte zu wählen zwischen Anna und Judith. Und dann schien er die Worte der sterbenden Mutter zu hören, die das Unfaßbare in Gott mit der Schönheit verglich. Was er sonst über Schönheit nicht sagen konnte, in der Frage Susannas fand er rasche Worte zur Antwort.

»Die Schönheit des Weibes?« sagte er mit klingender Stimme. »Sie ist das Gotteswunder, das er wie seine Welten erschuf und von dem wir nit wissen, warum. Sie ist eine Frage an die Seele, wenn sie ein Mensch erschaut, der in Andacht die Feiertagsschöpfung Gottes bewundert und in heiliger Ergriffenheit anstaunt. Wer aber liebearm und einsam durch sein Leben schreitet und wer kein Glück gefunden hat, dem kann die Schönheit Antwort sein auf die Frage seiner dürstenden Seele. Sinnliche Antwort ist sie einem solchen, der wie Giorgione und Raffael die Schönheit des Weibes für heidnische Bilder ansieht und sie mißbraucht in sündhafter Begierde. Dann aber ist die Schönheit wie eine seltene Frucht, die im Innern Würmer birgt, welche gute Kerne zernagen.«

Ein rasches Aufatmen befreite Susanna von dem Druck, der auf ihr lastete. Sie blickte in die Augen des ihr fremden Meisters, und ihr war, als sehe sie in den Spiegel einer Seele, die vor der Weibesschönheit auf den Knien lag. Ein Schauer rieselte über ihren Leib, von einem Gefühl hervorgerufen, das sie sich nicht erklären konnte.

»Ich vermeinte jetzt einen zu hören, dessen Augen die nackte Schönheit eines Weibes erschauen könnten, ohne sie wie Raffael und Giorgione mit Begierden zu beflecken. Und dieser eine hat die Seele, von der Ihr sagtet, sie staune die Feiertagsschöpfung Gottes an. Da Ihr ein Deutscher seid, so saget mir, kennt Ihr den Meister, der über allen anderen steht, kennet Ihr Albrecht Dürer?«

Dürer stand in dieser Abendglut vor Susanna und wußte keine Antwort. Was wollte dieses schöne Mädchen von ihm?

War es Neugierde, oder hatte sie seine Kunst verstanden? Er wollte seinen Namen nennen, aber das Mahnen einer ängstlichen Stimme, die sich um seine innere Ruhe sorgte, riet ihm, ehe er sich zu erkennen gebe, erst zu prüfen, ob diese Schönheit einer Judith oder einer Anna zu eigen sei. Da gab ihm der Schalk ein, sich zu verstellen und den Augenblick zu nützen, in froher Laune nach Herzenslust einmal zu gaukeln.

»Den Ihr meint, kenne ich nur allzu gut, besser, als mir lieb ist. Jungfraue, der ist kein solcher, der über den anderen Meistern steht. Dürer ist ein armer Sucher, der nit weiß, was er mit sich selber anfangen soll. An dem würdet Ihr keine Freude erleben.«

Aber da kam er übel an. Zornig funkelten die Augen der Jungfrau, und über ihre Stirn stieg die Röte. Wer ihr Dürer schmähte, der hatte bei ihr verspielt.

»Was ficht Euch an, also von dem gerühmten Meister zu reden! Schlecht müsset Ihr ihn kennen und ungerecht über ihn urteilen. Ich aber sage Euch, ihn hat Gott erleuchtet, er ist begnadet – mir ist er heilig!«

Da erkannte Dürer, daß es keine Neugierde war, die nach ihm fragte. Aber der Schalk ließ seine Augen aufblitzen, er sagte noch kühner:

»Ihr übertreibt, Jungfrau! Er mag so ein Heiliger sein, der zur ewigen Kümmernis betet. Erleuchtet, saget Ihr? Wie ein Heide schielt er in die heiligen Haine der Venus und möchte wohl gar ein solches Weibsbild für sich haben, wie der gottselige Adonis. Laßt's Euch sagen, der Dürer ist ein ganz gewöhnlicher Malermeister, der mit seinem Kläubeln und seiner Marktware die Zeit vertut und in Not und Angst mit dem Leben und der Kunst nichts Besonderes anzufangen weiß.«

Der Zorn zuckte über das schöne Gesicht; wieder ballten sich die feinen Hände. In ihrer Stimme bebte ein Metallklang, als sie, vor Dürer zurückweichend, rief:

»Was ist doch der Neid eines Malers für eine giftige Schlange! In Euch hätte ich einen Besseren vermeint, als der Ihr seid. Ihr habt Augen wie ein Wissender, aber der Ernst in Eurem Aussehen ist nur Maske für die traurige Mißgunst. Lachet nicht! Ihr kennt den Dürer schlecht! Was ich aus seinem Werk herausgelesen hab', ist ein ander Konterfei als das, was Ihr und der Thomas von ihm aufreißet! Schweiget! Meister Dürer ist ein Erleuchteter; wie der Martin Luther redet er in seiner Weise zu den Glaubensirren. Ihn hat Gott auserlesen, in der Kunst des Wittenbergers Lehre dem Volke zu weisen. Kennt Ihr seine ›Apokalypse‹, seine ›Passion‹ und sein ›Marienleben‹? – Ja, sehet mich nur an. Den Nüremberger Meister lasse ich von keinem schmähen! Und jetzt gehet, wenn Ihr nichts anderes von ihm zu sagen wisset, als was Euch der Malerneid einflüstert!«

War es denn möglich, daß dieses schöne Mädchen ihn so hoch einschätzte wie den Martin Luther? Ein verklärtes Leuchten überstrahlte plötzlich das Gesicht Dürers, er fühlte, daß er von diesem Frauenwesen ein neues Spiegelbild vor die Augen gehalten bekam und daß seine Kunst reichlich belohnt war durch den Glauben, der dieser Mädchenseele zur Religion wurde.

»Jungfraue, weiset mich nit im Zorn von Euch. Ich habe ja nur prüfen wollen, ob es Euch ernst ist, über Meister Albrecht die Wahrheit zu erfahren. Was ich gesagt hab' über ihn, ist wirklich wahr, aber nehmt's nach dem Sinn. Sein Leben ist arm, seine Kunst hat keine so reiche Nahrung, um so zu werden, wie er sie in sich fühlt und aus sich heraus geben möchte. Im Deutschen Reiche ist das Blühen schwer. Die Sonne fehlt, die Stürme sind zu rauh. In Antwerpen, dem Venedig der Niederlande, ist der Maler vor Aufgaben gestellt, die ihn groß werden lassen, weil sich hier alles neu und in unerhörter Pracht aufbaut. Aber wer fragt im alten Nüremberg nach Kunst? Dort ist der Prunk zu sündhaft, sind die Menschen zu fromm und im Dämmer. Wir haben keine solchen Paläste, die der Kunst Raum geben, wie Antorff. Da gilt der Dürer wahrhaftig nit mehr, wie jeder andere Meister.«

Susanna erschrak, denn sie fühlte jetzt, daß nicht der Neid aus dem Fremden sprach.

»Also ist's doch so, wie der Thomas sagt; sie tragen ihn nicht auf den Händen und jubeln ihm nicht zu? Dann freilich ist der

Dürer arm. Und gerade das ist seine Größe, daß er die göttliche Sendung in sich fühlt wie ein Heiligtum und sich nicht bläht und prahlt. Oh, könnt' ich einmal in die Seele dieses Meisters blicken, das würde für meine schwache Kunst Trost und Stärkung sein.«

»Wer seid Ihr, Jungfrau«, sagte er ergriffen, »daß Ihr an Tore pocht, die sich nit öffnen wollen? Rühret mit Eurer Sehnsucht nit an dem Seelenspiegel Dürers, den das Weh zur Ruhe gebracht hat. Kein Wunsch soll mehr darüberhin weite Ringe ziehen, und keine Erwartung, die sich nit erfüllen kann, soll ihn trüben. Lasset den Meister in seiner Entsagung weiterträumen, Ihr wäret enttäuscht, fändet Ihr in ihm nit das, was Eure Seele erhofft.«

Susanna empfand, daß dieser Fremde in tiefer Ergriffenheit Dürers Wesen verstehen mußte und daß er eine Kraft besaß, die ihren Willen antrieb. Sie senkte ihre Blicke, um seinen fragenden Augen nicht zu begegnen. Ihre herrliche Gestalt richtete sich stolz empor, als sie sprach:

»In Leid und Weh nur erwächst das Große: die klare Kunst, die zu jedem Armen redet! Nicht wie ein Irrer, der im Glauben schwankt, spricht sie dann: wie ein Wissender, der Gesetze schafft, redet sie zu den Schwachen im Ertragen. Meine Natur geht nicht vorbei an der Erkenntnis, die sie einmal berührt hat. Aber mir fehlt die heilige Flamme, die nur ein Genie von Gott empfängt, auf daß sie aufleuchte in seinem Werk. Ich stehe in meiner Kunst am Anfang. Die Steigerung, die zur Vollendung treibt, ist mir nicht wissend. Ich erfasse nur das Kleine. Das ›Wie?‹, ›Warum?‹ und ›Woraus?‹ sind mir ungelöste Fragen, die nur ein Genie beantworten kann. In dieser Armut des Geistes blicke ich auf zu dem Geiste Dürers, in dem ich das Wirken des Genies erkenne. Er, nur er kann mir Antwort geben, denn in jedem Strich, den er aufreißt, ist Sicherheit, in jeder Form, die er schafft, ist Klarheit, und seinen Werken ist die Erkenntnis eingeprägt, daß die Vollendung ein bestimmtes Maß besitzt, das er gefunden hat.«

Da kam es über Dürer, als müsse er Susanna hinwegziehen von einem Abgrund, in den er selbst bei seinem Grübeln zu sinken schien. Was dieses Wesen ersehnte und von ihm erwartete, das ersehnte und erwartete er ja selber.

»Ihr irrt, Jungfraue! Keiner begreift und weiß, was Vollendung ist. Eine Form entsteht aus den Gesichten, die im Innersten des Schaffenden Gestalten rufen und die nur aus dem Vorrat des Erschauten in der Natur hervortreten. Unsere Hand muß willig sein, die Form nachzuahmen. Da ist kein Fragen und keine Sicherheit und keine Erkenntnis, die eine Idee schafft, sie kommt und ist da im Augenblick, so und nit anders. Man kann nit sagen: Jetzt mach' ich ein Kunstwerk! Was aus dem Vorrat des Erschauten in uns zum Wirken kommt, läßt sich im Schaffen nit voraussagen. Wir folgen nur der Eingebung, und der andere, der das Werk dann beurteilt, findet es vollendet oder mangelhaft, je nachdem er dazu das Verständnis besitzt. Der Schaffende bleibt im Zweifel, er ist der Irrende, der keinen sicheren Glauben hat.«

»Nein, nein –!« Susanna wollte widersprechen, Dürer aber fuhr fort:

»Die Steigerung vom Anfang bis zur Vollendung ist nichts sonst als die Übung in Fleiß und die Ausdauer. Es gibt nichts Vollendetes, weil es kein Maß hat, weil es ein Unsicheres ist wie die Schönheit und Gott. Nur in den Werken des Meisters über uns, der alles in der Sicherheit geschaffen hat, ist die Vollendung Wissen! – Ein Menschengeist ist nur ein Körnlein von seinem Geist, der im unendlichen Weltenall wirksam ist. – Und darum wird Eure Sehnsucht in der Irre gehen, wenn Ihr von Dürer eine andere Antwort erwartet, als ich sie Euch gebe.«

Wie von Schmerzen gepeinigt, zitterte Susanna; sie konnte nichts anderes glauben, als was sie in ihren jungen Jahren empfand.

»Er aber ist ein Erleuchteter, er weiß, was er schafft. Es kann ja nicht sein, daß Dürer ein gewöhnlich Sterblicher ist, in ihm ist Gott wirksam!«

Dieser Mädchentrotz rührte den Meister. Er trat ganz nahe vor Susanna; ihm kam die Idee, zu prüfen, ob er ein Erleuchteter sei, ob aus seiner Seele die Kraft strömen könne, ein anderes Wesen seinem Willen unterzuordnen. Er blickte mit weit offenen Augen in die feucht schimmernden Seelensterne Susannas, ihr hypnotisch zu suggerieren, damit sie aus der Täuschung in das Erkennen gelange, daß er der ist, den sie ersehnt. Sie hielt dem Blick seines Willens eine Weile stand, dann senkte sie die Blicke scheu. Er schloß die Augen und sprach leise:

»Habt Ihr erkannt, wer ich bin? Hat Euch mein Seelenspiegel das Bild gezeigt, von dem Ihr Gewißheit haben wollt?«

Seine Stimme zitterte; wieder sah er sie starr an. Sie aber lachte.

»Ihr seid kein Erleuchteter wie er, Euer Seelenspiegel ist kein ungewöhnlicher, Ihr könnt nit bezwingen. Warum seht Ihr mich so an?«

Da ließ Dürer seine Blicke von ihr los und erwachte aus seiner Vermessenheit. In diesem traurigen Erwachen fühlte er sich wieder arm.

»Nur Christus vermochte es, mit seinen Blicken Zweifler aufzuklären und Glaubensirre auf den Weg der Wahrheit zu führen. So wie ich kein Erleuchteter bin, ist Dürer kein Erleuchteter; das Wunderbare ist dem gemeinen Menschengeist ein unlösliches Rätsel; löste er's, so brauchte er kein Fragen mehr. Und die Frage ist der Aufstieg vom Kleinen zum Großen. Der Wissende wäre arm, weil ihm die Sehnsucht fehlte, die uns im Märlein vom Himmel, von der Schönheit und von der Kunst die *einzige* Freude bleibt, ohne die es keinen Aufstieg gibt – und kein Glück. Jungfraue, glaubet daran; wer keinen Kinderglauben hat, der steht in dieser Welt wie ein Baum, der keine Blüten treibt.«

Diese Worte, so zaghaft sie auch klangen, ergriffen Susanna, daß ihr die Tränen aus den Augen perlten. Ihr war, als spräche ein Sicherer zu ihr, einer, der durch des Lebens Wirrnis schritt und einen Weg betrat, auf den ihn die Erkenntnis führte.

»Wer seid Ihr, daß Ihr solche Wahrheit kündet?«

»Ich bin ein deutscher Maler, den die Kümmernis behinderte, aufzusteigen zu dem, was er von der Kunst erträumt. Mir fehlt eine Seele, die mich begleitet und aus dem Irrsal führt, in das mich mein Faktor trieb, der meines Geistes Korn zum Bäkker trug. – Und wer seid Ihr?«

»Ich bin die Tochter des Illuministen Geraert Horebout und male auch.«

Dürer hatte Miniaturen Geraerts bei Quentin Massys gesehen; nun fühlte er, daß der Tochter Geist höher stehen müsse als die Kunst des Vaters. Er reichte Susanna die Hand und sagte:

»Wohl habt Ihr an Eurem Vater einen tüchtigen Meister; aber in Eurem Wesen waltet ein tieferer Geist, der sonst keinem Weibe zu eigen ist; in welcher Lehre hat sich der so ausgereift?«

»In Dürers Lehre. Ihm strebe ich nach, aus seinen Werken lese ich, sie geben mir Nahrung zum Denken. Kommet mit mir in die Werkstatt, ich will Euch meine Arbeit weisen, damit Ihr nicht glauben sollt, daß ich mich in meinem Unvermögen überhebe. In Eurer Nähe ist mir so wohl; ich spüre, als ob von Albrecht Dürer eine Geisteskraft aus Euch auf mich überströme. Aber eines bitte ich Euch. Laßt mir meinen Glauben an ihn, er ist das einzige, an dem ich mich erheben kann, mir ist der Meister heilig.«

Dieses schlichte Bekenntnis, das wie eine Abwehr klang, löste in Dürer eine tiefe Freude aus. Er folgte Susanna über den Hof, durch den Säulengang, die Treppe hinauf und trat in einen kleinen Raum, dessen Wände mit seinen Kupferstichen, Holzschnitten und Kopien einiger seiner Ölgemälde behangen waren. Wie ein kleiner Tempel, einem Gotte geweiht, war die Arbeitsstätte der Jungfrau.

»Das ist meine Kirche«, sagte sie ernst; »hier bete ich und schaffe. Ihr kennt ja wohl Dürers Werk?«

Was waren das für Gefühle, die den Meister beschlichen! Er kam sich vor wie ein Erlesener, durch diese schöne Jungfrau emporgehoben und durch ihre Liebe geheiligt. Und doch wußte er, daß es keine Liebe war von Herz zu Herzen. Aber er empfand sie viel köstlicher und reicher und nahm sich vor, sie nicht zu zerstören. Wie einer, der sich im Tiefinnersten einer Frauenseele an Freuden bereichert, wollte er ungekannt dieses seltene Glücksgefühl genießen.

Er besah sich eingehend die Miniaturen, die Susanna gemalt hatte, sprach weder Lob noch Tadel aus, erkannte aber, daß ein tiefer Geist des Erfassens diesen Kleinmalereien eigen war, die trotz der Lebensleere und der Ausdruckslosigkeit doch den Aufstieg andeuteten. Das feine, frauenmilde Empfinden, das in den fleißig ausgeführten Heiligenbildchen und Konterfeien lag, rührte ihn. An jedem Strich sah er, wie bedächtig er geführt wurde, aber er fand nicht den Geist in den Arbeiten der Jungfrau, der aus ihren Augen sprach.

Susanna fühlte es, wie der ihr fremde Maler sich jedes Urteils entschlug.

»Mir fehlt das, was Dürer an Überfluß besitzet«, sagte sie zaghaft. »Sehe ich des Meisters Linienfluß, seine Kraft im Strich und die Seele, in der sich Leiden und Empfinden, Freuen und Weinen in den Gesichtern ausdrückt, da befällt mich oft eine Zaghaftigkeit über mein Unvermögen. Ich weiß, daß ich ein Nichts bin und nicht selber weiter kann. Sagt mir, wie beginnt der Aufstieg?«

Dürer legte der entmutigten Malerin seine Hand auf die Schulter; ihm war, als müsse er ihr etwas geben, er kam sich plötzlich reich vor.

»Verzaget nit!« sagte er. »So wie Ihr heut, stand Dürer auf der niedersten Stufe beim Aufstieg zur Kunst; und glaubet mir, der Aufstieg ist kein freudiges Gehen. Er führt über Klüfte und Geröll, und keiner weiß, wohin. Was die Geometrie in einem Ding in Maßen feststellt und von der Wahrheit beweiset, das ist greifbar und sicher. Alles andere zerrinnt, wie die Wolkenformen am Himmel. Aber unter dem Messen mit Zirkel und Richtscheit darf das Natürliche nit leiden. Das Leben in der Natur gibt erst zu erkennen, was die Wahrheit anzeigt. Also ist durch das Maß von außen nit zu messen, was sich im Inneren, in den Elementen der Menschen, abspiegelt, welche feurig, luftig, wäßrig oder irdischer Natur sind. Denn nur die Gewalt der Kunst meistert diese Elemente. Und die rechten Künstler erkennen im

Augenblick, welches ein gewaltiges Werk ist, weil darin die Liebe zur Kunst zu ihnen spricht. Das Wissen ist wahrhaftig, aber die Meinung betrügt. Darum soll kein Maler sich selbst zuviel vertrauen, auf daß er nit irre werde an seinem Werk und es nit verfehle. So gut wir auch ein Werk schaffen, wir möchten es immer noch besser machen, gleich den Menschen, die hübsch sind und wissen, daß es noch viel schönere gibt.

Daraus ist beschlossen, daß ein Mensch aus eigenem Sinnen nie ein Bildnis machen kann, es sei denn, daß er durch vieles Sehen und Beobachten es erfaßt hat. Aber das ist dann nit mehr Eigenes, sondern erlernte Kunst geworden, die sich befruchtet, wächst und in ihrer Art wieder Früchte trägt. Hingegen wird der gesammelte Schatz des Geistes offenbar durch das Werk und die neue Kreatur, die der Maler aus seiner Seele schöpft und dem Geschaffenen seine Gestalt gibt. An seiner Gestalt, die aus jedem Werke spricht, werdet Ihr den Maler erkennen, wie er ist!«[*]

So formte Dürer sein unentwegtes Ringen nach Gestaltung zu einem Selbstbildnis, in dem ihn Susanna erkennen möge, ohne Illusionen. Wie eine Gabe reichte er ihr die Worte hin, und sie empfing sie verstehend, barg sie in der Tiefe ihres Seelenschreins, und ihr war, als hätte das Bildnis Dürers, das die Bewunderung in ihr schuf, die Ähnlichkeit von dem fremden Maler übernommen. Lange ruhten ihre Blicke in seinen Augen, dann riß sie sich los und stöhnte:

»Ihr habt mir viel genommen und viel gegeben. So wie Ihr kann nur einer deuten, und wüßte ich nicht, daß der jetzt in Nüremberg schafft, ich glaubte wahrhaftig, er stünde vor mir. Ihr kommt ihm in vielem nahe, mein Seelenbildnis von ihm ist dem Euren ähnlich geworden, aber wie mag er erst sein!«

»Ihr suchet mehr in Dürer, als in ihm ist. Hättet Ihr vorhin, da ich Euch mit meinen Blicken zwingen wollte, aus meiner Seele zu lesen, geglaubt, daß Euch Dürer seinen Willen eingeben wollte, Ihr würdet in diesem Glauben an ihn seine Seelenkraft verspüret haben. Der Glaube ist's, der Wunder wirkt. Wie

---

[*] Nach Dürers Worten aus seiner »Proportionslehre«.

ist der Meister zu beneiden, da ihm ein solcher starker Glaube entgegenkommt. Ich will ihm alles berichten, was in dieser Stunde zwischen Euch und mir gesprochen wurde; als Beweis dafür erlaubet mir, daß ich diese feine Malerei, von der ich nit gedacht hätte, daß sie eine zarte Frauenhand schaffen könne, dem Meister überbringe. Ich will ihm sagen, daß Eure Sehnsucht nach seiner Seele kostbarer ist als alle Liebe, die ein so schönes Weib einem Manne gehen konnte.«

Rasch legte Dürer einen Gulden auf den Tisch, schob die kleine Malerei eines »Salvator« in sein Skizzenbuch, sah Susanna mit einem verträumten Blick an und ging, als triebe ihn die Angst, daß sie erraten könnte, wer er sei. Diese Heimlichkeit von Seele zu Seele war ihm ein köstliches Erlebnis.

Er schritt durch die festlich geschmückten Straßen, vorbei an allem Prunk, der sich für Kaiser Karls Einzug in Antwerpen vorbereitete, das alles sah der Meister nicht. Zwei große Augen, aus denen eine Sehnsucht bangte, staunten ihn an, er hörte eine Seele nach Licht schreien, nach Licht, das sie von ihm ersehnte. Ein seltsames Gefühl beschlich ihn. »So mag es dem ergehen, der eine Krone empfängt«, dachte er. »Wirst auch du die Weihe so spüren, Prinz Karl, wenn sie dich zu Aachen krönen werden?« Und aus seinen Gedanken riß sich einer los, der rannte voraus und kam wieder zurück und jubelte:

»So hat die Schönheit doch ein Maß, mit der man sie messen kann. Und dieses Maß zeigt Schöneres an als der Formen Vollkommenheit, es ist der Geist, *der Geist in der Schönheit*, der ewig wirkt.«


Alle Glocken Antwerpens läuteten feierlich. Ein gewaltiger Donner aus Geschützen der Festungswerke rollte über der Stadt.

»Der Kaiser kommt«, jubelte es aus aller Munde.

Ein Brausen und Rufen, ein Hasten und Drängen füllte die festlich geschmückten Straßen. Erwartungsvoll pochende Herzen stürmten dem knabenjungen Kaiser Karl entgegen, den solch köstliche Huldigung in Antwerpen empfangen sollte. Stände und Ratsherren ritten aus den Toren, um ihn an der Grenze des Stadtgebietes einzuholen.

Mit seltener Pracht strahlte die warme Septembersonne über die raschbewegliche bunte Menge festlich gekleideter Bürger und Frauen, sie strahlte in die dichtbesetzten Fenster der Paläste, aus denen blühendes Laubgewinde über kostbaren Teppichen hing und erwartungsvoll funkelnde Augen schöner Frauen und Kinder nach dem Sohne der Niederlande ausspähten, der vor seiner Kaiserkrönung von der Heimat festlich Abschied nehmen wollte.

Auf den Tribünen des Platzes, wo der junge Kaiser begrüßt werden sollte, ordneten sich die Patrizier mit ihren Frauen nach Rang und Würden. Antwerpens Künstlerschar, an der Spitze der gewaltige Quentin Massys, hatte auf dem Platze einen Triumphbogen errichtet, an dem kostbare Stoffe und Teppiche und kunstvolle Gemälde angebracht waren, umwallt von purpurnen und goldenen Bannern, die sich im Winde blähten.

Zug um Zug kamen die Gilden und Zünfte mit ihren Fahnen und Wappen aus allen Gassen zum Festplatze, vom harrenden Volke stürmisch begrüßt. Ein mächtiges Gedränge entstand, als die Malerzunft mit einer Schar der schönsten Jungfrauen Antwerpens sich vor dem Triumphbogen aufstellte. Diese Erlesenen der Schönen hatten die Künstler und Ratsherren aus den besten Kreisen der Stadt ausgewählt, sie sollten wie Perlen im Diadem des Festes, als das köstlichste Kleinod des reichsten Hafens, dem Kaiser die sinnigste Huldigung sein und ihn auf den Stufen der Ehrenpforte als Genien begrüßen.

Nahte sich der Stadt ein Gott, daß Göttinnen, in ihrer nackten Schönheit, wie die Musen am Parnaß, Apollo entgegenharrten? War auch das Heidentum aus dem Lande der Griechen in den niederen Landen der Nordsee zu neuem Leben erwacht? Wird das der Kaiser ertragen? Wird dieses freie Bekenntnis zur Reform der Kunst die strengreligiöse Knabenseele nicht erschrecken? Niemand fragte danach.

Diese in ihrer jungfraulichen Reinheit wie aus Alabaster gemeißelten lebenden Statuen, deren unberührte, keusche

Schönheit, kaum von zarten Schleiern verhüllt, auf den Stufen des Triumphbogens standen, riefen das Entzücken und die Bewunderung des Volkes an, als Schild für ihre Scham, die sie dem Feste zum Opfer brachten. Gebieterisch bezwingend in ihrer Vollendung, anmutig in ihrer Verklärung, zwischen dem halbgeöffneten Munde das Schweigen, umflutet von wallendem Haar, standen die Genien des Ruhmes, des Glaubens, der Künste und Wissenschaft, die Grazien und Tugenden, durchpulst vom blühenden Leben, erfüllt von idealer Begeisterung unter dem Gold und Purpur, die ihre weißen Leiber flammend umrauschten.

Keine Kunst, keine Dichtung, keine Rhetorik hätte die Symbolik in solcher rhythmischen Harmonie, in solcher leuchtenden Farbenschönheit zum Ausdruck bringen können, wie diese nackten Jungfrauen, die in ihrem göttlichen Vorrecht der Kunst ihre Schönheit weihten. Wie aus antikem Traume, der von der Erbschaft vergangener Jahrtausende höchster Kultur zur Poesie der Wirklichkeit erwachte, harrten die Göttinnen ihres Gottes.

Und die Glocken riefen von allen Türmen mit ehernen Stimmen:

»Der Kaiser kommt!«

Die Geschütze krachten, ihr Donner zerschlug sich an allen Giebeln und glitt auf feierlichen Wogen über die Stadt bis zur Schelde, um dort den bewimpelten Segelschiffen zuzurufen:

»Der Kaiser kommt!«

Und er kam. Ernst und kalt, in dunkle Seide gekleidet, saß er auf dem schwarzen Roß, das ihn tänzelnd trug wie eine leichte Feder. Kaum den Knabenjahren entwachsen, nahm der Jüngling wie die Zügel des Brabanterpferdes das Wohl und Wehe des großen heiligen Deutschen Reiches in die zarten Hände. In seinen Augen, die wie vom Licht geblendet sich kaum öffneten, blitzte ein geheimnisvolles Funkeln wie zuckendes Licht, sie scheuten sich nicht, in diesem Festesjubel mit höhnender Kritik zu lauern. Der Anblick der herrlichen Jungfrauen, die sich vor ihm verneigten, trieb die Röte des Zornes in sein Gesicht. Mit kalter Miene hörte er die Anreden; leise hub er zu sprechen an, nur die Nächststehenden konnten ihn hören. Der Jubel des Volkes rang ihm kaum ein Winken ab. Kraft und Sicherheit im Trotz verhaltend, gab er sich unwillig dem Feste hin, das ihm zu Ehren gefeiert wurde, er empfand keine Freude daran.

Als nach seiner Rede die lebenden Statuen von den Stufen traten und Blumen vor seine Füße streuten, wendete er sein Gesicht ab. Konnte er die Schönheit nicht vertragen, oder war es, daß sie ihm zu gering erschien? Hatte er keine Bewunderung aufbringen können für die heroische Tat dieser Jungfrauen? Keiner seiner Blicke streifte diese erlesenen Perlen, die sich ihm zu Ehren in das schönste Gewand kleideten, das Gott erschaffen hat.

Um so eifriger jedoch hingen Dürers Blicke an den Jungfrauen, unter denen er Susanna als die schönste erkannte. Aus diesem Schöpfungswunder lockte und winkte ihm wieder die versunkene Welt der Antike. Susanna war ihm nicht mehr das Weib, das in Selbstanklage den Jammer auf sich lud, den ein Künstler tragen muß, wenn er den Aufstieg nehmen will; sie war ihm jetzt die lachende, tanzende, liebende, in unendlicher Schönheit verlockende Aphrodite, die er in Judith begehrte und in Vanna schmähte, und die er in Anna nicht erblicken konnte. Und es kam ihm vor, als würde sie, wollte er dem Sinnenzauber der Antike nachgehen, fortan an seiner Seite stehen. Es war, als habe er den goldenen Faden erfaßt, der ihn mit ihr in der Sehnsucht verband und dem er nur nachzugehen brauchte, um fernab von Kummer und Not durch das Labyrinth des Lebens zu gelangen, in die blühende Wiese auf dem Eiland, das er in seinen Träumen erschaute. Ihm schien, als öffne sich die Pforte des Lichtes und seine Armut umkleide sich mit Gold, von Aphrodites Zauberstab berührt.

Aber was in der Minute des Rausches in ihm aufstieg und seine heimliche Sehnsucht so reich machte, versank in der nächsten Minute, als er den Kaiser sprechen hörte wie ein deklamierendes Kind. Auf seine glückverheißende Aufwallung folgte die tiefste Ernüchterung. War er nicht nach Antwerpen gekommen, um von diesem Knaben die Gnade zu erflehen, daß er ihm die hundert Gulden Jahrgeld auf Maximilians Urkunde bestätige? War er nicht der Bittsteller, der Almosen brauchte, um sein armseliges Leben weiterfristen zu können? Plötzlich vermeinte er, als käme von der Stufe ihm zur Seite, wo Susanna stand, ein schallendes Hohngelächter. Er wendete sich dieser zu und rief ängstlich ihren Namen.

Jäh zuckte es in dem herrlichen Leibe, dann wendete sich das Gesicht der Jungfrau dem seinen zu, überhaucht von rosigem Schimmer der Scham. Sie ahnte nicht, daß ihr der deutsche Maler so nahe stand. Dürer, in die Wirklichkeit zurückversetzt, hätte am liebsten die Arme nach ihr ausgestreckt; er besann sich aber und neigte bewundernd seine Knie vor ihr, und sie dankte errötend für diese Huldigung.

»Wer könnte dieser Herrliche sein, wenn es nicht Albrecht Dürer ist!« dachte sie. In der Bewunderung seiner seelenvollen Augen erstarkte immer mehr in ihr der Glaube an die Gewißheit, den großen deutschen Meister von Angesicht zu Angesicht zu schauen. Sie sah den Kaiser nicht mehr, hörte die Rhetoriker nicht, durch den Schleier ihrer Verwirrung schien ihr das Volk in weite Ferne gerückt. Sie fühlte seinen Geist in ihrer Nähe, und ihr war, als stünde sie auf einer einsamen Insel und mit ihm allein. Was ihr in den Stunden der Begeisterung für Dürers Kunst an Sehnsucht ein Traum war, das schien ihr nun zur Wahrheit geworden zu sein.

In diesem Augenblick fühlte sie die Gnade Gottes, die ihr die Schönheit verlieh, um sie diesem Erlesenen zu offenbaren. Und sie spürte seine Blicke an ihrem Leibe tasten, als wollten sie Maß und Zahlen feststellen, um der Schönheit Gesetze zu geben. In dieses Gefühl namenloser Versunkenheit ertönten die Posaunenstöße und das Jubelrufen des Volkes. Ängstlich fand Susanna wieder in die Freude anderer zurück. Das Festspiel war zu Ende, Quentin Massys ordnete den Festzug.

Dürer löste seine Blicke von der Schönheit Susannas und blickte den Kaiser an, der seinen Rappen zum Stehen zwang. Er sah in den Mienen des Knaben einen Abscheu vor der Huldigung, die ihm heidnisch schien. Da seufzte der Meister. »Er ist keiner von denen, die der Kunst Freiheit lassen, er ist vom Geiste der Askese angekränkelt. O du liebes, heiliges Deutsches Reich, wie wirst du dieses Knaben Unbilden ertragen? Was Maximilian war, das kann der junge Karl nit sein, und die deutsche Kunst wird verzagen.«

Susanna sah Dürer in dieser traurigen Grübelei, und ihr war mit einem Male wieder bange. So verzagt, wie dieser Mann jetzt den Kaiser anschaute, wie sich in seinem Antlitz so rasch die Trunkenheit in Grauen wandelte, so haltlos und entmutigt konnte Dürer nicht sein, dachte sie. Er, der Erleuchtete, würde nur im Frohgefühl den Glanz seines inneren Lichtes ausstrahlen, kein Kummer könne das Genie beugen. Und in diesem Gedenken an Dürers ungewöhnliche Seelengröße, in der sie seine Kunst verströmen wähnte, erschien ihr der Fremde wieder zur Alltagsfigur zusammenzuschrumpfen. Er war es nicht, den ihre Seele ersehnte.

Als wolle sie die Enttäuschung dieser Minute von sich lösen, warf sie eine Rose vor Dürers Füße, die der Meister aufhob und sich dankend vor der Jungfrau verneigte. Trotzig wendete sie sich von ihm ab und ordnete sich in dem Zuge ein; denn Massys gab den Wink, daß sich die Jungfrauen um den Kaiser scharen mögen, ihn zur Burg am Steen zu geleiten.

Von den Genien der Schönheit umgeben, ritt der Kaiser durch die Triumphpforte. Die Jungfrauen streuten Rosen vor ihn hin, die sein Rappe zertrat. Vom Volksjubel umbraust, ritt der Herrscher, wie von antiken Göttinnen geführt, durch die geschmückten Straßen. Einen größeren Gegensatz kennt die Historie nicht. Der Verächter des Humanismus wurde wie ein römischer Triumphator von heidnischen Göttinnen durch Antwerpen geleitet!

Dürer, dessen Geist dieses peinliche Spiel durchschaute, sagte ernst zu Quentin Massys:

»Sehet hin, neben dem Schildträger des Papstes schreiten die Musen Apollos, als führten sie ihn auf den Parnaß. Das ist das lebendige Symbol unserer Zeit: die hierarchische Gewalt in ohnmächtiger Duldung antikischen Geistes. Wahrhaftig, der

Kaiser soll es lernen, die Schönheit über die Glaubensstrenge zu stellen. Aber wie wird es werden im Deutschen Reiche, wenn er diesen Widerwillen und Abscheu nit überwindet? Es wird eine schwere Zeit anheben für unsere Kunst und für die Glaubensfreiheit.«

»Ihr habt es erfaßt, Meister!« sagte Massys, ärgerlich über des Kaisers Unmut. »Spanien hat den Knaben in fromme Zucht genommen. Ihm mag die wahrhaftige Religion der Natur ketzerisch vorkommen. Was wird Euer Luther zu diesem Kaiser sagen?«

Dürer ließ traurig seine Arme sinken, es war ihm bange zumute:

»Mich hat sein Blick enttäuscht!« sagte er. »Sahet Ihr nit, wie er müde die Freude bezwang? Mich dünkt, jetzt reitet er dahin, erschauernd, von der Reform der Kunst umgeben, wie er erschauern mag im Gedanken an Luthers Reform der Kirche.«

Massys sah enttäuscht dem Kaiser nach, aber sein Malerauge erfreute sich um so mehr an der Pracht des Bildes, das sich vor ihm entrollte.

Dürer dachte an die schönste Jungfrau des Festes, die die Kunst höher als den Kaiser wertete. Eine Bangnis überfiel ihn plötzlich, er sah sie neben des Kaisers Roß in ihrer nackten Schönheit schreiten: So würde sie nun in seiner Seele neben seiner hehren Kunst schreiten, diese Göttliche aus dem Wunderlande der Antike. Und er durfte die Hände nicht nach ihr ausstrecken; diese neue Lebensgestalt mußte für ihn die Fremde bleiben, wie er für sie der Fremde war. Er, das nüchterne Deutschland, kulturarm und geknechtet; sie, das ewig junge Hellas, das in der Berührung mit des Kaisers Gegensatz leuchtend emporstieg aus den Tiefen einer versunkenen Welt.


In Antwerpen konnte Dürer keine Gelegenheit finden, dem Kaiser sein Gesuch um Bestätigung seines Leibgedinges vorzulegen. Alle Bittsteller wurden zur Seite geschoben. Der junge Herrscher nahm rasch von den Niederlanden Abschied, ihm waren die Feste zu rauschend, er fand keine Frömmigkeit bei den Antwerpnern. So ritt er mit seinen spanischen Reitern gegen Aachen, wo die Krönung vollzogen werden sollte. Und Dürer mußte ihm dorthin folgen, wenn er nicht auf sein Jahrgeld verzichten wollte.

Der Empfang des Kaisers in Aachen war weniger enthusiastisch. Die Kunde von dem frostigen Benehmen Karls in Antwerpen hatte bald laufende Beine bekommen. So waren die deutschen Fürsten und Stände, Bürger und Bauern enttäuscht, als sie den schwächlichen Knaben sahen, der ohne Gruß, sein müdes Gesicht herrisch erhebend, einritt auf feurigem Rappen, als zöge er gegen die ungeheure Volksmenge zu Gericht. Franz von Sickingen, an der Spitze seiner gepanzerten Reiter, sah den Kaiser erschrocken an, er konnte in ihm, der den deutschen Helden und seine Schutzreiter argwöhnisch anblitzte, nicht recht den Befreier erblicken. Denn aus den düster umhüllten Zügen des Kaisers las Sickingens sicheres Auge heraus, daß der Knabe in Trotz kam, daß er übelberaten, mit Arglist Deutschlands Geschicke lenken würde. Aber, er sollte des Reiches Ritter kennenlernen, der spanischen List wollten sie deutsche, männliche Kraft gegenüberstellen. So war des erlauchten Knaben Einzug in Aachen kein erfreuliches Fest.

Albrecht Dürer fand in Aachen seine getreuen Nürnberger, die Ratsherren Hans Ebner, Georg Schaudersbach, Christoph Groland, den starken Topler und den Dompropst von St. Sebald, Melchior Pfinzing. Diese Abgesandten überbrachten aus dem Nürnberger Heiltumsschrein Krone, Schwert und Szepter, Krönungsornat und Reichsinsignien zur Krönungsfeierlichkeit nach Aachen. Die Herren luden Dürer als ihren Gast ein, und er mußte ihnen von seinem Ruhm und den Festen in Antwerpen erzählen. Als der Meister nach seinem Freunde Wilibald fragte, hörte er zu seinem Kummer, daß der Papst über ihn und den Stadtschreiber Lazarus Spengler den Bann verhängt habe wegen der lutherfreundlichen Schriften, die sie haben »ausgehen lassen«.

»Wie trägt's denn der arme Wilibaldus?« fragte Dürer den Herrn Ebner.

»Der?« lachte der Ratsherr. »Es ist ihm nit mehr, als hätt' ein Mißton aus einem Horn geklungen. Er lacht, und alle Nürnberger lachen mit ihm. Er trinkt sich aus Lustbarkeit ein Podagra an, das ihn mehr schreckt als die Bannbulle.«

Nun lachte auch Dürer mit den Herren, da er sah, wie sie diese böse Sache nahmen, und sagte:

»So hat den Schlemmer und Kampfhahn wieder einmal ein Zorn getroffen. Wie mag ihn der Blitz des Papstes angefahren haben? Hat er gerade bei der Rosenthalerin oder bei der Gärtnerin gebuhlt? Die lieben Weiblein mögen ihn jetzt nit wenig trösten, weil er das Krönungsfest meiden muß!«

Diese Ironie Dürers löste ein schallendes Gelächter aus.

Die Krönungsfeierlichkeiten fanden bei Dürer große Bewunderung, er sah, wie er in sein Tagebuch einschrieb, »alle herrliche Köstlichkeit, dergleichen keiner, der bei uns lebt, köstlicher Ding gesehen hat«. Aber die Bestätigungsurkunde hatte er noch immer nicht erhalten, trotzdem die Statthalterin der Niederlande, Erzherzogin Margarete, ihm versprach, sie wolle seine Fürsprecherin sein. Er schenkte ihr seine große Kupferstich-Passion für diesen guten Willen.

So nahmen die Nürnberger Herren den verzagten Meister mit nach Köln. Alle einflußreichen Persönlichkeiten, Hofleute aus des Kaisers Gefolge, porträtierte er und beschenkte sie reichlich mit seinen Kunstblättern, und durch diese unschätzbaren Gaben erreichte er es endlich mit großer Mühe, daß sein Bittgesuch dem Kaiser vorgelegt wurde. Aber der geizige Monarch, dem selbst das Kaiserwort Maximilians, seines Großvaters, nichts galt, bewilligte dem armen Maler nur das Jahrgeld; die 200 Gulden Lohn für die mühevollen Arbeiten, bei denen Dürer jahrelang in Fleiß und Liebe darbte, strich er ihm.

Traurig vernahm Dürer diese Kunde. Was galt ihm aller Ruhm, was galten ihm Ehren und Huldigungen, wenn ihm kein Lohn für seine Kunst wurde! Jeder Handwerker verdiente mit einfacher Arbeit mehr als er, der sich den Kopf zergrübelte, er, den sie den größten Künstler nannten. Das Versenken in diese Gedanken brachte ihm eine erschütternde Erkenntnis: War es allein *sein* Ruhm, den die andern feierten? War er nicht das willige Opfer, um das die andern tanzten und sich blähten, weil sie etwas zum Umtanzen brauchten, an dem ihre Eitelkeit Befriedigung fand? Oder war es das Wohlwollen Kaiser Maximilians, der ihn emporhob, da er ihm sonst nichts geben konnte? Wie erbärmlich fand in diesem düstern Sinnen der Meister das Spiel der anderen, wie gering seinen Ruhm, der ihm nichts bot als schöne Worte und köstliche Leckerbissen.

Und diese Erkenntnis bestätigte ihm Frau Agnes, als er, erfrischt von der tröstenden Natur, den Rhein entlang und über Nymwegen zurück nach Antwerpen kam. Nach siebenwöchiger Abwesenheit berichtete er der Frau den traurigen Erfolg. Sie fiel ihm um den Hals und sagte, unbekümmert um die Demütigung, die Dürer so tief erschütterte:

»Verzage nit, Albrecht. Du bist ja so geehrt allerwegen, daß du stolz sein kannst. Und daß der Kaiser Max mit mir getanzt hat, vergess' ich ihm mein Lebtag nit; es war eine große Ehr' für mich. Der neue Kaiser aber ist noch ein Knäblein, was versteht denn der von deiner Kunst!«

Dieser Trost tat dem Meister noch mehr weh als die Erkenntnis, daß sein Ruhm nur ein Spiel für die anderen sei; auch sein Weib sonnte sich daran und blähte sich, auch sie begann, um das Opfer zu tanzen, das er sich einbildete, zu sein.

Als ihm Frau Agnes die vielen Geschenke zeigte, die sie von dem Portugiesen Rodrigo Fernandez, von Tommaso Bombelli und anderen Anhängern Luthers erhielt, die sich um Dürer bemühten, wurde er wieder zugänglicher. Er bestaunte die köstlichen Südfrüchte, trank von dem süßen Wein, aß Austern und Meerzungen, freute sich über die Bambuswaffen und Schilde der wilden Indianer, die ihm der Portugiese geschickt hatte.

Wieder vergrub sich Dürer wochenlang in Arbeit und wurde überallhin geladen. Alle Festlichkeiten, die man ihm zu Ehren gab, machte er tapfer mit. In Stunden der Einkehr, nach allzuviel Genuß, versenkte er sich in die Schriften Martin Luthers, die er kaufte. Aber auch Merkwürdigkeiten suchte er auf unter der Führung seiner Verehrer. Nur wenig Bestellungen liefen ein, wenig Kunstware verkaufte er. Seine Seele war ihm oft wie ausgeschöpft.

Kam ihm bei diesen lauten Festgelagen das Bewußtsein seiner Bedeutung, wie es die Schwärmer in ihm wachriefen, so schlich wieder in der Stille seiner Selbsterkenntnis die Furcht an ihn heran, die ihm den Mantel des Ruhmes herabriß und Mängel aufdeckte, deren er sich bewußt war. Wie konnte er diese Huldigung der Antwerpner für sich nehmen? War er nicht einer beschränkten Mission vorbestimmt, die wohl der Zeit dienen, schwächeren Geistern mehr Sicherheit und der üblichen Kunstform mehr Vollkommenheit geben konnte, aber sich selbst nicht zu befreien vermochte?

Er dachte daran, daß durch die freiere Reform der Kirche, wie sie Luthers Lehre anstrebte, auch die sittlich übertriebene deutsche Anschauung über Schönheit als Kunstform die Richtung des Giorgione und Raffael einschlagen könnte, wie sie die Welschen durchsetzten. Selbst in Antwerpen war der neue Geist schon an der Arbeit, sich, unbekümmert um Kirche und Sittenstrenge, freierer, sinnlicherer Sprache zu bedienen. Die prunkliebenden Patrizier und Maler hatten in dem Reigen der schönen, nackten Jungfrauen bei den Festspielen zum Einzug Karls V. schon von der Befreiung aus dem gotischen Zwang ein Beispiel ohnegleichen gegeben, das wie ein Aufschrei nach Erlösung auf alle Geister wirkte. Wird es der neue Kaiser hindern können, wenn auch im Deutschen Reiche mit der Kirche die Kunst reformiert würde? Wird diesen Sieg der Kultur auch der deutsche Geist vertragen? Und wird er, Dürer, die Höhe darin erreichen, die man ihm jetzt anrühmte?

Solche Fragen ließen ihn nicht los, Dürer suchte nach Antwort. Wenn sich in einer sittenstrengen Mädchenseele, wie in der Susanna Horebouts, Scham und Zucht vor der Liebe zur Kunst zurückstellen ließ, um eine nie dagewesene Befreiung der Schönheit aufzubringen, warum sollte das deutsche Gemüt gegen solchen Heroismus zurückstehen?

In diesem Sinnen stand Dürer beim offenen Fenster und sah über die Straße hinab, einen erfreulichen Ausblick suchend. Seine Blicke aber stießen nur an Hausmauern, die gigantisch emporragten aus dem engen Gassenbilde. Als er sich wendete, trat ihm freudig erregt Frau Agnes entgegen. Ihr Gesicht war gerötet, auf der Hand trug sie einen grünen Papagei, den sie streichelte. Ihre üppige Gestalt wankte schwerfällig auf Dürer zu.

»Schau' dir diesen prächtigen Vogel an, den schickt mir der Portugiese und ein Fäßlein eingemachten Zucker noch dazu. Albrecht, wie wirst du doch geehrt und gefeiert allhier! Gib dem Boten ein' Weißpfennig fürs Tragen! Ach, das ist ein Wohlleben; freut dich das sowenig, weil du gar so ein Kummergesicht machst? Was hast du denn wieder?«

Dieser Gegensatz in Weib und Seele berührte Dürer schmerzlich. Er grübelte über Dinge, die ihm zu schaffen machten, in ihm rang das Empfinden seines ärmlichen Ruhmes mit dem Frauenwunder der Susanna, und Frau Agnes konnte sich über einen dummen Vogel und über Zucker freuen, daß ihr sonst so gestrenges Gesicht in eitel Wonne leuchtete. Immer trafen ihn diese Gegensätze wie Dolchstöße. Jetzt schmerzten sie ihn um so mehr.

»Ich bin benommen heut, Himmel und Erde liegen auf mir«, sagte er abwehrend, da sie ihm den Papagei auf die Schulter setzen wollte. »Alle Freuden sind mir zu leer, mein Ruhm ist nur ein Kranz aus Weidenruten; ich komme mir vor wie ein Fastnachtspieler!«

Frau Agnes schaute ihn eine Weile verständnislos lächelnd an, dann schüttelte sie den Kopf.

»Ich versteh' dich nit, Albrecht. Wenn dich die reichen Herrn so rühmen, und du ihnen ein so großer Maler bist, daß sie dich ehren, so mußt du doch auch froh sein?«

»Daran mißt sich die Größe nit. Ich bin nur das hölzerne Stöcklein, an dem sich die reichen Trauben hinaufranken wollen. Wie arm und klein ich bin, das weiß nur ich allein, keiner sieht in mich hinein. Und so muß ich mich wie ein Schmarotzer von Schlemmern groß rühmen lassen, für ihre Prahlsucht! Es ist nit zum Ertragen!«

Frau Agnes ließ, entsetzt von diesen Worten, den grünen Vogel aus, der über die Diele kroch. Sie ließ sich in einen Stuhl sinken; endlich fand sie mahnende Worte.

»Albrecht, dir ist nit zu helfen! Hast du keine Kümmernis, so machst du dir eine. Ehren dich die Reichen, so kommst du dir vor wie ein Schmarotzer, ehren sie dich nit, so bist du gekränkt und fühlst dich zurückgestellt. Bist du in arger Not, so hast du guten Mut, lebst du wie ein Fürst unter den Vornehmen, die dich rühmen, dann willst du ein hölzernes Stöckel sein, dünkest dich arm und klein. Ja, sag' mir nur, was soll man denn tun, um dir's recht zu machen?«

»Man soll mich einschätzen, wie ich bin und was ich bedeute. Ein groß Aufsehen macht mich nit größer, ein Ruhmreden nit berühmt. Je mehr Ehren ich empfange, desto mehr muß ich von meinem Gut hergeben. Jedes Essen, das ich entbehren könnte, kostet mich viel Trinkgeld, jedes Geschenk, das ich nit brauch', muß ich mit Kunstblättern und Arbeiten bezahlen, die mehr wert sind als der Plunder. Aber wer bewertet sie, wer schätzt sie ein? Keiner! Ich weiß, daß sie meine Stiche nit einmal beachten, aber schreien wollen sie: Der Dürer ist ein Genie, ein Künstler! Oh, wie mich's ekelt vor diesem Menschengeschmeiß! Ich will in bescheidener Ruhe leben! Schätzte man mich nach meiner Armut ein, da würde sich keiner um mich reißen. Ich gewinne nichts bei diesem Possenspiel und komme nur zu Schaden.«

Frau Agnes hatte Kampfgelüste. Die Litanei ihres Mannes war ihr zu unfaßlich, die wollte sie nach ihrer Art umwenden; denn ihr war in Antwerpen jede Stunde eine glückliche, die sie von der Hausarbeit befreite und so köstliche Ergötzung bot. Hier war sie die Eheliebste des gefeierten, gerühmten deutschen Meisters, daheim die Wirtschafterin, die sich mit den Lehrknaben und Gesellen abarbeitete vom frühen Morgen bis in die späte Nacht. Und darum begriff sie ihren Albrecht nicht, sein Klagen war ihr ein Undank an die Welt, die ihn umgab. Und das wollte sie ihm einmal gehörig auf deutsch sagen, damit er wieder nachgiebig werde. Mit eingestemmten Händen in den breit ausladenden Hüftenpolstern stand Frau Agnes in der Mitte der Stube und rief entrüstet:

»Albrecht, Albrecht!« Weiter kam sie nicht; denn die Tür wurde aufgerissen, und in die Stube trat Thomas von Vincidor.

Als fiele ein Strahl von Welschlands Sonne in die Seele des umdüsterten Meisters, schob er Frau Agnes beiseite und lief dem Bolognesen mit vorgestreckten Armen entgegen.

»Ihr seid ja der, der mir von Raffael die Handzeichnungen aus Rom gebracht hat? Ja, wie kommt denn Ihr nach Antwerpen? Und wie habt denn Ihr mich hier gefunden in diesem heidenmäßigen Babel?«

Vincidor lächelte mühsam, denn sein verstörtes Gesicht konnte sich der Freude Dürers nicht fügen.

»Ich sah Euch beim Einzug des Kaisers vor dem Triumphbogen und erfragte bei Patenier Eure Herberge.«

»Seid Ihr schon lange hier?«

»Ein halbes Jahr, Meister. Ich hab' den Weg von Rom nach Antwerpen zweimal machen müssen. Fürs erste, um auszukundschaften, wo zum Kunstweben die besten Stühle stehen; das andere Mal bin ich im Auftrag des Papstes mit Raffaels Kartons hierhergereist, um zu überwachen, daß die Prunkteppiche für die Sixtina im Sinne meines Meisters gewebt werden.«

Dürer reichte Vincidor beide Hände und rief erfreut:

»So seid mir doppelt willkommen. Einmal als Schüler des göttlichen Urbinaten und dann als sein Sendbote. Erzählet mir von ihm.«

Er zog seinen Gast in die Fensternische und wies ihm den Sitz an, der wie ein Tabernakel in die Wand eingebaut war.

»Was ich Euch zu erzählen hab', Meister Albrecht, das wird Euch wenig erfreuen. Aber erst muß ich Euch sagen, wie hoch Raffael Eure Kunst eingeschätzt hat. Als ich ihm Euer transparentes Selbstkonterfei überbrachte, rief er alle seine Schüler zusammen, aber keiner konnte diese Kunst erklären. Raffael hat sie mit dem höchsten Maßstab gemessen, Euer Antlitz hat ihm so gefallen, daß er es in den Stanzen verewigte. Mit seiner weichen Stimme hat er allen erzählt, die es hören wollten: ›Die

Kunst Dürers sei die vollkommenste, sie sei Wahrheit, Treue, Liebe und Leben, alle göttlichen Tugenden seien in ihr vereint.‹ So hat mein Meister sich erfreut an Eurem Konterfei.«

»Das hat er gesagt? Er, der römische Apelles?« Die Erbitterung und Enttäuschung war aus Dürer gewichen; daß Raffael seine Arbeit lobte, war für ihn viel mehr, als alle anderen Ruhmredereien. Und das richtete ihn wieder auf aus seiner Kleinmütigkeit. An Raffaels Urteil mußte Dürer doch glauben. Vincidor war erstaunt, daß er da noch zweifeln konnte.

»Noch viel Rühmlicheres hat Raffael über Eure Kunst gesprochen«, sagte Vincidor und fügte nun auch das seine hinzu. »Euer Bildnis hat ihm in die Seele geredet wie ein Mahner. Wer seinen Verfall gesehen und gewußt hat, daß dieses Genie nicht mehr lange leben werde, Meister, dem hat sich das Herz im Leibe geängstigt. Euch hat er verehrt wie wenig andere, und was gäbe ich darum, könnte er heut vor Euch stehen wie ich. So aber ist er dahin, sein Geist ist aus dem irdischen Leib aufgestiegen in den Parnaß. Seine Werkstatt ist verwaist und leer, seine Schüler weinen und klagen. Ganz Rom trauert!«

Wie ein Schluchzen klangen die Worte Vincidors, und Dürer schrie auf.

»Es ist ja nit möglich! Saget, daß Ihr lügt! Raffael lebt, er muß ewig leben! Ein Gott, ein solcher Gott kann doch nit sterben!«

»Sein Geist und seine Werke leben, sein Leib ruht in der Gruft.« Tränen rannen über die gebräunten Wangen des Bolognesen. »Sein herrlicher Leib ist tot. Rom, Italien, die ganze Welt trauert um den unersetzlichen Verlust des größten Meisters der Schönheit.«

Lange saß Dürer, die Hände über sein Gesicht gepreßt, und weinte um den gottbegnadeten Jüngling, dem alles gelang, dem die Gaben des Glückes willig in den Schoß fielen, der selbst Kardinal geworden wäre, der einen Palast besaß, der wie ein Fürst, begleitet von seinen Schülern, durch Rom ritt, den alle Frauen liebten und begehrten; und der hat so früh sterben müssen!

»So ist wieder einer dahin!« klagte Dürer. »Wie wird diese vollkommene Seele irren müssen, ehe sie wieder in einem so schönen Leibe wird weiterwirken können.«

»Albrecht!« Agnes räusperte sich, sie litt diesen Heidenglauben nicht. Aber der Meister, von seinem Schmerz betäubt, hörte nicht auf sie und klagte:

»Die Jugend war sein Anfang und sein Ende auch. Glücklich ist, wer so frühen Ruhm gewinnt und in diesem Ruhme sterben kann, um ewig weiterzuleben in seinen Werken, ohne Enttäuschungen.

Jetzt wird er selbsteigen als Apollo unter seinen Musen am Parnaß stehen, so wie er es in seinem Fresko wunderbar erträumt hat. Und *ich* leb' noch, ich muß mein schweres Kreuz aufs Golgatha tragen, bis ich unter seiner Last zusammenbreche. Herrgott, dein Wille geschehe!«

Frau Dürer räusperte sich zum zweiten Male; erzürnt blinzelte sie ihren Mann an und rief:

»Albrecht!« Der Ton ihrer Stimme zerriß die Stille. Vincidor blickte sie mahnend an, sie möge die Ergriffenheit des Meisters nicht stören; da schwieg sie. Aber die schmerzlichen Worte Dürers erregten sie.

»Ihr seid zu melancholisch, Meister!« sagte leise der Bolognese und trat nahe an Dürer heran. »Euer Golgatha ist der Ruhm, der Euch erdrückt. Ein Künstler ist immer ein Gekreuzigter, der seine Überzeugung, seine Arbeit, seine Qualen für die Menschheit aus innerster Liebe zur Kunst, zu seinem Gotte ausstreut. Klaget nit, Meister! Ihr stehet groß da, umjubelt von allen, die Euch lieben, Ihr habt Eure Mission erfüllt, wie es nur wenige konnten, wie nur wenige dazu begnadet sind. Und alle glauben an Euch, so wie Raffael an Euch geglaubt hat.«

Dürer sprang auf, die Worte gaben ihm den Mut wieder; er fühlte, wie die Schleier vor seiner Seele fielen, er sah wieder Licht. Glaubte man doch an ihn? Trieb man keine Fastnachtspossen, war er wirklich der Große?

»O könnten es die Menschen wissen, wie ich leide, wie ich nach der Kunst schmachte, wie gerne ich einmal ganz Großes, ganz Gewaltiges im Geiste des Michelangelo schaffen wollte, um mich selber zu befreien, zu prüfen, ob ich ein Großer bin! Eher glaub' ich's nit! Mir kommt mein Ruhm nit echt vor, ich bin wie ein Akteur –«

»Ihr seid vergrämt!« fiel ihm Vincidor in die Rede. »So war Raffael auch, so sind Lionardo und Michelangelo. Ihr seid einer von denen, die im Schaffen sich selbst verlieren. Meister Lionardo hat gesagt: ›Nur die Kleinen ertragen den Ruhm, nur die Blinden sehen sich vollkommen, der wahre Große fühlt sich klein, weil er im zeitlichen Leben für die Ewigkeit schaffen muß und dabei seine Menschennot nicht überwinden kann.‹«

In diesen Akkord tröstender Worte schrillte ein Mißklang, daß Vincidor auffuhr. Frau Agnes' Stimme rief:

»Das sag' ich auch! Er ist wie ein Kind, der Albrecht, wie ein Kind, das nit weiß, was es will, und am liebsten heult! Ihm ist die Kümmernis das allerliebste!«

Vincidor maß sie mit abwehrender Gebärde. Wer ist das Weib, das ihren Mißklang in die Harmonie der Seelen schreit? dachte er. Zu Dürer gewendet, sagte er mit fragendem Blick:

»Ist das etwa Eure Wirtin?«

Dürer blickte mit ernster Miene seine Agnes an, die ihre Körperfülle aus dem Lehnstuhl riß und mit zorniger Gebärde vor Vincidor trat.

»Was sagt der Welsche? Ich eine Wirtin? Ich? Habet Ihr keine Augen? Sehet Ihr nit, daß ich des gerühmten Meisters Dürer Eheliebste bin?«

Vincidor prallte erschrocken zurück. Dürer lächelte Frau Agnes mitleidig an, ihr Eifer belustigte ihn. Der Bolognese verbeugte sich artig vor der Zornigen, die er so verkannt hatte, und sagte ruhig:

»Verzeihet, Dürerin! Ich bin ein Idealist, ich suche immer die gleiche Art am Paar.«

Frau Agnes schwieg, als fahnde sie nach einer Entgegnung; da sie keine fand, neigte sie sich dem Papagei zu, hob ihn auf ihren Arm. Mit einem vernichtenden Blick aus ihren verquollenen Augen den Idealisten durchbohrend, schritt sie entrüstet zur

Tür. Ehe sie sie öffnete, wendete sie nach ihrer Art noch einmal ihre üppige Gestalt um und rief zurück:

»Albrecht! Hüte dich vor den Welschen, sie tragen den Dolch mit sich. Hüte dich, daß dir's nit so ergeht wie dazumal in Venedig!«

Dürer lachte, erst als Frau Agnes die Tür von außen geschlossen hatte, sagte er fröstelnd:

»Kommet hinweg von hier. Es ist kein Ort der allerinnersten Weihe.«

»Gehet mit mir in meine Werkstatt, Meister!« bat der Bolognese. »Ich habe die Stiche Markantons alle beisammen von den Werken Raffaels, auch zeige ich Euch die Kartons, die er für die Teppiche gemalt hat; da wollen wir stille Andacht halten. Es gibt Stunden im Leben, wo einen alle Menschen stören, selbst wenn sie uns die nächsten sind. Auch möchte ich bitten, mir zu einem Konterfei zu sitzen. Das soll den Schülern Raffaels, die Euch durch ihn lieben, sagen, daß ich Euch von Angesicht zu Angesicht erschaut habe!« –

Dürer hüllte sich in seinen Mantel, froh, die düstere Stube verlassen zu können, schritt er neben Thomas Vincidor durch die Straßen und Gärten dem Hafen zu.

Als die beiden in den Arkadenhof des Hauses traten, wo Vincidor seine Werkstatt eingerichtet hatte, sah Dürer Susanna Horebout bei dem breiten Steinbrunnen stehen. Die Sonne umfloß ihre herrliche Gestalt. In ein helles, leichtes Kleid gehüllt, stand sie wie ein Wunder der Schönheit da und füllte einen Kristallbecher mit Wasser. Mit leicht vorgeneigtem Leibe trank sie. Dürer war so hingerissen von dem Anblick dieser Jungfrau, daß er vergaß, Vincidor zu sagen, er wolle von der Schönen nicht erkannt sein. Der feurige Jüngling lief zu Susanna und rief ihr glückstrahlend zu:

»Freuet Euch, Genius der Kunst! Sehet hin, dort steht Euer so heiß ersehnter Meister Albrecht Dürer!«

Susanna schaute Dürer an, ihre Hände sanken willenlos nieder, der Becher entglitt ihren Fingern, ihre Gestalt reckte sich, die großen Augen weiteten sich immer mehr – ein helles Rot flammte in ihrem Gesicht auf, dann sprach sie tonlos, ihre Enttäuschung nicht verbergend:

»Ihr? – Ihr seid es also doch?«

Sie taumelte ihm einige Schritte entgegen, blieb plötzlich stehen, ein Zittern befiel sie, schluchzend, in jäh ausgelöster Ergriffenheit bedeckte sie ihr Gesicht mit der Hand.

»Armer Meister!«

Dürer ging auf sie zu. Er war ergriffen von ihrer Enttäuschung. Sie löste die Hand von den Augen und starrte ihn wieder an, durchdringend, als wolle sie ein Wunderbares an ihm erschauen. Da sagte er leise:

»Euch ergeht es so wie dem guten Thomas mit meinem Weibe. Ihr habt in mir eine erleuchtete Seele gesucht, wie er in Agnes eine Schönheit gesucht hat. Ihr habt Euch von mir ein Idealbild erträumt und seid nun enttäuscht. Jungfraue, meine Kunst ist ein knochig, hartes Weib, kein Ideal, und ein alter Römer hat gesagt, daß Mann und Weib, so sie sich im Inneren finden, sich auch im Äußeren ähnlich werden. Ich bin so, wie meine Kunst ist: ein schlichter, armer, enttäuschter Sucher nach dem Großen. Ich stehe wie Ihr am Anfang der Stufen; das Ende kenne ich nit. Das kennt keiner, nur Raffael hat es erreicht. Er ist der Glücklichere!«

»Armer Meister!« schluchzte Susanna, überwältigt von der Demut Dürers. Ihr war nun angst vor ihm, den sie in dem Fremden ahnte, der ihr schon so nahe gekommen war, daß sie allzu willig ihre Liebe zu ihm verriet. Nun stand er mit traurigen Augen vor ihr, und sie empfand schmerzliches Mitleid mit ihm. Aus diesen und den früheren Worten Dürers wurde es ihr klar, daß er leide, daß er in der Kunst nicht Genüge fand, daß er seinen Ruhm nicht ertrug. Und sie hatte sich ihn als Schaffenden vorgestellt, stolz und bewußt seines Könnens, in Sicherheit und Unnahbarkeit als Genie, wie es kein zweites gab. Nun sah sie in ihm den Zermürbten, vom Leben Geschreckten, demütig seiner Schwächen bewußt. Starr stand sie eine Weile wie eine Statue vor Dürer, sie wollte sprechen, aber ein scheues Gefühl preßte ihr den Atem ab. Rasch wendete sie sich und lief den Hof entlang der Haustreppe zu in die Werkstatt.

Schluchzend warf sie sich in die Arme ihres Vaters und stammelte:

»Ich hab' ihn gesehen, ihn, den Dürer. Vater! Seine Seele ist so wund wie die meine, er ist von der Kunst so unbefriedigt wie wir. Sein Ruhm ist ihm Enttäuschung, er sagt: Raffael sei der Glücklichere, weil er starb. Ist das nicht ergreifend? Der arme, arme Meister!«

Geraert Horebout strich der Enttäuschten die Locken aus der Stirn und flüsterte:

»Mein Kind! In den Planeten ist das Geschick des Menschen vorbestimmt, es wird mit ihm gezeuget, mit ihm geboren und stirbt mit ihm. Der Strom des Lebens treibt es. Besondere Menschen haben zwiefache Ströme. Der stärkere ist der, von dem man nichts weiß, der von Gott kommt und in den unsere andere Welt versinkt. Dafür fließen im anderen Strome solcher Besonderen alle Widerstände, die den Strom von Gott hemmen wollen. Der Kampf im Inneren ist ein schwerer, ein beständiger, und der Maßstab dieses Kampfes der beiden Strömungen ist auch der Maßstab des erreichbar Großen im Geiste. Daher darfst du Dürer nicht beklagen, seine Ströme sind seine Größe. Triebe nur Freude in ihnen, so wäre Albrecht Dürer nicht mehr als jene, die nur das Leben genießen und nicht wissen, warum der Heiland sich für uns aufgeopfert hat. Mein Kind! Weine nicht um den Meister, seine Mission ist heilig, seine Erkenntnis kommt von Gott: Er ist der Christus der Kunst!«

»Ich sah ihn anders: Er schien mir wie ein Held!«

»Wir sehen alle anders, die Großes vollbringen. Wir sehen Christus auch als Helden. Er aber war die tiefe Demut, die Verlassenheit. Er stand allein auf den Wogen seiner Zeit. Mein Kind, der ist nicht allein Held, dessen Schwert von der Kraft seiner Muskeln geschwungen wird. Der größere Held ist der, dessen Seele standhält gegen die Bedrohungen des Lebens. In Knechtschaft und Not den eitlen Wahn besiegen, am Gipfel stehend erkennen, daß dieser Gipfel aus den Tiefen des Lebens und der Kunst aufragt; und dann ertragen in der Erkenntnis, wie wenig zu erreichen ist: Das ist das Heldentum des Geistes. So mag Jesus Christus am Kreuze erkannt haben, daß nur Gott der Meister ist.«

»Und der Heilandgedanke?«

»Er erlöst die *anderen*, die ihm nachfolgen.«

Eines Morgens, da der Schnee aus den Wolken stob und ein eiskalter Wind über die Schelde strich, begab sich Dürer, in einen dicken Pelz gehüllt, zur Ausfahrt gegen Zierikzee auf Zeeland. Ihm wurde erzählt, daß die ungeheure Sturmflut einen Riesenwal von nie gesehener Größe ans Land geschwemmt habe. Der sei mehr als 100 Klaftern lang, könne aber nicht vom Ufer fort, denn er wäre so groß, daß die Leute meinten, niemand vermöchte es, ihn in einem halben Jahre aufzuhauen und Öl von ihm zu sieden. Da fürchteten sie einen unerträglichen Gestank, wenn der Walfisch eingehen sollte. Diese Nachricht lief durch Antwerpen wie eine grause Wundermär.

Das durfte sich der Naturfreund und Liebhaber aller Seltenheit nicht entgehen lassen, dieses Wunder mußte er nach der Natur zeichnen und seiner Kunstware zuführen. Kupferstiche von solchen abnormen Dingen kaufte das neugierige Volk am liebsten, und dieses Geschäft bot insbesondere Frau Agnes Aussicht auf großen Gewinn.

So fuhr Dürer trotz der Dezemberkälte nach Bergen op Zoom, wo er in Anbetracht kommender Faktorenmühsale für seine Frau ein flämisches Kopftuch einhandelte, in dem er sie später konterfeite.

In Bergen traf er Nürnberger: den Sebastian Imhoff, der ihm in Venedig so gute Dienste geleistet und ihm auch diesmal Geld lieh, und den Handelsherrn Georg Kötzler, der ihn begleiten wollte.

Die Landschaften, die baulichen Eigenarten von Kirchen und Windmühlen, das bunte Treiben des Volkes fesselten Dürer dermaßen, daß er sein Skizzenbüchlein fleißig füllte.

Auch Porträts zeichnete er. Während er so der Weite nachzog, entging es ihm nicht, wie sich das Land veränderte. Der tiefe Winter bot Bilder von ungewöhnlicher Schönheit, und Dürer genoß sie, trotzdem ihn stahlharte Eissplitter, vom Sturm geschleudert, trafen und eine nie empfundene Kälte seinen Leib durchschauerte. Er kämpfte sich wacker durch und genoß die strahlende Sonne, die eine unglaubliche Klarheit in die schöne Landschaft goß. Die Ebene, die in den Armen des Horizonts träumte, weitete seinen Blick. Dürer hüllte sich in den Pelz hinein, so daß nur seine Augen Ausblick fanden. Diese Reise aber wurde für die schwächliche Gesundheit des Meisters verhängnisvoll. Bei der Landung in Arnemuiden geriet das Schiff, auf dem er mit Kötzler fuhr, in Seegefahr, als es beinahe alle Passagiere bis auf wenige verlassen hatten. Ein mächtiges Handelsschiff, das der Sturm ans Land stieß, drang mit solcher Kraft an das Fahrzeug, in dem Dürer, Kötzler, der Schiffsherr, ein altes Weib und ein Kind sich noch befanden, daß das Seil riß und die zurückflutenden Wogen es wie eine Nußschale ins wilde Meer trieben. Soviel die Insassen auch nach Hilfe schrien, wagte doch kein Lotse das Werk der Rettung. Das Schifflein stieg auf den hochtürmenden Wogen in die Höhe und sank tief in das Brausen und Gischten hinab. Ohne Schiffsmannschaft, die das Segel hätte heben können, schien das Fahrzeug jede Sekunde zu kentern. Verzweifelt schrie der Schiffsherr, das Schiff und alles darauf, Menschen und Waren, seien verloren. Schon drang die Flut über die Planken, daß die Wände erbebten. Die Verzweiflung war groß, ein Schreien und Jammern hub an, nur Dürer blieb ruhig, er sprach vernünftig auf den Schiffsherrn ein, er möge sagen, was zu tun sei, und solle auf Gott vertrauen, der würde schon helfen. Bei den ruhigen, starken Worten kam der Schiffsherr wieder zur Besinnung. Er erklärte, wenn sie die Kraft aufbringen würden, das kleinere Segel nur einigermaßen hochzuziehen, könne er das Schiff steuern. Die drei Männer warfen ihre Pelze ab, griffen nach den Tauen, und mit größter Kraftanstrengung, langer, harter Arbeit im Ringen gegen den Sturm, gelang es ihnen, das Segel zu hissen. Das Schiff konnte nun mit vieler Mühe in den Hafen gesteuert werden.

Diese Riesenanstrengung, die dem Meister den Schweiß aus allen Poren trieb, während ihn der eisige Nordsturm durchblies, die Angst vor der Gefahr, der Anblick des nahen Todes erschöpften Dürer dermaßen, daß er an Land zusammenbrach. Tagelang mußte er seine Reise unterbrechen, und als er endlich in Zierikzee ankam, hatte die Flut das Fischungetüm vom Strande wieder fortgeschwemmt. So war Dürers beschwerliche Fahrt, die ihn in Todesgefahr brachte und den Keim zu einer schweren Krankheit in ihn legte, vergeblich gewesen.

»Wie bin ich arm!« klagte er. »Nichts kann ich erreichen, die Schönheit flieht vor mir, die Naturwunder entreißen mir Stürme, wie soll ich da standhalten in meiner Kümmernis?«

Nach der Rückkunft in Antwerpen befiel Dürer ein heftiges Fieber mit Ohnmachten. Der Arzt wußte keinen Rat, er erkannte diese Krankheit nicht. Jedenfalls hatte die Überanstrengung bei der Schiffsrettung ein edleres Organ in seinem Innern verletzt, denn der Kranke litt furchtbarste Schmerzen. Die aufopfernde Pflege Frau Agnes' brachte dem Meister Erleichterung. Aber kaum war er so weit, daß er das Bett verlassen konnte, erneuten sich die Ohnmachten, und einige Wochen verstrichen, ehe Dürer wieder ausgehen konnte.

Inzwischen hatte das tolle Fastnachtstreiben die lustigen Antwerpner erfaßt. Die Verehrer und Freunde des Meisters zogen ihn bald wieder in ihren Strudel hinein. Er entwarf Kostümbilder zum Mummenschanz für Fuggers Faktor, den portugiesischen Gesandten Lopez und andere, konterfeite seine neuen Verehrer, wurde gefeiert und in laute Feste getrieben. Er malte aber auch Heiligenbilder, die er teils verschenkte, teils verkaufte. Große Aufträge bekam er keine. Auch Frau Agnes bestürmte ihn, einige Marienbilder in Kupfer zu stechen. Er sah sie lächelnd an, denn in den Tagen seiner Krankheit war sie ihm wieder nähergekommen, ihre willige, sorgenschwere Pflege gab ihm neuen Beweis ihrer Liebe und Herzensgüte. Sie war ihm wertvoller erschienen als jede Schönheit. Und doch, kaum genesen, verlangte er von ihr wieder Seele, die die seine würdigen sollte. Ihr Drängen nach Marktware verletzte ihn, er fand nur ironischen Spott für ihre Wünsche:

»Weißt du denn nit, mein' Agnes, daß Doktor Luther die heilige Maria abschaffen will, weil sie keine Himmelskönigin ist, sondern nur die Magd des Herrn? Wer soll dann solche Stiche kaufen? Wär's nit besser, ich würde die schönen Maidlein, so beim Einzug dem Kaiser gehuldigt haben, auf meine Kupferplatten stechen? Oder solche Blätter schaffen wie damals mein ›Glück‹ oder meine ›Nemesis‹? Aber ach, deines Leibes Umfang ist gar zu gewaltig, was müßt' ich für große Platten haben!«

Schnippisch wölbte Frau Agnes ihre Lippen, listig äugte sie ihren Herrn an, dann sagte sie schelmisch:

»Ist auch bei dir vorbei, das Jungsein. Kein Maidle würd' sich mehr von dir visieren lassen, höchstens die alte Gärtnerin, die vergönn' ich dir. Dem Luther aber, diesem Ketzer, möchte ich schon ein Wörtl sagen, wenn er es wagen wollte, meine liebe Mutter Gottes abzuschaffen! Wenn sie auch die fromme Magd des Herrn war, so hat sie Gott selber in den Himmel aufsteigen lassen und auf seinen Thron gesetzt. Wirst dich doch von diesem schlechten Mönch nit etwan gar von deinem Glauben abbringen lassen!«

Dürer ließ Frau Agnes eifern und lachte über ihren unbeugsamen Marienglauben.

In einer Gesellschaft von Gelehrten lernte der Meister Erasmus von Rotterdam, die Sekretäre von Antwerpen: den bekannten Rhetoriker Cornelius Grapheus und den Literaten Maynaert Cuypers, dann den Astronomen Ketzer und andere bekannte Männer der Wissenschaft kennen, die großen Gefallen an ihm fanden. Bald vereinte das geistige Band den Meister der Kunst mit den Humanisten auch in Antwerpen, und er atmete wieder auf, denn die Huldigung dieser Männer nahm er ernst.

Erasmus von Rotterdam lud ihn ein, zu ihm zu kommen und ihn zu porträtieren, was Dürer nicht nur als Künstler willkommen, sondern als Lutherfreund auch erwünscht war, denn bei diesem Gelehrten erhoffte er einen tieferen Einblick in die evangelische Glaubenssache zu gewinnen. So nahm er die nächste Gelegenheit wahr und ging mit seinem Handwerkszeug in das Haus, das der gefeierte Glaubensstreiter in der Zeit seines Antwerpner Aufenthalts bewohnte.

Erasmus von Rotterdam, der unruhige Wanderer, hatte sein Lehramt an der Hochschule zu Löwen, das er nur drei Jahre innehielt, aufgegeben. Er wollte seiner vielseitigen Wissenschaft leben. Sein Ruhm, den er in Deutschland erwarb, trieb ihn wieder dorthin zurück. Ehe er nach Basel ziehen wollte, hielt er sich kurze Zeit in Brügge und in Antwerpen auf, wo er den Mittelpunkt des geistigen Lebens bildete. Sein Ruhm als Philologe, als fruchtbarer, geschmackvoller Schriftsteller und als glänzender Weltmann räumte ihm den ersten Platz unter den Gelehrten ein. Es schmeichelte seiner Eitelkeit, wenn er von allen namhaften Männern verehrt wurde. Sein klassisches Vielwissen, hauptsächlich in der griechischen Literatur, trieb ihn zu sehr vielen Ausgaben alter Schriftsteller, wie Cicero, Seneca, Lucian, Aristoteles und vieler anderer. Seine reformatorischen Gedanken verfeindeten ihn mit der Kirche. Dem Papst widmete er eine lateinische Übersetzung des »Neuen Testaments«, der er eine geistvolle Paraphrase folgen ließ. Weil diese an der Vulgata ironische Kritik übte, wurde er von den Kirchenfürsten heftig angefeindet. Seine geistvolle Satire auf alle Stände: »Lob der Narrheit«, war, von Holbein illustriert, das gelesenste Buch seiner Zeit. An Luthers Reformgedanken schloß er sich zuerst rückhaltlos an; später befehdete er als Aristokrat den starken Volksmann, dem des Volkes Aufruhr zugeschrieben wurde.

Es waren erquickliche Stunden für Meister Dürer, die er bei Erasmus verbrachte. Bei anregenden Gesprächen zeichnete Dürer den Gelehrten unter Büchern bei der Schreibarbeit an seinem Pulte stehend. Er durfte in dem Bilde alles Herbe, Aufrichtige und Urwüchsige nicht betonen, da es sein Modell nicht zuließ. Die gelehrte Spitzfindigkeit, das elegante Gehaben und die eitle Versunkenheit in Pose und Stil des Gelehrten beirrten das offene Empfinden des Meisters, der dieser Zierlichkeit nichts Sicheres abgewinnen konnte, und so entstand ein gequältes Bildnis, das Dürer einige Jahre später noch gequälter, in feinster Ausführung, in Kupfer stach.

Diese vom Willen zweier starken Geister getriebenen harmonischen Gesprächswellen warf mit einem Male ein Ausruf in Aufruhr, wie ein Fels die Wellen aufsprühen läßt, wenn ein Ereignis ihn in die Flut hineinwirft. Maynaert Cuypers stürzte in die Studierstube herein und rief:

»Luther hat gesiegt!«

Erasmus sprang auf, umarmte den Sekretarius und jubelte:

»Dann ist die Welt sein! O lieber Gott, wie danke ich dir, daß du es hast zugelassen!«

Dürer ließ sein Zeichenbrett fallen. Eine tiefe Erregung, eine mächtige Freude hatte ihn ergriffen. Er faltete die Hände und sprach:

»Herr, so schickst du doch deinen Geist wieder über uns. O daß ich's noch erleben möge, daß sich mein Sehnen und Ahnen erfülle! Nun ist mir nit mehr bange. Die Not der Seele wird Erlösung finden!«

»Die Not der Seele nur?« rief Erasmus, von Dürers Sehertum mitgerissen. »Auch die Not der Zeit, die Not der Starken und der Schwachen, der Sehenden und der Blinden! Die schwankende Zeit ist vorbei; sie mußte der Reform weichen! Ich hab' das schon in meinem ›Enchiridion militis christiani‹ dargelegt, nun mußte es sich erfüllen. – Cuypers, Eure Botschaft ist groß und reich, doch ist sie nicht zu Ende. Erzählet, was Ihr im Wormser Konzilium erlauscht habet. Wie verhielt sich der Kaiser zu Luther?«

Maynaert Cuypers setzte sich lächelnd in den Lehnstuhl und blickte Erasmus spöttisch an. Er kannte den Gelehrten, der andere die Kämpfe ausfechten ließ und dann zu jener Partei hielt, aus der der Sieger hervorging.

»Wäret Ihr dort gewesen, Euer Wort hätte vieles erleichtert. So aber stand Luther allein vor den Herren, kein Freund hatte den Mut, in dieser Disputation sein Schildträger zu sein. – Der Kaiser? Was wollet Ihr von diesem Knaben? Er verstand ihn nicht, denn Luther sprach deutsch! Er stand für seine Lehre ein, verleugnete seine Schriften nicht, er verteidigte das wahre Wort Gottes in seinem eisernen Willen. Der Kaiser maß ihn voller Hohn. Die Worte Luthers dröhnten wie Glockenschläge. Kein Atemzug unterbrach ihn. Er erhob seine Stimme wie Orgelton, er habe Gott zum Preise und den Menschen zur Erbauung seine Schriften ausgehen lassen. – Im Saale widersprach keiner des kühnen Mönches Rede. Stände und Fürsten, Legat und Bischöfe waren erstaunt über den Wagemut Luthers. Der Kaiser starrte ihn mit zornigen Blicken an, Luther aber sah ihm in die flackernden Augen, und immer drohender wurden seine Worte, immer dröhnender klangen seines Geistesschwertes Hiebe. Er enthüllte dem gekrönten Knaben das deutsche Herz, den Willen der Deutschen zur Wahrheit und Freiheit des Glaubens!«

»Und der Kaiser, was sagte der Kaiser?« rief, erhitzt von dem Gehörten, Erasmus, der in mächtiger Erregung den Worten des Sekretarius folgte.

»Der Kaiser schlug zornbebend mit den Händen auf den Stuhl, als Luther ihm zurief, er möge bedenken, wie strenge und erschreckend Gott in seinen Räten, Vornehmen und Ausführungen sei, wenn der Kaiser fortfahre, das Verbot der Bibel, die Verdammung des wahren Wortes Gottes, das er, Luther, aus der Sintflut der Irrungen retten wolle, zu unterstützen und den kaiserlichen Willen in seiner Jünglingsseele zu einem unglücklichen Regentenanfang im Trotz zu zwingen.«

Dürer stand an das Schreibpult gelehnt, mit verschränkten Armen, seinen Leib vorgeneigt; Luthers Heldentum erschütterte ihn. Traurig rief er:

»Warum hat Gott den guten Kaiser Maximilian so früh abberufen, er hätte Luther nit getrotzt. Was aber vermag eine Knabenseele gegen diesen Mann?«

»Glaubet Ihr, Meister«, fuhr Erasmus auf, »daß Maximilian dem Papst hätte widersprechen dürfen? Was gilt im Streit für den Glauben ein wankelmütig Kaiserwort? Luther hätte dem Legaten widerstehen müssen, denn der leitet den Kaiser!«

»Er hat es getan!« rief bewegt der Sekretarius und sprang auf. »Er hat sich nicht gescheut, der Mutige! Er hat sich erboten, aus der Heiligen Schrift alle Exempel anzuführen: wie Pharao zu Babylon und die Könige Israels sich selbst ihre Zeit verdarben, da sie an den allerklügsten Räten ihre Königreiche zu festigen glaubten, ehe sie einsahen, daß Arglist und Unwissenheit vor Gottes Wahrheit nicht bestehen konnten! Das donnerte er mit Macht dem Legaten zu. Wie mutig Luther auftrat, bewies, daß Fürsten und Stände aufsprangen und sich schützend um ihn stellten. In diesem festen Ring von deutschen Männern sprach der Kühne weiter, er wolle zur Ehre der deutschen Lande seine Kraft in die Dienste der Wahrheit stellen, vor nichts zurückschrecken, und gelte es, sein Leben zu opfern, denn er stehe in Gottes Hand.

Wie er so unwiderstehlich dastand, brach ein Lärmen los, alle umdrängten, umjubelten den Mönch, der in unerhörter Kühnheit eine Sprache vor dem Kaiser und den Abgesandten des Papstes führte, die ihresgleichen nie fand. Die einen schrien im Zorn, die andern in Freude, da sie dieses Bekenntnis der Wahrheit hörten.«

Erasmus lief in der Studierstube auf und ab, alles bebte an ihm, er empfand neidisch, wie erleuchtet dieser Mönch sein müsse, daß er solchen Mut aufbringen konnte. Ihn schauderte vor diesem Unheimlichen, der seine Widersacher so beschämte. Aufgeregt rief er:

»Und was geschah? Hat Dr. Eck, sein ärgster Feind, nicht die Fragen gestellt, die Luther umstricken und zum Widerruf treiben sollten, wie er ausschrie? Hat er ihm nicht die Falle gelegt, in der er ihn fangen wollte?«

»Wohl hat er das! Aber seine Argumente prallten an dem starken Felsen ab wie schäumende Wogen. Was nützte dem Eck die verfängliche Frage, mit der er den Kühnen zu stürzen gedachte, die Frage, ob Luther bei der Behauptung bleibe: daß sich *die Konzilien bisher geirrt hätten*? Sie brachte die Erlösung, um die alle Deutschen bangten. Luther reckte sich mächtig empor, erhob seine Hand, als riefe er Gott an, und mit Donnerstimme posaunte er in den ängstlich stillen Saal: ›So will ich meine Antwort geben: *Es sei denn, daß ich mit klaren Gründen der Heiligen*

*Schrift überwiesen werde, dann will ich widerrufen!‹* Der Saal erbebte, denn ein mächtiger Tumult brach los.«

Erasmus sank in den Stuhl, diese Kraft Luthers überwältigte ihn. Dürer atmete auf, Tränen der Freude perlten aus seinen Augen. Er, der so felsenfest am katholischen Glauben hing, bedachte er in dieser Minute nicht, wie Luther an den Pfeilern der Kirche rüttelte, um sie ins Wanken zu bringen? Kam er sich nicht wie ein Abtrünniger vor? Cuypers fuhr fort:

»Dieser Mönch, dessen Geist nicht zu bezwingen war, siegte mit Gewalt. Der Kaiser lachte höhnisch auf. Der Lärm im Saal wurde immer mächtiger, alle deutschen Herzen schlugen dem Kühnen stürmisch entgegen, die Fürsten umringten ihn. Karl, der Gefahr fürchtete, sprang entsetzt auf, er mochte das Furchtbare seiner hilflosen Lage erkannt haben. Luther aber, der eiserne Held, trat ihm entgegen; freimütig und feierlich, seine Hände auf die Brust gepreßt, rief er dem Herrscher zu: ›*Hier stehe ich! Ich kann nicht anders! Gott helfe mir! Amen!*‹ Diese Worte rollten wie Felsblöcke zum Kaiser hinüber, der vor ihrem Anprall zurückwich. Er winkte entsetzt, daß Luther gehen möge.

Die Herzöge Erich von Braunschweig und Albrecht von Brandenburg führten Luther aus dem Saale, der sich noch einmal umwandte und ausrief: ›Ich bin hindurch!‹ Diesen Ausruf jubelte er siegesgewiß, denn er hatte die Zuversicht, daß Gott ihm wider alle Not und Kampf das deutsche Glaubensschwert verliehen habe.«

Wie nach einem Gewitter die erlösende Stille über den Wäldern atmet, befreit vom Druck und der Schwüle, so lag erlösende Stille über den Gemütern der drei, die in Luther den Reiniger des Glaubens wähnten, die, erschüttert von der Kraft dieses Mönches, keine anderen Empfindungen hatten, als Gott zu danken, daß er den Geist dieses Deutschen erstarken ließ. Erlösende Zuversicht strahlte aus den Augen der drei Getreuen.

Da schlug die Tür mit Ungestüm auseinander, von Staub überhüllt, in Glut der Aufregung getaucht, sprang Kaspar in die andächtige Freude hinein, vom Grauen getrieben; atemlos vom anstrengenden Ritt, schrie er Dürer zu:

»Meister, vernehmt die entsetzliche Kunde, ganz Deutschland ist auf, ein mächtiges Wehklagen erfüllt aller Herzen: Der Ehrdoktor Martin Luther ist von päpstlichen Reitern gefangen worden!«

Kein Atem ging, so krampfte nach der eben erst gewordenen freudigen Genugtuung über Luthers Sieg nun der Schrecken über das Unglück, das seine Person traf, die Herzen zusammen. Wie wenn sie das Ungeheuerlichste erschauen würden, starrten die angsterfüllten Augen den Bringer der Hiobspost an. Unwillkürlich sprang Dürer einige Schritte zurück, an das Schreibpult taumelnd, dann ermannte er sich, schritt auf Kaspar zu und schloß ihn in seine Arme. Vor dem sieghaften Wagemut des Glaubensriesen Luther war die Zaghaftigkeit in Dürer gewichen; er hatte empfunden, daß ein Funken von dem Heroismus des Wittenbergers in seine Seele übersprang, sie belebte und von den Ängsten der Glaubenszweifel befreite – und nun brach das alles, wie unter einem Keulenschlage, zusammen. Wieder trat der Zweifel hervor und schrie in seine Seele: »Gott hat ihn vernichtet. War er der Berufene? Ist Gott die Liebe oder die Gewalt, die keinen Mut belohnt, keinen Geist anerkennt? Ist sein Sohn nicht auch vernichtet worden durch den Willen des Vaters? Wo bist du, Liebe Gottes, die ich von dir ersehne?«

Plötzlich riß sich Dürer aus den Armen Kaspars, seine Hände ballten sich, er hob sie hoch auf, seine tränenfeuchten Augen schlossen sich. Wilder Schmerz verzerrte seine Züge, eine fromme Einkehr der Demut verschönte sie allmählich, dann öffnete er seine Augen weit und sprach:

»Und wenn wir diesen Mann, der da klarer geschrieben hat als irgendeiner, der vor 140 Jahren gelebt hat (Wiklif), und dem du, o Gott!, solch einen evangelischen Geist gegeben hast, verloren haben sollen, so bitten wir dich, o himmlischer Vater, daß du deinen heiligen Geist wiederum einem gibst, der da deine heilige, christliche Kirche allenthalben wieder versammle, auf daß wir einig und christlich zusammenleben und damit alle Ungläubigen unserer guten Werke halber unseren Glauben begehren.«

Dürer atmete schwer. Sein Leib reckte sich hoch, die Hände legte er über die Brust, seine Augen erglänzten wie im Fieber. Die Herren konnten die Blicke von ihm nicht losreißen, eine tiefe Ergriffenheit ließ sie vor diesem Glaubensbekenner, der Luthers Tod beweinte, verstummen. Erasmus dachte: »So muß Christus im Ringe seiner Apostel am Ölberge gestanden sein, als ihn Judas verraten hatte.«

Dürer ließ die Arme sinken und fuhr fort:

»O Gott! Ist Luther tot, wer wird uns hinfort das Evangelium so klar vortragen? O Freunde! Helfet mir, ihn beweinen, diesen von Gott begeisterten Menschen, helfet mir beten, daß uns Gott einen anderen erleuchteten Mann sende, auf daß die heilige Kirche sich erhalte.«

Die Augen Dürers blieben auf Erasmus ruhen, fordernd, befehlend, bezwingend, als hätte er die Macht, zu bestimmen. Er ging auf ihn zu und rief:

»O Erasmus! Was vermag die ungerechte Tyrannei, die weltliche Gewalt, die Macht der Finsternis! Höret, Ihr Ritter Christi! Reitet herfür neben den Herrn Jesum, beschützet die Wahrheit! Leget Eure Jahre, die Gott Euch bemessen hat, wohl an! Dem Evangelium, dem wahren christlichen Glauben zugute leget die Märtyrerkrone an! Dann werden, wie Christus sagt, der Hölle Pforten nichts wider Euch vermögen! Erasmus von Rotterdam, wer sonst als Ihr vermöchte es, dem Erleuchteten zu folgen, Ihr selbst seid berufen, daß Gott sich Eurer rühme, wie von David geschrieben steht. Fürwahr, Ihr seid erlesen, klug und listig, Ihr könnt mit Eurer Weisheit die babylonische Gefängnus der Kirche auftun!*)«

Ein Schauer kroch über den Leib des Angerufenen. Ihm war zu enge im Raum, er riß das Fenster auf, ein Strom Fliederduft und Kühle vom feuchten Gras drang in die Stube. Erleichtert

---

*) Die 1520 von Luther verfaßte Schrift: »von der babylonischen Gefengknus der Kirche«, welche Grapheus Dürer schenkte. (Tagebuch.) Der Klageruf Dürers ist seinem niederländischen Tagebuch entnommen (s. Heidrich: » Dürers schriftl. Nachlaß«, S. 95 ff. u. Anh.)

atmete Erasmus auf. Seiner Eitelkeit schmeichelte Dürers Anruf. Aber war er kühn genug in seiner eleganten, aristokratischen Art, um den Kampf aufnehmen zu können? Wohl griff auch er das Papsttum heftig an, aber konnte er, der feine, vorsichtige Stubengelehrte, ein Ersatz sein für den unerschrockenen, lebenskräftigen Volksmann Luther? Die erweckte Eitelkeit ließ ihn in seiner diplomatischen Art Gleiches mit Gleichem vergelten. Er sagte mit überlegener Miene zu Dürer:

»Ihr tut mir allzuviel Ehre an, Meister, so wie Ihr, den sie den deutschen Apelles nennen, dem aber Apelles*) selbst, lebte er noch, die Palme reichen müßte, der Ihr alles darzustellen vermöget, was anderen undarstellbar erscheint, der Ihr alle Leidenschaften, die aus dem Körper hervorleuchtende Seele des Menschen sprechend auf die Tafeln zu bannen vermöget, so wie Ihr für den Glauben streiten müsset aus Überzeugung, in Eurer Kunst, so vermag ich in Gelehrtheit zu schreiben, aber nit mit Kraft zu kämpfen wie Martin Luther**). Die geistige Labe, die ich geschlürft habe, kommt nit aus dem Kelch des Herrn! Mich hat Christus nit auserwählt, sein Schwert zu führen, ich bin ein Mücklein, das in Gottes Welten taumelt, aber kein Riese. Ich will einstehen für Luthers Lehre; so mich andere, die Luthers Sache verfechten, wie Ulrich von Hutten, die Fürsten und Stände, der Kurfürst von Sachsen, der Brandenburger und Braunschweiger, dazu *berufen*, den Schatz Luthers auszubauen, dann will ich willig meines Lebens Neige damit erfüllen. Gebe Gott, daß Martinus, mein liebster Freund, noch am Leben sei! Ihr aber«, er wendete sich an Kaspar, »berichtet des Näheren, wie dem starken Wittenberger Unrecht geschah! Setzet Euch, Ihr möget einen verzweifelten Ritt getan haben, um Meister Albrecht die Kunde zuzutragen!«

Verächtlich blickte Kaspar den feigen Erasmus an, der sich erst von Fürsten und Ständen, ja von seinem Feinde Hutten, den er bekämpfte, dazu berufen lassen wollte, Luthers Lehre zu

---

*) Der gefeierteste Maler Alexanders des Großen.
**) Aus den Schriften des Erasmus, über Dürer.

verfechten; dem um das zierliche Leben bangte. Wie ganz anders schlug Martinus sein Leben in die Schanzen; mit überzeugungsstarkem Mannesmute stand er vor dem Wormser Konzilium und widerstand der Gefahr. Kaspar setzte sich trotz seiner Müdigkeit nicht. Er war Tag und Nacht geritten, um Dürer, von dem er wußte, daß er in Luther das Heil des Glaubens sah, diese Nachricht zu bringen – und noch eine andere. So sprach er nun mehr zu Dürer als zu den anderen:

»Das kam so: Des Reiches Herold, Kaspar Sturm, den der Kurfürst zum Schutz des freien Geleites dem Doktor Luther mitgab, verließ ihn bei Eisenach. Da sich der gottesstarke Mann des Volkes sicher wußte, gab er ihm Urlaub. Wie er aber durchs Gebirge kam, an einen wilden Ort, fielen gewappnete Panzerreiter mit geschlossenem Visier über den Karren her, in dem Luther und seine Freunde saßen, auch ich. Sie rissen den Ehrdoktor heraus, banden ihn an ein Roß und ritten wie ein Sturm davon. Keiner weiß, wohin. Das konnten nur des Legaten Häscher gewesen sein, obzwar manches Wappenschild von deutscher Herkunft zeugte. Verräter mögen dem mächtigen Aleander ergeben sein, der Luther Blutfehde geschworen hatte. So ist der kühne Mann trotz freiem Geleite wie ein Strolch eingefangen worden von den Wegelagerern. Hutten, Sickingen und hundert andere Ritter haben die Gegend durchstreift, aber keine Spur gefunden. Wer kann es wissen, ob er noch lebt? – Gebet mir Urlaub, ihr Herren, mein Sinn steht nit nach Rast und Zeitvertun! Ich hab' dem Ehrdoktor gelobt, des Volkes Stimme zu hören über seine Glaubenssache. Er, dessen Blut vielleicht schon geflossen ist um des Glaubens Klarheit, will nit, daß ein Aufruhr entstehen möge wegen ihm; er will nit, daß Blut rinne um Christi Wort. So ihn aber Gott beschützt hat und er noch lebt, muß ich ihn suchen und ihm Nachricht bringen. In Nürnberg ist Aufruhr, auch dort will ich im Sinne Luthers zum Frieden mahnen. Er hat uns im letzten Augenblick zugerufen: ›Schützet mein heilig Werk vor wilden Horden!‹ – Kommet des Weges mit mir, Meister Albrecht, mein Rößlein harret, ich muß Euch noch Dinge künden, in denen ich Euren Rat anflehe.«

Als Kaspar mit Dürer durch die Straßen schritt, erzählte ihm der junge Goldschmied hastig von Margaretens Flucht aus dem Kloster, von der beseligenden Märchenwanderung dem Sterne nach, der sie zu Luther führte. Er sprach von dem Rat des Mönches, der ihn ausschickte, sich mit dem Vater zu versöhnen in Liebe. Aber wie hatte er seinen Vater angetroffen? Abgehärmt, von Trotz und Zorn erfüllt, fanatisch dem Papst ergeben. Ein furchtbarer Geist war in den Ratsherrn gefahren; wie das rote Tuch für den Stier, so reize ihn schon der Name Luther. Da er hörte, daß Margarete unter Luthers Schutz Frieden gefunden habe und in des Meisters Lukas Hause wohlgeborgen verweile, bis der Vater sie rufe, stieß er einen Fluch aus. »Und auf Gottes weiter Welt ist kein besserer Schutz für trostlose Seelen zu finden als bei Martinus«, schloß Kaspar seinen Bericht, »und kein reinerer Frieden als bei Meister Lukas!«

»Lukas Cranach, die liebe Einfalt«, flüsterte Dürer. »Ja, bei ihm mag der Frieden wohnen, er ist ein gutmütiger Mann und nit so streitbar wie ich.«

»Und er verehrt Euch, Meister, wie einen Gott!« bekannte Kaspar. »Aber höret: Als ich meinem Vater bekannte, daß Luther der beste Mensch sei, daß er uns mit dem Vater versöhnen wolle, da brach der Zorn in dem Frühgealterten so gewaltig aus, daß ich um seinen Verstand bangte. So ist es gekommen nach Gottes Willen, daß durch den Glauben der Vater gegen seine Kinder steht und sie wegen des Glaubens verstößt. Was sollen wir tun, Meister was sollen wir tun? Ich flehe Euch an, helfet uns, gebt uns Euren Rat.«

Dürer erschauerte vor des Ratsherrn Härte. Versonnen sprach er:

»Ausharren, bis Gott bestimmt hat, was er aus des Vaters Schuld den Kindern zur Sühne auferlegen will. Ihr stehet Gott näher als er, und keine Schuld ist so schwer, keine Not so groß, als daß Gott nit seine Gnade walten lassen wollte. Verzaget nit, Christus hat den Becher des Herrn mit Geduld und in Liebe hingenommen. Betet zu ihm, er wird Euch erleuchten. Ich fahre bald wieder heim, hier ist mir kein Trost geworden. Führet Margarete nach Nürnberg zurück; in meinem Hause kann sie harren, bis sie der Vater verlanget; das wird ihn versöhnen, und er wird euch bald rufen! Ich hab' in seiner Seele lesen können und weiß, daß er euch beide liebt.«

Joachim de Patenier feierte Hochzeit mit der schönen Johanna Noyts. Es waren lustige, übermütige Tage für das genußfreudige Künstlervolk, das vor allem volkstümliche Sonderbarkeiten liebte. Das Fest der Hochzeit wurde mit Prunk begangen, Aufzug und Kirchenfeier in malerischen Bildern arrangiert; es wurden Spiele aufgeführt, das eine andächtig und geistlich, das andere wohl in antikischer Götterfreude. Der Beschluß aber sollte in einem Wirtschaftsgarten über der Schelde in den Auen gefeiert werden nach ländlicher Art. Alle Gäste waren in des Volkes Tracht gekleidet, Thomas von Vincidor behing die Bäume mit bunten Papierlaternen, die Tische wurden nach Bauernart geschmückt; eine Tenne, auf der sonst Fischer und Landmädchen zu Dudelsack und Pfeife stampften, wurde mit Windlichtern in grellbunten Glaskugeln erhellt. Bier- und Weinfässer lagen auf mächtigen Gestellen.

Die Malerzunft und die Hochzeitsgäste waren auf einer großen Plätte über die Schelde gerudert, in ihrer Mitte Dürer und das Brautpaar.

Die Fischerschänke war ein altes Haus, mit allen Eigentümlichkeiten ländlicher Prunkliebe ausgestattet. Von der Decke herab hingen altberühmte Segelschiffe in kleinem Maßstab, Arbeiten der Schifferveteranen, die ihrer Phantasie Wunderdinge entlockten. Es hing auch das Modell jenes Schiffes dort, mit dem Kolumbus die siegreiche Entdeckungsfahrt durch den Indischen Ozean unternommen hatte. Unter Meerungeheuern, in Holz und Stoffen nachgebildet, pendelten Meerspinnen und Schildkröten von der Decke herab in buntem Durcheinander. An den getäfelten Holzwänden waren Bilder und Stiche, Holzschnitzereien, Zinnbecher und Teller zu sehen. Der ungeheure Tafeltisch, der mit Blumen geschmückt, mit Kannen und Tellern reich bestellt war, lud zum Prassen ein, denn in großen Schüsseln häuften sich des Meeres Leckerbissen in ungeheuren Mengen auf. Öllampen in bunten Gläsern und große Talgkerzen gaben dem verrußten Raume ein behagliches Licht, das groteske Schatten über die blankgescheuerten Steinfliesen warf.

Die Gesellschaft hatte es sich vorerst an der langen Tafel bequem gemacht. Neben Dürer saßen der alte Gerard David, Pateniers Meister und Lehrer, und Lucas van Leiden, der Kupferstecher. Jan Gossaert, Quentin Massys lachten über derbe Späße, die der beliebte Lautenschläger Hauptmann Felix mit der Braut trieb. Meister Jakob von Lübeck hielt Thomas von Vincidor fest, er mußte ihm von Rom, von Raffael und Michelangelo, von Leonardo da Vinci, Giulio Romano und Sebastiano erzählen, und der junge Bolognese wußte viele Dinge, die dem ehrsamen Meister neu und wunderbar erschienen.

In das Lautenspiel des lustigen Hauptmanns Felix Hungersperg stimmten bald die Frauen und Mädchen ein, sie sangen Spinnerlieder und Liebesweisen in volkstümlicher Art. Die Tochter Quentin Massys tanzte auf den Steinfliesen in den ländlichen Holzschuhen den Klappertanz der Flamen.

Dürer hörte dem Lautenspieler zu, dessen Kunst er bewunderte, und dachte an den jungen Sebastiano in Venedig, der in Rom ein großer Maler wurde, von Michelangelo geliebt und vom Papst als Siegelbewahrer ausgezeichnet; daher nannte man ihn Sebastiano del Piombo. Ihm war so wohl ums Herz unter dem munteren Volke, er vergaß seine Nöte, denn heut war nicht er, sondern der geniale Bräutigam der Gefeierte, er durfte sich an nichts anderm beteiligen als an dem ungezwungenen Treiben der Jugend und an den geruhsamen Gesprächen der Alten; er gedachte dabei an die venezianischen Abendstunden, die er im Garten Penders mit dem alten, klugen Jakomini, dessen lieblicher Tochter Anna und ihrem Herzliebsten verbrachte. Er dachte aber auch an das Gartenfest Bellinis, wo er die Sprühgeister temperamentvoller, lauter Kunstjünger von ihrem Stürmen und Drängen reden hörte. Wie leer und spießbürgerlich kam ihm Nürnberg gegen Venedig und Antwerpen vor. Dort gab es keine solche Kunstbegeisterung, keine solche schönheitstrunkene Freiheit, dort regierte der alte, gotische Sittenzwang, in der Gewalt des Stadtfriedens.

Joachim Patenier, der vor einigen Stunden noch in stolzer, reicher Künstlertracht, in lilafarbenem Samtgewand mit breiter Pumphose, Seidenstrümpfen, in mit mächtigen Silberschnallen gezierten Schnabelschuhen, um den schlanken Hals die breite, mühlsteinartige Halskrause aus weißer Seide und den großen Federhut auf den blonden Locken, stolz daherschritt neben seiner reichgeschmückten, in Brokat gekleideten Braut –, hüpfte nun in einem karierten Jäckchen, kurzen Hosen, in Holzschuhen klappernd über die Fliesen, unermüdlich bemüht, seine Gäste zu Trunk und Schmaus zu mahnen. Aus seinen Augen lachte das Glück die schöne Braut an, die er neckte, umhalste und küßte.

Nach dem lustigen Mahle lief das übermütige Volk in den Garten. Unter den bunten Papierlaternen entfaltete sich bald ein ungezwungenes Treiben bei Spiel und Tanz.

Thomas Vincidor war unruhig geworden. Seine Blicke suchten über die Schelde hinüber, ihm fehlte seines Herzens Erwählte. Oft lief er zum Ufer und spähte über die mächtige Wasserbahn, wo die Lichter in den Fenstern Antwerpens das gewaltige Schattenbild von Türmen und Giebeln wie mit goldenen Perlen bestickten. Wo blieben Geraert Horebout und seine schöne Tochter Susanna? Sie hatten versprochen, zu späterer Stunde zu kommen; der Zahlmeister der Statthalterin hinderte sie am Mitfahren. Warum kamen sie nicht?

Dürer und Meister Lucas van Leiden schritten durch den weiten Garten in ernsten Gesprächen über die Kunst. Lucas hatte Dürer viel zu verdanken, er fand an seinen Stichen die besten Vorbilder, und Dürer rühmte ihn als den größten Kupferstecher der Niederlande. Auf einer einsamen Bank, abseits vom lauten Trubel, flossen die Herzen der gereiften Männer in gegenseitiger, herzinniger Verehrung über. Jeder hatte viel Kümmernis erfahren, und auf den Wogen der Erkenntnis, daß ihre Kunst so wenig erreicht habe, trösteten sie einander, bis sie, über ihre Erfolge eifernd, froh wurden.

Inzwischen hatte Vincidor das Boot der Susanna auf dem Scheldestrom entdeckt. Er schrie in übermütiger Freude seinen Freunden zu: »Die Muschel mit Aphrodite in Sicht!« Alle sprangen an den Strand und winkten und johlten so lange, bis das Boot in den Sand stieß und der alte Geraert und die schöne Susanna ausgestiegen waren. Mit lustigem Lautenklang wurden sie zu dem Brauttisch geführt, der neben der Tenne unter einem mächtigen, leuchtenden Papierdrachen stand. Auch Susanna hatte die Volkstracht angelegt, aber um so königlicher erhob sich ihr herrlicher Leib aus dem schlichten Gewande, und Vincidor setzte ihr einen Kranz aus roten Anemonen in ihr Goldhaar, das wie eine Krone in mächtigen Flechten um die hohe Stirn geschlungen war. Er setzte ihr die besten Leckerbissen vor, reichte ihr mit großer Gebärde den Weinpokal und pries sie als die schönste Jungfrau Antwerpens. Sie nickte ihm lustig zu:

»Ihr seid heut wieder ein Edelmann, Vincidor. Ihr wisset einer Jungfrau wohl zu karessieren. Euch will ich meinen ersten Tanz gönnen!«

Ungestüm rief Thomas nach dem Lautenschläger und Pfeifer, und alsbald klang eine Tanzweise durch die herrliche Nacht. Wie ein Fürst die Königin, so führte der Bolognese die Antwerpnerin zur Tenne, alle Paare verneigten sich vor ihnen und spielten die Vasallen. Und wie tanzten die beiden! Das schöne Paar machte alle andern trunken. Vincidors Herz jubelte, er flüsterte Susanna zu:

»Auch Euer Herz pocht überlaut, als stürme es der Liebe entgegen!«

Sie lachte ihn schelmisch an und sagte:

»Ihr irret, Vincidor; es mag wohl höhere Dinge geben als Liebesschmachten, die mein Herz pochen lassen! Wenn meine Gedanken weiter ausgreifen, als es die Liebe erwartet, so möge doch die Liebe es sein, die mir vergebe!«

»Wollt Ihr in Weisheit Eure Jugend vergrübeln und einsam Eure Schönheit verharren? Sucht Ihr nur Seelen, die keine Arme haben, Euch zu umfangen? Sucht Ihr nur Geist, der keine Lippen hat, Euren Rosenmund zu küssen? Wollt Ihr nur der Kunst Priesterin sein?«

Sie lachte über sein Ungestüm und wehrte seiner Hände Druck.

»Priesterin will ich sein, meinem Gott getreu. Es rinnen viele Qualen in ein Meer, viele Sehnsuchten jagen über einen Himmel, und viele Herzen lieben einen Gott. Meine Qualen und Sehnsuchten sind in meinem Gotte wirksam, denn er ist die Liebe zur Kunst.«

Susanna löste sich aus der Verschlingung der Tanzpose, die Vincidor zu temperamentvoll nahm, und sie blieb stehen. Kühl suchten ihre Blicke über den Kopf des Tänzers hinweg in die sternhelle Nacht zu gelangen, sie suchten Dürer, den sie nicht im Kreise der Maler sah. Kaum atmend, fuhr sie fort zu sprechen:

»Diesen Gedanken will ich mit mir selbst ausleben, denn hinter allem Mißlingen steht der Erfolg, wie hinter allem Vollkommenen das Selbstverständliche steht. Ich will ergrübeln, warum der Ruhm den einen beglückt, den anderen erniedrigt und enttäuscht, und wonach sich ein Enttäuschter sehnt. Das Suchen nach einer in sich wirkenden Macht, die aufbaut und vernichtet, ist mir in einer Seele nahegekommen, ohne daß ich es wußte.«

»In Dürer?«

»Ja, Vincidor, in Dürer. Ihm hat die Kunst alles gegeben, aber das Leben hat ihm alles genommen. Dieselbe Macht in ihm, die zur Vollkommenheit drängte, zerschlug, was hätte vollkommen werden können. Oh, könnte ich diesem seltenen Menschen den Glauben an sich selbst wiedergeben, das sollte meines Lebens heiligste Mission sein dürfen.«

»Es wird Euch nicht gelingen, das Leben hat seinen Stolz zuviel erniedrigt. Seht Euch sein Weib an, das ist die Leiter, an der er herabstieg. Ich hab' ihm in die Kummeraugen geblickt, während ich sein Konterfei malte. Er ist ein Philosoph, der verneint, ein Pessimist. Er krankt daran, weil er seine Schwäche kennt, und darum erträgt er den Ruhm nicht; denn er ist glücklich, wenn er klagen kann, und leidet, wenn man ihn lobt. Das sagt seine eigene Frau.«

»Ich hab' ihn anders erschaut.« Susanna ließ sich zum Tische führen, sie hatte keine Antwort mehr für Vincidors Fragen.

Bei dem Tische saßen die Maler und sprachen eifrig über Dürer. Für sie war er der größte Meister des Deutschen Reiches, nach seiner Seele fragte keiner. Sein Ruhm war für sie das Licht, in das sie sich stellten, seine Kunst die Form, von der sie nahmen. In rückhaltloser Anerkennung sprachen sie über die Verdienste Dürers, über den Aufbau der neuen Kunstform in dem alten Rahmen. Und es wurde eingehend beraten, auf welche Art Dürer am würdigsten geehrt werden solle; ob man ihm einen Lorbeerkranz auf sein edles Haupt setzen oder ob man ihm den Antrag stellen solle, sich in Antwerpen ansässig zu machen, durch Überlassung eines Hauses und Zuwendung eines Ehrenjahrgeldes, wie es die Stadträte erwogen.

Susanna lächelte und dachte, daß sie wohl einen Blick aus seinen Augen aufgefangen habe, der im Kranze der Schönen auf den Stufen der Ehrenpforte einzig und allein sie bewundert habe.

»Wo ist Albrecht Dürer?« rief sie in den Kreis der beratenden, vom Wein berauschten Männer.

»Dort kommt er mit Meister Lucas.« Die Maler sprangen auf und hoben ihre Weinhumpen; in ihren Augen leuchtete die helle Freude, daß sie den »Berühmten« in ihrer Mitte hatten, und dann tönte aus aller Munde ein schmetterndes: »Heil Meister Albrecht!« durch die lauschige Nacht. Dürer schritt lächelnd zum Tische der Maler, stellte sich in ihren Kreis; den dargereichten Pokal erhebend; er sprach in übermütiger Laune mit lachenden Augen, seine Stimme hatte wieder den Glockenton angenommen:

»Mir ist, als ob ein neuer Geist in mich gefahren wäre. Von euch geht eine Freude in mich über, die meine Kümmernis verlacht. Als wären aus dem Lande der ewigen Schönheit Götter herniedergestiegen, fühle ich wieder, wie einmal im Kreise der venezianischen Maler, Eros mit rosengekrönter Stirne durch die Stunde gehen, in der Gott Hymen sein Fest feiert. Bacchus windet den immergrünen Efeu um seinen Thyrsusstab, im lau-

schigen Düster der Nacht lacht Pan, und seine Flöte lockt in
den Nymphen die Sehnsucht wach. Ihr habt sie gerufen, die
Götter der Antike!« Sein Blick lief die Runde im Kreise der Frohen, traf die lachenden Augen Quentin Massys', das strahlende
Antlitz des glücklichen Bräutigams, der seine Braut in Armen
hielt, und dann – das Wort, das er sprechen wollte, blieb ihm
im Halse stecken – er sah Susanna, die in ihrer Schönheit, im
ländlichen Gewande, befreiter und verlockender neben Vincidor stand und mit allen Fibern ihres jungen Lebens ihm entge-
genbebte. Da war es ihm, als riefe sie ihn, er trat vor sie hin, verneigte sich tief und rief dann, seine Verwirrung beherrschend,
voll Begeisterung:

»Ihr habt sie gerufen, die Götter der Antike, Ihr, Aphrodite,
Euch folgen sie willig, und das macht mich so froh.« Und wie
ein Jubelruf rang es sich aus seinem Munde: »Evoe! Ich grüße
die Schönste, die Königin Antwerpens; ich grüße die ewig wan-
delnde, freudebringende, göttergleiche Aphrodite der Nordsee,
die in unsterblicher Schönheit zu uns herniederstieg aus den
Himmeln der Ewigkeit! Evoe!«

Er hob den Pokal an die Lippen und trank ihn leer. Berauscht
von seiner Freude, brach ein Jubeln und Evoeschreien los,
Susanna aber löste ihre Hand aus der Vincidors, breitete die
Arme aus und flog an die Brust Dürers. Mit flammenden Küs-
sen, als versänke um sie die Welt und als stände sie mit dem
Ersehnten auf einer einsamen Insel, bedeckte ihr keuscher
Mund seine Stirne, seine Augen und seine Lippen. Dann rief sie
jubelnd:

»Antwerpens Aphrodite küßt die Wundmale des deutschen
Heilands; das soll die größte Huldigung bedeuten, die am
Olymp der Heidengötter dem Christengotte zuteil wird, denn
so hat sich die Antike in Euch mit der Gotik vereiniget zu ewigem Ruhme.«

In diesem Augenblick strahlte göttlicher Glanz von dem
Weibe aus, deren entblößte Schultern wie Elfenbein aus dem
Linnengekräusel leuchteten, das sich lose über die vollendete
Büste schlang und über der Brust kreuzte. Fast erschöpft von

überstarken Empfindungen, lächelte ihr roter Mund, und die großen, dunklen Augen sahen den Meister in scheuer Verehrung an, als sprächen sie: »Suchst du nicht mich? Bin ich dir nicht mehr als der Ruhm, an den du nicht glauben kannst? Und willst du mir nicht deine Seele öffnen?«

Der Kuß dieser Jungfrau war ihm mehr als Ruhm und Ehrensold.

»Euere Huldigung, Königin der Schönheit, hat mir gewiesen, daß der Geist des Weibes mächtiger ist als jede vollkommene Form. Das ist mein letztes Suchen, mein letztes und schmerzlichstes Finden, denn nie erlebte ich diesen barmherzig schauenden Geist in der Schönheit des Weibes, weil ich nit einmal so hab' leben können, daß er mir begegnet wäre. Und wie mich Eure Huldigung emporhebt über jeden anderen, so drückt sie mich nieder zu mir selber und zeigt mir, was ich verloren habe.«

Eine törichte Anwandlung ergriff Dürers Gemüt; hilflos sahen seine Augen Susanna an, Tränen liefen über seine Wangen, er wendete sich rasch und schritt aus dem heiteren Kreise in die dunkle Baumnacht hinaus. Den Ruhm vertrug er nicht, und nun vertrug er auch die Freude nicht mehr. Er erkannte die Grenze, über die er nicht taumeln durfte, denn das Unerfüllbare in Susannas Liebe hätte er nie und nimmer zu begehren gewagt. Ein Schauer durchrieselte ihn, eine Angst beschlich ihn, er warf sich ins Gras und schluchzte. Wieder hörte er Susannas Worte: »Aphrodite küßt die Wundmale des deutschen Heilands.« – So hatte ihm noch niemand in der Seele gelesen, niemand noch hatte so seine Blößen aufgedeckt und keiner so den Schmerz der Wunden seiner Sehnsucht gestillt wie diese schöne Jungfrau mit den Küssen ihrer Huldigung.

»O Susanna, warum bist du so barmherzig zu mir, da du mich in meinen Schwächen erschaust?« stöhnte er. »Warum gibst du mir eine Erkenntnis, die ich nicht ertragen kann?«

Eine sanfte Hand legte sich auf seine Schulter; er erhob sich. Eine herzenswarme Stimme flüsterte ihm zu, und willig lauschte er:

»Kommet zu den Frohen zurück, Meister! Ihr könnt sonst nicht überwinden. Gedenket der Worte des Apostels, der da sprach: ›Es wird über deiner Erkenntnis der schwache Bruder umkommen, für den doch Christus starb!‹ Und Paulus schrieb an die Korinther: ›Das Wissen bläht, nur die Liebe baut auf. Wenn sich jemand dünken läßt, er sei ein Wissender, so weiß er noch nicht das Rechte! Wenn aber jemand Gott liebt, so ist er auf dem rechten Wege!‹ Meister, ist Erkennen der Liebe zu Gott nicht auch das Ertragen von dem, was er uns auferlegt? Und wen er am meisten liebt, dem legt er am schwersten auf. So Ihr nicht die Liebe aufbringt in Euch und zu Euch, dann werdet Ihr verschmachten. Ihr müsset Euren Ruhm lieben, und Euren Schmerz müsset Ihr lieben; in dieser Liebe wird Euch alles leicht sein zum Ertragen! Und die Ströme in Eurer Seele werden zusammenfließen.«

Dürer atmete auf. Seine Finger umklammerten ihre Hände, und ihm war, als ob ein Apostel von Christus zu ihm redete. Ein leises Zittern ging durch seinen Leib, als er langsam sprach:

»Wo habet Ihr diese Weisheit in so jungen Jahren her?«

»Von Euch, Meister! Durch Euch, Meister!« sagte Susanna leise, als bete sie.

»Ich hab' dergleichen nie ausgesprochen!« stöhnte er.

»Ihr fühlt es aber, ich hab's in Eurer Seele gelesen, als Ihr damals in meiner Werkstatt standet und ich Euch für den anderen hielt, der Ihr auch jetzt wieder seid.«

Dürer begriff sie nicht. War sie eine Seherin, daß sie Geheimes aus ihm herauslas? Er nahm sie an der Hand und schritt mit ihr den Strand entlang. Vom Vollmond beschienen, tauchte die mächtige Silhouette Antwerpens in den sternenklaren Himmel. Dürer sog das friedliche Bild in sich, dann sagte er, in Gedanken versunken:

»Auch ich hab' geglaubt, daß Ruhm und Schmerz von Gott kommen, wir aber bereiten sie uns selbst. Der Ruhm ist nur ein irdischer Schritt zum Erkennen der eigenen Ohnmacht. Einmal hab' ich meinem Malknaben Barthel Beham erzählt, wie und wo ich Gott suche. Ich sprach vom lebendigen Gott, der in der

Seele wohnt, in jeder Blume atmet, in jedem Steine lebt. Alle trügerischen Grüblergedanken hab' ich dem Knaben dargelegt, alle Rätsel des Urschöpfers habe ich ihm als gelöst nach meinem Sinn erklärt. Ich war erfüllt davon und glaubte daran. Barthel hat in mir den von Gott Erleuchteten gesehen, der die Geheimnisse Gottes kennt, der die Welten erschaut, die unsichtbar entstehen und vergehen, und der die Weiterentwicklung der Seelen versteht. Denn ich hab' ihm gesagt, jede Seele sei Gott, sie komme in den Leib des Menschen wie ein geliehenes Wesen, fliehe aus ihm, um sich in einem neuerstandenen Leibe weiterzubilden. Und dieser Knabe hat ausgesprengt, ich sei der begnadetste Meister und hätte Gott gefunden. Alle, denen er von meinem Ruhm gekündet hat, haben ihm geglaubt. Und sehet, Susanna Horebout, einige Tage später habe ich von meiner sterbenden, einfältigen Mutter, deren Geist schon vor Gott stand und geklärt war, erfahren, wie ich geirrt hatte, wie falsch ich gegangen war und andere betrog, um eitlen Ruhm damit zu gewinnen. Nun kann ich nit mehr an den Ruhm glauben, auch in der Kunst nit. Ich fühle meinen Irregang, es wird ein anderer Geist über die Kunst kommen, und keiner wird an mich glauben. Ich bin ein Sucher, der nichts hat finden können, was vollkommen ist. Nur dem Vollkommenen gebührt der Ruhm! Meinen Anfang wird ein Größerer ausbauen, ich bin nur die Stufe für das Kommende!«

Susanna klammerte sich an den Arm Dürers und sagte:

»Es mag sein, daß viele, die sich Gott nahe fühlen, den Unverstand betrügen; haben sie die Macht, jenen zu vernichten, der sich da besinnt und den Betrug aufdeckt, dann haben sie auch die Macht, den Gott ihres Glaubens aufzustellen, damit jeder vor ihm betet!«

»Meint Ihr den Papst?«

»Ich meine damit nicht christliche Glaubensdinge, Meister! Ich meine jene Künstler, welche die Fleischeslust anbeten und das Weib ohne Würde und ohne Geist zur Göttin erheben. Und weil ihnen dazu die katholische Religion keine Freiheit gibt, so flüchten sie in die heidnische Götterwelt.«

»Giorgione«, stöhnte Dürer, »und Raffael. Ach, Susanna, aus denen sprach das Genie. Was aber spricht aus mir?«

Eine Weile schwieg Susanna; dann legte sie ihre Hand auf seine Schulter.

»Ich weiß nicht, ob das Genie aus denen spricht, die Ihr nanntet. Ihr verwechselt die Begriffe. Diese Maler haben sich, übermütig im Erfolg, im Glück ihres Lebens von Christus abgewendet und sind hinreißende Liebhaber geworden von Frauen, die aus Eitelkeit sich ihnen gaben. Glaubet mir, Meister, das ist nicht so wertvoll, als wenn einer in den Tiefen seiner Not das Licht des wahren Glaubens rettet und der Menschheit seinen Geist aufprägt, der ihr ein dauernder Halt ist. Einsam und herdenlos muß das Genie die Kraft finden, ungehobene Schätze ans Licht zu bringen und im Schmerz in seinen Werken zu meistern …«

»Michelangelo – Leonardo!«

Das Rauschen der Weiden schlich wie ein Gruseln durch die Stille.

Susanna atmete schwer. Ihre Betrachtungen wühlten Dürers Seele auf, das fühlte sie, und doch mußte sie eine Heilung suchen.

»Diese Geistesgrößen, die der Natur Wahrheit und Kraft abringen, sind wohl höher zu schätzen als solche, die ein Weib anbeten in Sinnenlust und sich selbst zu Göttern erheben. Aber zwischen diesen beiden steht ein dritter. Ich bewundere diesen viel mehr, weil er weder dem Weibe noch dem Zorn oder der Ohnmacht seine Kraft verdankt.«

Was war über Dürer gekommen, daß er zitterte? Dachte er an Judith, die er begehrte, um auch gottähnlich zu werden wie Giorgione? Wie dankte er seinem Schicksal in dieser Stunde, daß er nicht in ihren Armen verdarb in Kunst und Leben. Er zitterte, als hätte Susanna ihn dabei ertappt, da er in der Sinnlichkeit seines Grüblerdranges Erlösung suchte.

»Was ist Euch, Meister?« fragte sie besorgt, und als fühle sie seine Schwäche, sagte sie innig: »Wer das Brot bricht und segnet, der ist frei von irdischer Sünde. Und hätte Euch das Weib in allen Künsten der Sinnlichkeit in der Seele gedemütigt, Eure Kunst ist frei geblieben davon. Mit Zirkel und Mathematik habt Ihr wie Leonardo die Schönheit gesucht in der toten Form. Ihr dürft nicht verzagen, Meister. Irdische Schönheit ist nichts sonst als ein Gewächs, das die Natur in tausendfältigem Schaffen hervorbringt. Nur die Schönheit im Geiste ist das Höchste, aber die bleibt für den Menschen ein unbeschrieben Blatt. Und das ist's, was Euch so arm sein läßt, denn die Kunst kann diese Schönheit nicht formen; das ist's, was Euch im Glauben wankend macht, denn die Schönheit im Geiste ist Gottes wunderbares Wirken, wir dürfen uns nicht vermessen, sie besitzen zu wollen. Die Schönheit im Geiste ist das Leben, das wir unseren Werken nicht geben können. Und Ihr seid wie Pygmalion, der das schönste Werk schuf und dem es gering wurde, weil ihm das Leben fehlte. – Meister, warum seid Ihr mit dem nicht zufrieden, was Ihr geschaffen habt?«

»Susanna Horebout!« schrie Dürer. »Wer seid Ihr, daß Ihr wisset, von was ich mir nicht Rechenschaft ablegen konnte?«

»Ich bin ein Weib, das in der Seele anderer lesen kann. Ihr habt vieles erreicht, nun wollt Ihr Unmögliches auch noch erreichen. Das einzig Unmögliche in der Kunst ist das Leben, die lebendige Schönheit; erreicht einer die, dann ist er Gott. Vermesset Euch nicht, Meister, *eine* Größe müsset Ihr Gott lassen, denn Ihr seid ein Mensch!«

Nun war es ausgesprochen, was ihn in den Stunden seiner Schwermut beschlich. Diese tiefgeheime Sehnsucht, von der er nicht wußte, was sie begehrte, nun wußte er es. Ja, er hatte danach verlangt, seinen Gestalten Leben zu geben. Im mühsamen Kläubeln, im unendlichen Fleiße wollte er es Gott gleichtun und seinen Bildern Seele einhauchen, damit sie Leben bekämen.

»Ich will ja kein Gott sein, ich will nur das Vollkommene in der Kunst!«

»Das habt Ihr erreicht.«

»Nein! Mein Geist ist nur ein Samenkörnlein, das nit aufgeht!«

»Das Körnlein umschließt vielleicht erst kommende Entfaltung. Gott wird es fruchten lassen, bis die Zeit dazu reif ist. Wohl dem, des Samenkorn nit im Dung zu früh aufgeht. Gottes Saat braucht Zeit.«

»Ich altere, meine Zeit ist bald um!« Dürer sagte es schmerzlich.

Susanna aber schlang ihre Arme um seinen Hals, ihr Gesicht kam dem seinen nahe, sie wollte in der Finsternis in seine Augen sehen. Leise raunte sie ihm zu:

»Das Korn bedarf Eurer Zeit nicht, armer Meister! Es wird aufgehen in Eurem Ruhme, in Eurer Unsterblichkeit wird es zum Baume heranwachsen und Früchte tragen und neuen Samen ausstreuen und neues Leben wecken. So wie es in mir befruchtet, wird es den Malern aller Zeiten aufgehen.«

Da dachte Dürer: »So hat einmal auch der alte Bellini gesprochen, wie jetzt dieses junge Wesen da.«

Susanna aber drang in ihn: »Saget mir alles, was Euch bedrückt, lieber Meister, ich will es Euch tragen helfen, das wird Euch erleichtern.«

Sie zog seine Stirn an ihre Lippen, dann ließ sie ihn los. Er stöhnte:

»Ich vermag es nit zu sagen, Susanna! Einmal noch möchte ich mein Leben anfangen, einmal noch mein Schaffen beginnen können, um das zu vollbringen, was das Rechte ist. Mein Abend ist zu kurz dazu. Bald kommt die Nacht!«

»Meister, warum?« rief sie nun frei heraus, ihr war zumute, als trüge sie nun alle seine Lasten und Qualen, als hätte sie ihn befreit.

»Sagt Ihr nit selbst, Meister, daß die Seele weiterlebt? In einem neuen Leibe weiterbaut und sich vervollkommnet? So werdet Ihr Zeit haben, die Eure Seele befruchten wird, in allen Leben das zu vollbringen, was Ihr vollenden wollt. Ich möchte das neue Wesen sein, in dem Eure Seele weiterwirkt!«

»Nein – nein«, wendete Dürer zaghaft ein. »Das ist nit wahr!«

»Wahrheit oder Lüge! Meister, ich glaube daran. Tiefere Erkenntnis gibt es nicht. Glaubet auch Ihr daran, dieser Glaube wird Euch heilen von aller Melancholie. Glaubet und harret!«

Sie rief es frohlockend und schritt davon, denn sie wußte, daß Dürer nun seine Not leichter tragen werde. Er reckte sich, strich mit der Hand über seine Stirn, als wolle er alle Grübelei verscheuchen, und rief ihr nach:

»Nehmet mich mit, Susanna Horebout! Ich will es lernen, in dieser Erkenntnis mein Bild zu finden. Ich will glauben wie Ihr. Und damit meine Seele schon heut in Euch wirksam werde, will ich über meine Ängste einen hangenden Garten bauen, und darin soll das neue Wesen lustwandeln: Eure lebendige Schönheit des Geistes!«

An jenem ländlichen Hochzeitsfeste in der Fischerschänke entdeckten Dürers Maleraugen einen Greis in der Familie des Schankwirts. Dürer, der alle Seltenheiten liebte, war von dem munteren Alten so begeistert, daß er ihn bat, ihm zu einem Aufriß zu sitzen. Das durchfurchte Gesicht des Dreiundneunzigjährigen, von einem wallenden Bart umrahmt, der wie weiße Seide vom Kinn herabhing in schönen Wellen, hatte für Dürers Kunst so viel Anziehendes, daß der Meister sich in den nächsten Tagen zur Arbeit ansagte. In der Familie des Greises war große Freude über die Ehre, daß ein so berühmter Meister den Urgroßvater konterfeien wollte. So stieg der Alte auch bei den anderen Malern im Ansehen, und er wurde so lustig, daß er seine Seemannsabenteuer erzählte, die er in den Gewässern der fernen Meere mit Piraten zu bestehen hatte; und Dürer, der mit Susanna diesem unverwüstlichen Lebensbejaher lauschte, fand an dem Abende wieder zur Lebensfreude zurück.

Susanna Horebout bat Dürer, gleichzeitig mit ihm den Alten zeichnen zu dürfen. Es war ihr sehnsuchtsvolles Verlangen, den Meister bei der Arbeit beobachten zu dürfen, und sie nahm sich vor, ihm bei dieser Gelegenheit den Kleinmut vollends auszureden.

So ruderte ein Schifferknecht an einem Nachmittage den Meister und die Jungfrau über den breiten Scheldestrom hinüber zur alten Fischerschänke.

Susanna hatte Dürer bei Jobst Planckfelt abgeholt und Frau Agnes kennengelernt. Die mißtrauische Fragerei der kleinlichen Frau schnitt sie mit dem Bemerken ab, sie sei Malerin und wolle vom Meister lernen. Wie wenig erbaut sie von Frau Agnes war, verriet sie Dürer nicht, aber in ihrem Innern nahm sie ein klägliches Bild mit von der Frau, die Dürers nächsten Umgang bildete. Ein tiefes Mitleid mit dem sanftmütigen Dulder erfüllte sie, und es beglückte sie nun, den geliebten Meister in den Stunden ihres Beisammenseins mit jenem Geiste der Frauen zu berühren, den er so sehr vermißte.

Und für Dürer ward der Umgang mit dieser Erneuerin eine frohe Wende seines gleichförmigen Lebens, das er bei Arbeit, Festen, Mahlzeiten, zu den ihn die Angesehenen luden, beim Spiel, das ihn viel Geld verlieren ließ, verbrachte. Susannas geistvolle Natürlichkeit, die sein Wesen so tief berührte, fesselte ihn derart, daß er jede Gelegenheit herbeisehnte, mit ihr zu verkehren. Ihm fehlte nur die Jünglingsseele, sich mit ihr aufzuschwingen, mit ihr zu schwärmen; er konnte sich nur von ihr bemuttern lassen, was sie auch tat. Sie hielt sich dabei an ein Wort, das er als Beispiel für zwei gleichgeartete Seelen, die sich abstoßen und doch vereinigen können, anwendete: »So wie zwei Ringe, die auf einem glatten Wasserspiegel durch zwei plötzliche Berührungen entstehen, sich ineinanderfügen, ohne sich zu zerstören, so können zwei gleichartige Seelen im Anprall sich harmonisch ineinanderfügen, ohne sich zu behindern.«

Diese Worte gaben Susanna viel zu denken; Dürer sprach sie, als sie in jener Nacht in der Fischerschänke voneinander Abschied nahmen. Sie wollte ihm nun seine Kreise nicht stören – und die ihren sollten sie nur berühren.

So schritten sie den Strand entlang, mit ihrem Malwerkzeug bepackt. Sie waren voneinander so erfüllt, daß sie kein Wort sprechen konnten. In einer Laube des großen Schankgartens fanden sie den Alten. Er saß an einem Tische, hatte sein Gesicht auf die Hand gestützt und war eingeschlafen. Eine Lederkappe saß lässig auf seinem kahlen Haupt, die zerfurchte Stirne freilassend. Er schlief so tief, daß Dürer heranschlich, seine Mappe mit Tonpapier aufschlug und sofort begann, diese natürliche Haltung des herrlichen Kopfes zu skizzieren. Susanna setzte sich neben ihn auf die Bank, und beide vertieften sich in ihre Arbeit.

Sie aber ließ bald ihre Zeichnung ruhen, denn die Art, wie Dürer den Kopf erfaßte, mit sicherer Kraft in Umrisse setzte und sogleich begann, mit Tuschpinsel und Schnepfenfeder Licht- und Schattenmassen großzügig und doch bis ins kleinste Detail wohldurchdacht und peinlich genau auszuführen, war ihr eine Offenbarung der Kunst. Wie Dürer den Ausdruck des Schlafenden, die eingefallenen Augendeckel mit den abgebröckelten Wimpern und die überhängenden Augenbrauen; wie er den zusammengepreßten Mund, der im Schlafe sich willenlos schief legte, vom Bart umrahmt, und wie er den wallenden Bart in wahrhaftigen, überzeugend lebendigen Formen auf das Tonpapier setzte, zwischen die Halbschatten sogleich mit Flächen und Schraffierung die Lichter erhöhte, das wirkte auf die Jungfrau wie ein Wunder.

Zwei Stunden angestrengter Arbeit saß Dürer neben Susanna, versunken im Schauen und Übertragen des Erschauten auf die Fläche, ohne daß ein Wort gesprochen worden wäre. Da schlug der Alte die Augen auf, blinzelte die beiden vor sich erstaunt an und sagte:

»Ich hab' jetzt geträumt, daß mir die Mutter Gottes und Jesus Christus erschienen sind, und so wie ihr waren sie, als wär' Maria die Tochter des Erlösers und nit die Mutter. Und jetzt sitzen sie leibhaftig vor mir und malen mich. Das hätt' ich mir all die dreiundneunzig Jahr nit träumen lassen.«

Als der Alte das gesprochen hatte, schlief er, ohne sich zu rühren, wieder ein.

Dürer begann seine Arbeit weiter auszuführen. Versonnen sagte er jetzt:

»Der Künstler hat nur Kraft zum Schaffen, wenn er einsam ist. Wer sich der Herde anschließt, muß der lärmenden Glocke folgen. In der Stille hört er seine Seele walten, die zu ihm spricht und den Gedanken belebt, der ihm wie ein Freund ist, nur ihm gehört und seines Willens wird. Er kann ihm Gestalt geben in der Einsamkeit des Schauens, wenn kein fremder Laut die Worte stört, die zu ihm reden, ihn berauschen, trunken machen und ihm seine Macht lassen, die größer ist als alle Macht von außen!«

»Meister!« erwiderte Susanna zaghaft: »Ihr sprecht vom Trost der Einsamkeit. Ich habe sie nie trostreich gefunden. In der Einsamkeit kommt der Zweifel und verdirbt mir das Wunderbare. In der Einsamkeit erlischt mir mit den Formen auch das Wahrhaftige. Dann lügt sich mir ein Bild in meine Seele. Wenn ich im Finstern sitze, ist mir erst die Einsamkeit ein Trost, weil mir alle Formen erlöschen, alles Licht ertrinkt!«

Mit der feinen Hand zog Dürer die Schnepfenfeder mit der weißen Farbe in zarten Biegungen über die Barthaare. Langsam sagte er:

»Die wahre Einsamkeit muß Licht haben, sie muß *in* uns sein! Ihr meinet die *um* uns. Ich kann in der Natur sitzen, wo jede Blume läutet, jeder Vogel singt, wo der Sturm heult und der Donner rollt. Und ich bin doch einsam, mit mir allein. – Meine ›Melancholia‹ entstand in tiefster Verlassenheit, da ich meinen Schmerz begrub, meine Enttäuschungen überwand. Dieses Weib hat mich trösten können, ich habe es in der Seele erschaut, wie es alle Kraft verlor und vergrübelt sann, daß keines Menschen Geist es vermag, in Gott zu dringen mit irdischem Wissen. Dieses Geschöpf, das mich so zerschlug, hab' ich in der Einsamkeit meiner Seele geboren, und als ich es gestaltet und ausgereift auf die Kupferplatte übertrug, hab' ich es aus mir gelöst und war frei von ihm. Sehet, Jungfrau, das, was ich für den Kaiser hab' aufgebaut, den ›Triumphbogen‹ und den ›Triumphzug‹, das ist in der Gesellschaft anderer entstanden, im lauten Besinnen und Beraten, im eingeflüsterten und vorbestimmten Ausklügeln, das hat nit den Geist von mir, ist nit in mir lebendig gewesen, das ist ein Stückelwerk ohne Einheit; die Größe liegt da im Umfang und Fleiß, aber nit im Erleben!«

Mit trunkenen Blicken sah Susanna dem Meister in die wundersamen Seelenaugen:

»Ihr traget in Eurer Seele das, was Euer Auge sieht. Und Euer Auge sieht nur dann, wenn Ihr Euch für die Umgebung verliert. In dieser Einsamkeit bete ich.«

»Es ist immer ein Gebet zu Gott, wenn die Seele schafft, denn Gott ist dann in ihr. Er ist der Meister! So lebendig zu malen, wie er in unsere Welt malt, vermag keiner. Aber das ist die Schwäche im Menschen, der so eitel ist: Gott erreichen zu wollen. Ihr selbst habet mich gewarnt davor, Ihr selbst habt mir den eitlen Drang verargt. Ich erkenne jetzt, daß dem, der nach Unmöglichem strebt, das Mögliche zusammenbricht wie ein Kartenhaus. Die lebendige Schönheit vermag nur Gott zu gestalten. Darum soll der Mensch nit fliegen wollen wie ein eitel Federlein, er soll in die Tiefe sinken, in die Einsamkeit wie Gold und den Wert behalten.«

»Das habe ich gemeint mit Giorgione und mit Raffael. Die haben keine Tiefe. Sie sind wie die eitlen Federlein, die in die Sonne herumfliegen, weil sie das sinnliche Weib haltlos machte.«

Dürer dachte anders. Ihm galt Raffael als Genie und Giorgione als göttlich. Und doch mußte er sich gestehen, daß keiner der beiden Wahres und Tiefes geschaffen hatte. Susanna fuhr fort:

»So gleichet der Leonardo Euch, Meister! Verschlossen in sich, in alle Nöte und Tiefen des Geistes versinkend, einsam im Schaffen und klein vor sich selbst. Was er aus den Tiefen fördert, zerlegt er anatomisch, mißt es mit dem Zirkel und errechnet es in Zahlen. Seid Ihr nit auch so?«

Dürer hob sein Gesicht von der Arbeit und lächelte versonnen; jetzt war er ihr wieder überlegen.

»Ich will Euch künden, wie ich bin. Ihr wollet mich täglich anders sehen, ich bin nit rätselhaft, bin ganz simpel. Jeder Maler malt am liebsten sein eigen Konterfei, und meines ist zwiegestaltet: Einmal will ich wie das hoffärtige, prahlende Federlein in die Lüfte fliegen oder am Wasser schwimmen, das andere Mal möchte ich wie das schwere Gold in die Tiefe sinken, um den Wert zu zeigen. Und das Federlein verhöhnt das Gold, weil es nit fliegen kann und so schwer ist. Da hat einmal der leichte Wind das Federlein davongeblasen. Heidi, wie leichtbeschwingt flog's durch die Lüfte, hoffärtig und ohne Besinnen. Aber der Wind trug es hinaus, warf's auf eines Bauern Dunggrube, dort blieb's hangen. Wie sah das luftige Federlein aus? Zerrauft, verschmiert und zerklumpt. Der Bauer rührte den Dung um, und das Federlein kam auf den Grund zu liegen. Ein reicher Ritter trabte mit seinen Kumpanen vorbei und rief: ›Ei, was soll mir das Gold?‹ Übermütig warf er ein Goldstück in die Dunggrube. Das Gold sank in die Tiefe und kam neben dem Federlein zu liegen. ›Da bist du ja auch!‹ lachte es. ›Aber wie siehst du aus? Hat dich der Wind in die Tiefe getragen? So flieg doch, flieg davon, hoffärtig Ding! Uns beide hat der Übermut in ungewollte Tiefen versenkt. Ich aber lache!‹ Bald darauf goß der Bauer den Dung auf seine Felder und fand die beiden. Das Federlein, wie es sich auch zu blähen begann, stieß er achtlos beiseite, das Goldstück hob er freudig auf, wog es in der Hand und sprach: ›Gold bleibt Gold, ob's auf des Königs Krone prunkt, oder in der Tiefe des Unrats liegt, *es hat den gleichen Wert!*‹«

Wieder vertiefte sich Dürer lächelnd in seine Arbeit. Susanna stand auf und ging zum Strand, setzte sich ins Gras und sann der Fabel nach. Jetzt erst wußte sie, daß Dürer sich selbst richtiger einschätzte, als sie es vermocht hatte. Jetzt erst erkannte sie, daß auch er der Sinnlichkeit zustrebte wie Giorgione und von einer Ernüchterung gewarnt wurde. Er war das Gold geblieben und hatte alle Illusionen besiegt. Sie fühlte, daß in den Größen der Kunst immer nur der Charakter der Menschen zum Vorschein kam. Bei Giorgione die Sinnenlust, bei Raffael die Liebe, bei Michelangelo die Kraft, bei Leonardo die Harmonie und bei Dürer die Wahrheit. Diese Eigenschaften ihrer Persönlichkeit haben sie jeder in die Kunstform umgesetzt, sie waren also keine Erleuchteten. Sie haben als Menschen, wie andere, mit ihren Idealen und mit ihrem Schicksal gerungen im stillen Kampfe ihrer Einsamkeit mit der Seele. Und Dürer hatte erkannt, daß der Ruhm in dieser Einsamkeit seines Geistes ein Danaergeschenk bedeutete. Jetzt wußte sie, warum Dürer sagte, sein Geist sei nur ein Samenkörnlein, das nicht aufgehe, und weshalb sein Konterfei in zweierlei Gestalten: in der Sehnsucht nach Idealen und im sittlichen Ernst nach dem Wert des Lebens, von ihm empfunden wurde.

Dürer hatte ein Blatt inzwischen in seinem Heft gewendet und mit raschen Strichen den schönen Leib Susannas, wie er ihn sich eingeprägt hatte beim Festspiel für Kaiser Karl, in feinen, überzarten Umrissen gezeichnet. Zu Füßen dieser Schönen entwarf er mit kräftigen, sicheren, breiten Strichen seine eigene Gestalt, wie einen Sklaven gefesselt mit Ketten, versunken im Anschauen der schwebenden Idealgestalt. Um das Haupt Susannas zeichnete er einen Kranz aus Rosen, um seine Stirn ein Geflecht aus Dornen. Über dem Kopf Susannas deutete er eine fliegende Taube an, auf die Schultern seines Selbstbildes setzte er eine Eule. Als er diese flinken Aufrisse beendet hatte, rief er:

»Susanna, warum gehet Ihr von mir hinweg, so wie sie alle gegangen sind, die mir das Ideal gezeigt haben? Fürchtet Ihr, daß das Bild weltlichen Begehrens und sittlicher Reinheit in keinem Stil wiedergegeben werden kann? In dem Augenblick, da ich meine Empfindungen forme, suchet Ihr nach Licht, das den Schatten lösen solle. Gehet nit dem Geiste nach, der überirdisch ist; auf Erden werdet Ihr mich kriechen sehen, wie einen Sklaven der Sehnsucht, dem der Ernst des Lebens das Unerreichbare im Traum verscheuchet. Die stolzeste Blume der Schönheit, die ich fand, wuchs unbewußt aus den Dornen, die meine Stirn umranken. Die Sünde meiner Sehnsucht hat Gott vergeben, denn er ließ meine Dornen blühen in Euch, so wie er den Dornenzweig des Tanhuser hat blühen lassen in Barmherzigkeit!«

Susanna war zu Dürer geeilt und hatte die Zeichnung lange betrachtet.

»Sehet, Susanna, nit allein der Kampf, das Leben bezwingt die Sehnsucht. Mich hat vielleicht der Nordwind aus dem Kurs geschlagen und mein Schifflein von Arkadien vertrieben. So bin ich steuerlos bei einsamen Felsen gelandet. Wenn meine Augen ein Bild der Schönheit sehen, so müssen sie sich schließen. Ich möchte in meinem Innern die Harmonie haben wie Leonardo, in Geist und Muskeln wollte ich die Kraft haben wie Michelangelo, im Herzen die Liebe wie Raffael, dann könnte ich die Seele befreien, die Fesseln sprengen und die Schönheit in mich trinken. Dann könnte ich befreit schaffen und den zeitlichen Ruhm ertragen!«

Erlöst aus der Trunkenheit erhob Dürer sein Gesicht zu Susanna. Er lachte befreit. Er lachte, als lache er über alle Toren, die das begehren, was er begehrte. Susanna erschrak. Ängstlich rief sie:

»Und Ihr könnt lachen, daß Eure Augen wie Sonnen leuchten, und in Eurer Seele weint die Entsagung in kalter Finsternis?«

»Ja, Susanna Horebout!« sagte er leise, sich wieder über die Arbeit des Studienkopfes neigend. »Das ist mein wahres Konterfei: die Freude im Erschauen der Schönheit und der Schmerz im Entsagen. Nehmt's nach dem Sinn, Susanna, und denket, ich sei der Schalksnarr, der lachen muß, wenn die Königin weint.«

Da umschlang Susanna den Meister und küßte ihn. Der Urgroßvater erwachte aus seinem langen Schlafe; als er die beiden sah, sagte er:

»*So hat in meinem Traum die heilige Jungfrau Maria den Christus geküßt, als sie ihn vom Kreuze nahmen.*«


Mit geringerem Zagen stürzte sich Dürer wieder in die Feste, die man ihm zu Ehren gab. Lucas van Leiden, der Holländer, der wie ein Fürst mit Gefolge durch die Lande zog, um sich bemerkbar zu machen, hielt sich länger, als er es wollte, in Antwerpen auf; er gab ein Gastmahl, zu dem er Dürer und einige Maler lud. Seine Kunst war unstet, er paßte sich allen Richtungen an, verfolgte selbst keine. In Dürer fand er einen Führer, dem er bedingungslos nachging. In den Stunden, die er mit ihm verbrachte, tauschte er die Kunstregeln und die Stiche Dürers gegen seine eigenen um. Das »kleine Männchen«, wie ihn Dürer nannte, hatte tüchtigen Geschäftsgeist, und seine Kunst trug ihm Gold ein. Er verstand es, durch sein äußeres Gepräge viel von sich reden zu machen, und das war für seine Kunstware von großem Nutzen.

Von Kaspar erhielt Dürer einen Brief, der nur kurz berichtete, daß Luther lebe, von Friedrich dem Weisen und anderen Rittern gewaltsam auf die Wartburg gebracht wurde, wo er beschützt sei vor der Nachstellung seiner Widersacher. Er ließ Schriften ausgehen, von denen niemand wußte, woher sie kamen. Diese Botschaft gab Dürer die Zuversicht an dem Gelingen der Mission Luthers wieder.

Dürer fand nicht mehr Genüge an dem unsteten Leben und entschloß sich, heimzureisen. Auch zogen die Schriften Martin Luthers große Kreise. Der Bann des Papstes und das Interdikt des Kaisers verfolgten auch die Anhänger des Reformators. Von Dürer wußte man, daß er viel im Augustinerkloster verkehrte, wo er Stärkung für seine Lutherfreundschaft und Aufklärung erhielt; denn die Mönche, die dort hausten, stammten aus Sachsen, und ihr Prior war ein getreuer Vorkämpfer für Luthers Glaubenssache. Dieser Verkehr wurde ihm verübelt; man gab ihm zu verstehen, daß ein Maler sich des Glaubensstreites entschlagen müsse; das verdroß Dürer. Auch erhielt er Briefe von Pirkheimer, der ihn rief; denn Nürnberg war befreit von der Pestseuche, dank dem neuen Heilverfahren, das ein Schüler des Theophrastus Paracelsus, der in Freiburg weilte, nach Nürnberg brachte. Der Streit zwischen Luther und Kirche hatte große Ausdehnung angenommen. Auch wollte der Rat den neuen Rathaussaal ausmalen lassen, und Dürer sollte die »Visierungen« dazu übernehmen.

So fuhr Dürer noch einmal mit Frau Agnes nach Mecheln zur Statthalterin Margarete. Die Maler verehrten ihn dort wie einen Fürsten, die Erzherzogin aber wies das Geschenk Dürers, ein gemaltes Bild Kaiser Maximilians, zurück; sie fand es unvorteilhaft und bekundete ein großes Mißfallen daran. Auch weigerte sie sich, dem Meister die Skizzenbücher des früh verstorbenen Jacopo de Barbari, der ihr Hofmaler war, zu überlassen; sie hatte sie schon als Geschenk für einen anderen, für Bernhard

Orley, bestimmt. Dürer hatte die Statthalterin reich beschenkt, von ihr aber keine Gegengabe erhalten.

Eine Woche später rüstete er zur Heimreise. Als die Fuhrleute Dürers Ballen und Kisten auf den Wagen luden, um sie vorauszuschicken, sagte Frau Agnes:

»Mein bester Albrecht. Der Feste haben wir genugsam gefeiert, dich haben sie geehret wie einen Fürsten. Wie wirst du jetzt wieder daheim die Kümmernis ertragen? Wird dich die Armut nit bedrücken?«

»Sorge dich nit um mich, Agnes!« sagte er lächelnd. »Ich hab' das Frieren in der Seele überstanden. Ich nehm' die Lehre mit heim, daß ein Mensch in all seiner Not nit klagen soll, das Leben ist nur ein Fastnachtsspiel. Wer am besten agieret, dem ist am wohlsten. Setzen sie dabei einem Bettelmann eine Königskrone auf, so wird er den König spielen. Hängen sie dem Weisen aber einen Bettlermantel um, er wird immer der sein, der er ist. Der innere Wert im Menschen bleibt bestehen, das, was man ihm umhängt, kann ihn nit erhöhen und nit erniedrigen. Ich hab's erkannt.«

Zum Abschied gaben die Maler Antwerpens dem Gefeierten noch ein Mahl, an dem auch Susanna teilnahm. Sie fand aber keine rechte Gelegenheit, sich von ihrem geliebten Meister so zu verabschieden, wie sie es wollte.

Vor seiner Abreise sollte Dürer noch eine große Freude erleben. Sein Reisewagen stand schon vor der Tür, da schickte König Christian von Schweden, den man »den Bösen« nannte, zu Dürer, er möge sogleich zu ihm kommen und ihn konterfeien. Der König, der mit der Schwester Kaiser Karls V. vermählt war, wurde wegen des Blutbades, das er in Stockholm angerichtet hatte, aus seinem Reiche vertrieben und kam tollkühn durch seiner Feinde Land nach Antwerpen geritten, um bei Kaiser Karl Hilfe zu suchen.

Dürer zeichnete den König mit der Kohle. Der war sehr gnädig zu ihm, lud ihn ein, mit ihm zu speisen, zog ihn in Gespräche über Kunst, bewunderte und kaufte einige seiner Holzschnitte und Kupferstiche, ließ sich deren aber noch mehr schenken und bat ihn, mit ihm nach Brüssel zu reisen, ihn dort zu malen und den glänzenden Empfang anzusehen, den ihm der Kaiser und die niederländische Regentin bereiten wollten.

So fuhren Dürer und Frau Agnes gleichzeitig mit dem König nach Brüssel, wo ihn der Meister mit großem Fleiße malte. Das Bildnis gefiel König Christian dermaßen, daß er Dürer zu dem Bankett einlud, das der Kaiser seinen Verwandten und dem Hofstaat gab. So saß der bescheidene Meister wie ein Fürst der Kunst unter den Fürsten des Reiches, neben Kaiser und König an der glänzenden Tafel und wurde hoch geehrt.

Als Dürer am Vorabende seiner Abreise aus dem Königlichen Schlosse in den Park trat, dreißig Gulden Lohn für das Konterfei des Königs in der Tasche, und da er, in Gedanken verloren, erwog, daß über allen Ehren doch nur das Verstehen, wie es ihm Susanna Horebout entgegentrug, die höchste sei, da huschte aus dem Buschwerk eine Gestalt hervor und lief auf ihn zu. Weiche Arme legten sich um seinen Hals, und weiche Lippen berührten seinen Mund. Dann hörte er eine bekannte Stimme flüstern:

»Meister, lieber Meister! Wie wird es werden, wenn Ihr wieder weit, weit von mir fort seid?« Da gab Dürer zur Antwort:

»Es wird mir ein sonniger Tag vergangen sein! Dann wird eine Nacht den Traum bringen von der Schönheit, die im Geiste lebt. Ich werde den Silberstift ergreifen und eine Gestalt aus meiner Seele lösen müssen, in der keine lebendige Schönheit sein wird, die aber wie der Lieblingsapostel Christi sprechen soll: ›Ihr Lieben, glaubt nit einem jeglichen Geist, sondern prüfet die Geister, ob sie von Gott sind! Denn es sind viele falsche Propheten ausgegangen in die Welt, daran erkennet den Geist Gottes.‹ Und dieses Bild meiner Schöpfung soll Kraft und Harmonie sein, mit ihm wird sich mein Zweifel lösen. In der Einsamkeit meiner Seele will ich die Geister Leonardos und Buonarrotis rufen. Ihr aber, Susanna Horebout, werdet in meines Himmels Dom der Abendstern sein, der mir in die Nacht leuchtet! Ich nehme keinen Abschied von Euch, Ihr werdet immer in mir sein!«

Von fern, aus den Büschen, klang noch ein wehes Schluchzen dem Meister nach, als er den Schloßpark verließ. Eine stille Liebe war gestorben.

Am andern Morgen, als Dürers Reisewagen durch das Tor fuhr, fiel eine Rose, die an einem langen Dornenast erblüht war, zu ihm vom Turme herab. Frau Agnes erhaschte sie und fragte:

»Jetzt weiß ich nit, gilt das mir oder dir?«

»Behalte sie und bedenke das Symbol«, sagte er lächelnd. »Wer die Rose an dem Dornenstab hat wachsen lassen, der hat sogar einem vergeben, der in Frau Venus' Armen lag und vom Papst verjagt wurde mit einem harten Spruch. Bedenke, daß auf der Dornenkrone aus einem Blutstropfen Christi die Rose erblühte und daß sie im Schmerz ist so schön geworden wie ein Liebeswunder. Behalte die Rose, in deinem guten Willen soll sie weiter so blühen, dann wird mich das Herzeleid meiden.«

Meister Albrecht saß, in den Pelzmantel gehüllt, in der Ofenecke, ihn fröstelte. Kalte Schauer rannen über seinen abgezehrten Leib, und seine wunderfeinen Hände tasteten über die warmen Ofenkacheln. Auch in seiner Seele schüttelte der Frost qualvoller Gedanken. Dürer war krank. Das Fieber, das er sich in Zeeland geholt hatte, wollte nicht weichen. Wo blieb die Wärme, die noch vor einem Jahre sein Herz belebte beim Anblick der Schönheit in den Niederlanden und der Menschen, die ihn ehrten? Wehmütig gedachte er der prunkvollen Feste, die man ihm zu Ehren feierte. So gerne und oft gingen die Gedanken des Meisters diesen stolzen Tagen nach. Wer bekümmerte sich jetzt in Nürnberg um ihn? Der Glaubensstreit ließ keinem Zeit, an die Kunst zu denken.

Und in die Bilder, die sich in seinen Gedanken belebten, wob ihm die Erinnerung die Rose hinein, die am Dornenstengel erblüht war: Susanna Horebout. Wie ein versöhnendes Licht strömte dieses Jungfrauenbild liebereich in die späte Einsamkeit seines Schicksals. Sie schrieb ihm vor einigen Tagen, daß ihre gnädige Gönnerin Erzherzogin Margarete sie damals, als Dürer aus Brüssel schied, mit ihrem Vater zu sich berufen hatte, wegen des *Breviarium Grimani*, das er für sie illuminierte. Die hohe Frau fand auch Gefallen an den Miniaturen, die Susanna für sie malte, deren eine sie dem König Heinrich VIII. nach England schickte, und dieser berief die junge Malerin an seinen Hof. Die schöne Jungfrau schied gerne aus Antwerpen, das ihr nach Dürers Abreise leer und freudlos erschien. So werde, schrieb sie, der Abendstern auf Dürers blauem Himmelsdome noch weiter gerückt und kleiner werden. Aber er wolle um so heller zu ihm herüberblinken.

Wie sehnte sich Dürer nach dieser Weitentrückten, die ihm in den Jahren der Reife wie ein junger Lenz erschien, die ihm ein Frauenideal wurde, das Schönheit und Geist, Talent und Hingebung für die Kunst zu einer Harmonie verwob, die in ihrer bewundernden Liebe so keusch war wie die Rose am Dornenast. Wie hätte sie in der doppelten Einsamkeit Dürer ein Tröster sein können! Die ausbrechende Krankheit, das rasch nahende

Alter, die Schmerzen in Kopf und Leib und die Verlassenheit bedrückten sein Gemüt derart, daß er fast melancholisch wurde.

Frau Agnes pflegte ihn aufopferungsvoll, aber ihre Angst peinigte ihn, und die Sorgen der schlechten Zeitläufte ließen ihr es oft nicht zu, ermutigend auf ihren Gatten einzuwirken. Sie verlangte nach neuen Stichen für den Markt und begriff nicht, daß Dürer für rein geschäftliche Dinge kein Interesse aufbringen konnte. Ihn hätte aus dieser Stimmung nur eine Idee zu befreien vermocht, die aus dem Drängen aufrauschend, von auserlesenen Farbenspielen getragen, den Geist zur Höhe der Kunst zu führen vermöchte, die ihm jetzt so weit entrückt schien.

Der Medikus schüttelte über seinen Zustand den Kopf. Die Krankheit Dürers war für ihn ein unverstanden Ding. Alle Heilmittel, die er anwendete, versagten. Das Fieber wich nicht, Kopf- und Leibschmerzen wurden oft so unerträglich, daß der Kranke die Besinnung verlor.

Wilibald Pirkheimer gab ihm den Rat, seine Krankheit genau zu schildern und diese Beschreibung an den Wunderdoktor Theophrastus Paracelsus zu schicken, von dem in Straßburg wegen seiner neuen Heilmethode viel Aufsehens gemacht werde. Dürer beschrieb seine Zustände ausführlich, zeichnete seinen Oberleib naturgetreu; die Stelle der linken Seite zwischen Weiche und Magengrube übertuschte er mit gelber Farbe, auf die in der Zeichnung sein Finger wies. Darunter schrieb er: »Da der gelbe Fleck ist, und ich mit dem Finger darauf deut', da ist mir weh.«

Koberger nahm die Zeichnung und Beschreibung mit nach Straßburg und brachte die Antwort von Paracelsus: Da sei kein anderer Weg als der empirische. Die Natur antworte nicht auf Zeichnungen und Briefe, sonst könne man am Malen und Lesen genesen. Was ein Arzt nicht erschauen und befühlen könne, wäre auch nicht zu heilen. Dürer solle Purganz und Aderlaß vermeiden, das wolle die Natur; mit Elixieren allein sei auch nicht zu helfen, das Gebresten müsse die Natur zum Guten oder zum Bösen selbst auswirken, wenn Dürer nicht nach Straßburg kommen könne.

Wie sollte Dürer nach Straßburg reiten? Es machte ihm das Gehen in der Stube schon große Beschwerden. Sein Kopfschmerz und Schwindel verwehrten ihm oft tagelang, aus dem Bett aufzustehen.

Da war große Sorge im Dürerhaus. Die Gesellen liebten den Meister und bangten um ihn. Das emsige Hantieren der Frau Agnes, die im Hause allein der rege Geist war, schreckte Meister und Gesellen oft aus ihrer Versunkenheit auf.

Trotz aller Pflege und Schonung verfiel Dürer immer mehr, sein Kopfschmerz zwang ihn, sich von seinen langen Locken zu trennen. Das gab wieder neue Seelenkämpfe, als die Schere des Barbiers des edlen Hauptes prächtige Zier, die Dürer mit soviel Eitelkeit gepflegt hatte, erbarmungslos abschnitt und den Kopf kahl scherte. Aber niemand erfuhr von diesem Leid, das den Kranken, der seine Locken so liebte, quälte.

»An alle meine Freuden greift die Schere des Schicksals!« schluchzte er vor sich hin, den kahlen Kopf in die Bettpolster wühlend. »So ist auch meine äußere Zier dahin. Bald sind auch meiner Seele Flügel so verschnitten, daß ich nur noch daherkreuchen werde. Wie der beraubte Samson lieg' ich da, und die Philister sind über mir! Um mich herum tobt der Kampf. *Du* bist der Gesunde, Luther! Wenn dich auch der Papst gebannt hat und du auf der Wartburg von Freunden gefangen bist, dir hat Gott den Mut gelassen, aber ich muß in Ohnmacht daliegen wie ein Greis. Herr, mein Gott, gib mir wieder Kraft, auf daß ich dir dienen kann; laß mich gesunden, daß ich mit meiner Kunst die Wahrheit deiner Worte künde.«

Allmählich ließ die Krankheit nach, so daß der Meister wieder an dem begonnenen Bilde des Erlösers mit der Dornenkrone am Haupt und der Geißel in der Hand arbeiten konnte. Ein Fieberfrost schüttelte seinen Leib, wenn Dürer seine Hände vom Ofen wegzog und nach der Farbenplatte griff. Nur mühsam konnte er die Pinsel führen. Aber er vermochte es, die Schmerzen seiner Seele in sein »*Ecce homo*« hineinzumalen.

»Sie haben dein Wort nit hören wollen«, betete er in frommer Ergriffenheit. »Sie haben gespottet über dein heiliges Wort von

Liebe und Erlösung. Sie haben dich verkannt, du mein Jesus, so wie dich heut Kaiser und Papst verkennen und in ihrem Überheben deine Worte nit hören, die du der leidenden Menschheit zugerufen hast: ›Fürchte dich nicht, ich bin bei dir! Weiche nicht, denn ich bin Gott! Ich helfe dir, ich stärke dich, ich erhalte dich durch meine Gerechtigkeit! Ich will dich trösten, wie eine Mutter ihr Kindlein tröstet, denn ich bin die Liebe!‹«

An einem Morgen, da Dürer wieder die Farbenplatte und die Pinsel ergreifen wollte, um dem Antlitz des Schmerzensmannes das tiefe Leid aufzuprägen; als er arbeitshungrig schaffen wollte, um sein eigenes Leid zu vergessen, da erfaßten ihn wieder Fieber und Ohnmacht, er taumelte vom Stuhl herab und fiel bewußtlos zu Boden. Die Gesellen, die das Gepolter hörten, sprangen herbei, der starke Georg Penz raffte den Ohnmächtigen auf die Arme und trug ihn in die Schlafkammer, wo er ihn behutsam ins Bett legte. Frau Agnes schrie auf vor Schrecken, bedeckte den zitternden Leib des Kranken mit heißen Tüchern, hüllte ihn in warme Betten ein und weinte vor Kummer.

Wieder saß sie Tag und Nacht bei dem Fiebernden und hütete jeden Atemzug, den er hervorpreßte. Sie wies die Gesellen, die ihr helfen wollten, immer ab. »Das ist mein Amt«, schluchzte sie. »So Gott und die heilige Mutter Christi es will, werde ich ihn gesundpflegen. Was fang' ich denn an ohne den guten Mann? Ach du mein armer Albrecht; daß du bist in der kalten Winterszeit wegen dem Walfisch durch Sturm und Not gefahren! Wärst du bei mir geblieben, das furchtbare Fieber hätte dich nit ergriffen. Du hast mir halt wieder nit folgen wollen!«

Wenn Dürer diese Anklage hörte, griff er nach der Hand seines Weibes und drückte sie liebevoll. Lächelnd flüsterte er:

»Ich weiß, daß ich es nit hätte tun sollen. Aber, mein' Agnes, wie sollt' deine Kunstware sich mehren, wenn ich allezeit bei dir bleiben würde? Wieviel blanke Gulden lägen jetzt in deiner Truhe, wenn ich den Walfisch hätt' visieren und in Kupfer stechen können! Jedes Bäuerlein, jeder Ratsherr hätten das Wunderungetüm gekauft wie frische Semmeln. Greine nit, Agnes, das Lichtlein, das Gott in mir hat angezündet, das löscht er wieder aus, wenn's an der Zeit ist, die er mir bemessen hat. Stelle dich nit gegen seinen Willen wie die Papisten!«

Frau Agnes erschrak über diese Worte. Eine Angst überfiel sie bei dem Gedanken, daß ihr Mann sterben solle ohne den rechten Glauben.

»Immer gibst du den Papisten einen Fußtritt, Albrecht«, eiferte sie. »Weißt du denn auch sicher, daß sie Falschdeuter der Worte Christi sind? Weißt du denn auch sicher, daß der Luther die Wahrheit schreibt? Schau', Albrecht! In so ein Büchel läßt sich viel schreiben. Du schreibst ja auch deine Gedanken in solche Bücheln. Ist's das rechte? Weißt du denn, ob die andern deinen Sinn über die Kunst vernünftig finden? Kann es denn nit sein, daß du dich irrst und der überkluge Doktor Wilibald darüber lacht, so wie er über deine Verse gelacht hat? Ich seh' ihn noch, wie er voller Schadenfreud' dagestanden ist und sich lustig gemacht hat über dich, grad so wie der Stadtschreiber Spengler. Und deine Verse sind doch so schön. Dir hat Gott ein so mildes Herz und eine so lautere Seele gegeben in deinen schönen Leib; weißt du denn aber auch, ob er dir die Erleuchtung gegeben hat, die Wahrheit von der Lüge im Glauben zu scheiden? Der Papst regiert schon tausend Jahr über die Christenheit, alle Gelehrten, Kaiser, Fürsten, Priester und das ganze Volk stehen hinter ihm, und *ein* Mönch, ein einziger, schreit aus, daß Gottes Wort anders ist, als die Kirche es predigt. Schau', Albrecht, wer hat Gott gehört? Wie soll da einer wissen, ob Luther recht hat oder nit?«

Dürer lächelte sein frommes Weib an. Ihre Glaubenslogik war ihm nicht neu. Er wußte auch, daß sie von Kunst und Wissenschaft nichts verstand; aber er war doch aufgeklärt? Warum hatte er sie nicht mit sich aufsteigen lassen, ihr das Verstehen beigebracht, sie gelehrt und aufgeklärt über all die Dinge, die ihn so tief berührten? Konnte er jetzt erwarten, daß sie seines Geistes war? Konnte er von ihr verlangen, daß sie ihm so viel Seele entgegenbringen solle wie Susanna Horebout? Er hatte sie bei seinem Weibe nie geweckt! Vielleicht hätte sie ihn so verstehen gelernt wie Susanna, und seine Ehe wäre glücklicher geworden. Da nahm er sich, wie schon sooft, vor, nachzuholen, was er versäumt hatte. Er zog Agnes näher zu sich heran und sagte:

»Agnes; Gott ist gerecht, er sieht uns ins Herz, und was die Lippen sprechen, das hört er nit, denn der Glauben ist nit für ihn! Er ist *für uns*. Wir leben in dem Gedanken, es Gott recht zu tun; da müssen wir auch wissen, wie es Gott haben will. Daß wir's wissen mögen, darum hat er uns seinen Sohn Jesus Christus herabgeschickt, hat ihn ein Leben durchmachen lassen, das gottesbedürftig war. Im größten Verzagen, im tiefsten Empfinden, in Hohn, Verrat, Haß, Mißgunst und Erniedrigung sollte Jesus zu Gott schreien, um zu zeigen, was ein Mensch von Gott braucht in seiner Not. Schau', Agnes, und da hat Christus den Aposteln von Gott gepredigt, daß er allen Sündern vergibt, wenn sie bereuen und Buße tun. Er hat die Liebe Gottes und seine Barmherzigkeit zum Glauben gemacht. Schau', Agnes, und wie haben die Kirchengelehrten und Priester die Worte Christi gedeutet? Sie haben sie anders ausgelegt, haben den Christenseelen ewige Verdammnis, Hölle und Fegefeuer als Strafgericht für ihre Sünden verheißen und aus dem lieben, gütigen, barmherzigen Gott einen irdischen Richter gemacht. Wie soll da der Sünder Zuflucht nehmen können zu Gott, wenn er ihn strafen will? Solche fallen ab vom Glauben und werden Verbrecher. Schau', Agnes, du hast mich lieb, ich weiß, dein Herz neigt sich mir zu, wenn ich es in meine Hände nehme und streichle, wenn ich die Liebe, die in dir ist, erkenne und ehre, wenn ich an sie glaube: Da vergibst du mir gerne, wenn ich dir unrecht tu' und dich kränke. Erzähl' ich dir's reuig, da lachst du mich an, und wir sind wieder gut. Wüßte ich aber, daß du nit verzeihen willst, daß du mich schmähen und mir Übles antun wolltest, wenn ich dich trotz deiner Liebe betrogen oder zu dir ein übles Wort gesprochen hätt', und du mir die Hölle heiß machen wolltest, da wär' meine Liebe bald in Furcht und Angst vergangen. Ich müßte dich fürchten als Peinigerin und könnte dir meine Schuld nit bekennen. So, mein' Agnes, wie der Ehestand, ist der Christusglaube auch, das sagt Martin Luther.«

Frau Agnes war von den guten Worten so ergriffen, daß sie ihres Mannes Hände an ihre Lippen zog und im dankbaren Verstehen küßte.

»Ja, du seelensguter Mann«, sagte sie zaghaft. »Dein Herz ist rein, so glaub' ich auch das, was du glauben mußt. Aber eines kannst du nit leugnen, Albrecht. Der Luther nimmt uns die Mutter Gottes und alle Heiligen. Hat er dazu ein Recht? Unser liebe Fraue lass' ich mir nit nehmen, daran halt' ich fest!«

Dürer setzte sich mühsam im Bett auf. Ein Zagen kam in seine Betrachtungen. Um Maria war ihm leid, warum solle den Frauen ihr heiligstes Symbol der Mutterschaft getrübt werden? Gibt es für sie eine größere Erbauung als diese? Nein, Luther wird seinen Sinn ändern, er wird einen Weg finden, um dieser Heiligen den Altar zu lassen. Was sollte ein Maler sonst noch malen, wenn ihm die Maria in allen ihren Erscheinungen genommen würde?

»Ich kann den Schwärmern nit recht geben. Kaspar hat mir von dem unsinnigen Karlstadt berichtet, der die Bilderanbetung Götzendienst heißt und mit Melanchthon verhandelt, daß alle Heiligenbilder sollen aus den Kirchen gebannt werden. Das glaub' ich nit, daß Luther es will; wie soll sonst ein Mensch das Leben von der heiligen Maria und Jesus Christus kennenlernen, da doch nur wenige des Lesens kundig sind? Luther wird Maria vor den wilden Stürmern schützen, sie ist eine Mutter für alle Mütter, ein Vorbild für alle Frauen. ›Eine Mutter ist heilig‹, hat der gottselige Vater einmal gesagt. Und die Mutter Christi hat alle irdischen Schmerzen durchgemacht, ihr ist das größte Leid widerfahren, sie ist die Heiligste! Luther mag wohl denken, daß Maria die Magd des Herrn und von ihm ausersehen war, als Weib aus dem Volke den Gottessohn zu gebären. Er verehrt sie auch als Mutter Christi, aber er beruft sich auf des Gottessohnes Worte, der da sagt: ›Gott allein sollen wir anbeten und ihm allein dienen!‹ So meint er: verehren dürfen wir Maria wohl, aber anbeten sollen wir sie nit.«

»Nit anbeten dürfen, die liebe Maria?« eiferte Frau Agnes. »Wie soll sich da ein Herz noch der Liebe erfreuen, wenn es die

Himmelskönigin, die doch die Liebe schützt, zu der wir alle Zuversicht haben, nimmer anbeten darf? Wie verlassen wäre unser Leben, wenn uns dieses Gnadenbild nimmer trösten dürfte!«

Dürer umfing sein Weib mit zitternden Armen, er erkannte den Schmerz, der ein gläubig Frauengemüt erfassen mußte in dieser Verlassenheit. Mild sagte er:

»Glaube du unentwegt an die Mutter Gottes, bete sie an und suche Trost bei ihr. Einen schöneren, reineren Glauben kann es nimmer geben. Laß dich nit beirren! Aber eines bedenke dabei: Dieselbe Maria, die Christus geboren und um ihn gelitten hat, ist nit dieselbe, wie sie die Mönche als *wundertätig* ausrufen. Gott und Maria haben es nit nötig, ihre Gnade zu verschachern; sie geben sie dem, der reinen Herzens ist. Das glaube du, mein' Agnes, und die Blätter von deinem Lebensbaume werden dabei immer grünen. Die meinen aber laß die Färbung des Herbstes durchmachen, denn meine Seele ist näher bei Gott als deine fromme Einfalt.«

Durch die Schlafstube taumelten die Winterfliegen und summten um das Bett des Kranken, der wieder in die Kissen zurückgesunken war und die Augen schloß. Wie hatte sich das Antlitz des Meisters verändert. Das früh ergraute, kurzgeschnittene Haar, das schon am Scheitel stark gelichtet war, ließ die hohe, durchfurchte Stirne frei, während es an der Seite in einen ungepflegten, struppigen Bart auslief. Die matten Augen waren von bleichen Deckeln, die sich über die etwas vorstehenden Augäpfel ausdehnten, überdacht, um die sich unzählige Falten und Fältchen verbreiteten. Der frühere Ausdruck dieser sprechenden, überaus scharfblickenden Augen, die die Macht des Denkens und den Erkenntniswillen ausstrahlten, war einer qualvollen Müdigkeit gewichen. Über die eingefallenen Augen zogen krankhafte Runzeln greisenhafte Zeichen. Die Nase stand starr, kantig, ausgebogen und schmal hervor. Der Mund lag zusammengepreßt und hatte den Ausdruck stiller Ergebenheit.

Frau Agnes sah diesen Verfall, dachte aber nicht darüber nach; sie wußte nicht, daß Seelenqualen mehr vermochten, den

Ausdruck eines Gesichtes zu verändern und seine unbekannten Tiefen zu offenbaren, als die Krankheit selbst. Sie strich mit zärtlich milder Hand über die heiße Stirne Dürers und sagte, gerührt von seinen guten Worten über den Lebensbaum:

»Dein Lebensbaum ist nit herbstlich, mein guter Albrecht, er ragt so hoch auf, daß ich wie ein furchtsam Vöglein darinnen hocke. Deiner Blätter Färbung ist purpurrot und eitel Gold. So grün, ach nur so grün sind die meinen. Ich erkenne dein gutes Gemüt. Dein Herz und deine feine Hand sind mir die Führer, die mir den besten Weg weisen. Wie könnt' ich deinem Glauben mißtrauen, weiß ich doch, daß er der wahre sein muß.« Tränen perlten aus ihren Augen. In dankbarer Liebe neigte sie ihr Gesicht über das seine und küßte ihn: »Jetzt will ich zu des lieben Heilands Mutter beten, daß du mir bald wieder gesund wirst. Sie hilft mir schon, mein Albrecht, wenn ich ihr mein lebendig Herz aufopfere, anstatt einem wächsernen. Sie hat dir ja auch geholfen, daß du bist ein Maler geworden!«

Seine Augen öffneten sich langsam; liebevoll blickte er sein Weib an, das ihr lebendiges Herz für ihn aufopfern wollte. Ein leuchtendes Flimmern schimmerte unter seinen Wimpern hervor. Mit leise bebender Stimme hauchte er:

»Bete zur Mutter Christi. Sie wird dich erhören, auch wenn du – keine – Mutter – bist.«

Es war ein lauer Aprilabend. Über Wittenbergs Dächern verglühte der Widerschein der Sonne. Im Gärtlein des Augustinerklosters, vor den Fenstern der Lutherwohnung, begannen die Rosensträucher ihre grünen Knösplein anzusetzen. Um die Laube aber, in welcher Luther früher sang und die Laute spielte und mit Melanchthon und Cranach manche Nacht in erbaulichen Gesprächen verweilte, blühte der Flieder und schickte sich die Akazie an, ihre gelben Dolden in die hellgrünen Blätterwedel zu hängen. Die junge Frau des Humanisten und Literaturprofessors Philipp Melanchthon hielt ihr Kindlein an der Brust und war ganz in ihr Glück versunken. Nur manchmal sah sie mitleidig zu ihrer Freundin Margarete Hirschvogel hinüber, die versonnen durch den Garten schlich und die Blumen begoß.

»Ihr seid heut so traurig, Jungfrau!« sagte Frau Klara besorgt. »Habt Ihr wieder Nachricht vom herzlieben Bruder? Ist Euer Vater noch nit versöhnt?«

Margarete stellte die Kanne in den Kiesweg und setzte sich zur jungen Mutter.

»Ich sehe Euer Glück, und da ist mir bange um das meine. Ich hab' auch einmal geträumt von Mutterfreuden. Ich hab' mir den Himmel auf Erden ausgemalt, licht und schön. Da ist mein Herzliebster mein Bruder geworden. Und das grausame Geschick hat mir alles, alles begraben. Wenn die Blümlein blühn, da ist mir's, als blühten sie über dem Grabe meiner Jugend, die ich verlor. Du lieber Jesus, wie lange noch soll ich so verschmachten in der Fremde? Der Vater ist härter geworden, seit ich hier bin, er will von seinen Ketzerkindern nichts mehr wissen. Was hab' ich getan, daß ich also leiden muß? Meine Seele ist fromm, und mein Herz ist rein, keine Schuld kann mich treffen!«

Frau Melanchthon legte ihr Kindlein in den Korb, umschlang den Hals Margaretens und sprach in warmer Herzlichkeit zu ihr:

»Ihr seid arm. Gott wird Euch alle Freuden aufsparen, verzaget nit. Bin ich nit bei Euch und hab' Euch lieb wie eine Schwester? Ist Meister Lukas nit besser zu Euch, als es ein Vater sein kann? Sehet, auch ich hab' ein großes Leid erfahren. War ich doch als junges Mägdlein allzuviel verliebt in Doktor Martinus. Wie ist mir's schwer geworden, diese Liebe zu begraben, und immer noch bange ich um ihn, der auf der Wartburg sitzt und keine Freiheit hat. Heut nacht hab' ich geträumt von ihm, er kam dahergeritten wie ein Junker und hat mich traurig angeschaut, wie ich mein Kindlein geherzt hab'. Sehet, Margarete, der Ehrdoktor ist der beste Mensch von der Welt, ihn hat Gott erleuchtet zu großem Vollbringen; und wie ergeht es ihm? Des Kaisers Edikt und des Papstes Bann haben ihn getroffen, er muß sich hüten, die Gefangenschaft aufzugeben, in die ihn zum Schutze unser Kurfürst gesetzt hat, daß ihn die Wittelsbacher, der Herzog Georg, die Bischöfe und der Legat des Papstes nit morden. Wie ein Stück Wild wird er verfolgt. Hätten ihn Friedrich der Weise, Ulrich von Hutten, Schwarzenberg, Sickingen und seine Freunde damals, als er von Worms zurückkam, nit gewaltsam auf die Wartburg verschleppt, er wäre längst dahin. Ich bin voller Angst um das Leben des Helden, der stark und frei das Volk erlösen möchte, so wie Christus es getan hat. Er könnte wie Ihr fragen: Was hab' ich verschuldet, daß ich also leiden muß? Und klagt er etwa? Sein Glauben ist so stark, daß ihn kein Feind ängstigen kann. So müsset Ihr sein, Margarete, so stark müsset Ihr glauben, dann wird alle Wehmut von Euch weichen!«

»Er ist ein Mann, der ein Ziel vor Augen hat«, sagte Margarete, die Hand der Freundin drückend. »Er ist ein Held, seine Seele ist erfüllt von Gottes Liebe, die er lehrt. In seiner freiwilligen Gefangenschaft arbeitet sein Geist weiter, er befreit in seinen Studien und Schriften die Bibel und das Neue Testament von den Siegeln, die sie dem deutschen Volke verschließen. Er hat seit den zehn Monaten, die er im Schutz des Kurfürsten geborgen ist, Schriften ausgehen lassen, wie er sie in seiner Freiheit nit hätte schreiben können. Was aber hab' ich tun können? Vergleichet meine Not nit mit der seinen. Mich zerschlägt schon *ein* Leid, dem ich trotzen muß. Er aber schwingt ein Schwert, gegen das Kaiser und Papst nichts vermögen. Das Volk liebt ihn und wird ihn schützen. Mein Vater aber steht gegen ihn auf, seine Verblendung ist allzu groß, wie soll ich dieses Unrecht ertragen? Meine Jugend ist längst dahin, mein Herz hab' ich müssen sterben lassen. Und mein armer Bruder ist verzagt, kann keine Ruhe finden. Im Glauben gegen den Vater, im Herzen ihm zugetan, müssen wir getrennt sein von ihm. Ach, könnt' ich sterben!«

Frau Klara zog die Freundin an ihre Brust und küßte sie. Aus dem Erbarmen ihres Herzens stieg es warm auf, aber sie fand kein Wort, das stark genug gewesen wäre, das Leid Margaretens zu verscheuchen.

In diese traurige Stille gellte mit einem Male das wilde Toben einer Menschenhorde. Ein Johlen und Schreien hub an, über die Straße zog ein wüstes Volk von Studenten und Schwärmern. Diese wilden Burschen trugen Heiligenbilder aufgespießt und zerfetzte Kirchenfahnen mit Märtyrern und Madonnen, die sie aus den Kirchen raubten, und schrien: »Nieder mit den Götzenbildern der Baalpfaffen. Es gibt nur einen Gott und keine Götter! Befreiet Jesus Christus von den Scheinheiligen, die um seinen Thron buhlen.«

Die Frauen waren aufgesprungen und eilten zur Mauer, um zu sehen, was es gäbe. Da sahen sie das aufgewühlte Volk, an der Spitze Karlstadt und Thomas Münzer, die die Abwesenheit Luthers dazu benutzten, ihr Schandwerk auszuführen, die Kirchen von allen Heiligenbildern auszuräumen, die sie vernichteten im blinden Taumel ihrer Schwarmgeisterei. Keinen Altar hatten sie verschont, alle Statuen Marias und der Heiligen zerschlugen sie, und nun trugen sie die Trümmer der Bildwerke johlend durch die Gassen.

Aufgeregt und von Kummer bleich, stürzten Philipp Melanchthon und Lukas Cranach in den Garten herein zu den Frauen, die, von Entsetzen gelähmt, das Treiben der Bilderstürmer sahen. Die dicke Gestalt Cranachs erbebte in Angst, sein Gesicht, das ein grauer Bart umrahmte, war bleich, als wäre er sterbenskrank. Barhäuptig, mit flatternden Haaren, die Hände verzweifelt ringend, stöhnte der Meister:

»Meine Bilder haben sie zerschlagen, meine lieben Bilder, die ich mit so viel Fleiß und Andacht gemalt hab'. Und die Bilder Dürers, Holbeins, den schönen Sebastian vom Grünewald, die Maria vom Schongauer und den Hieronymus vom Barbari und alle, alle die frommen Gemäl der guten Meister haben sie aus den Kirchen geschleppt, diese Wilden. Geschrien haben sie, daß die Kunst ein Götzendienst sei, die liebe, liebe Kunst! Kein Bildwerk soll fürder die Kirchen schmücken, alle wollen sie vernichten, diese Räuber und Henker in Gottes Himmelreich. Du lieber Herr Jesus, wie soll da ein Maler noch leben können? Und Luther ist nit da, er, der alle Bestien zähmen könnte mit seiner Worte Gewalt. Wie soll ich das ertragen?«

Margarete war Lukas Cranach entgegengeeilt; angstvoll ergriff sie seine Hände, und begütigend sprach sie:

»Meister, fasset Euch. Luther wird kommen, er wird die Wilden bezähmen! Das ist doch nit sein Sinn, all das Liebliche zu vernichten. Das tun die Übereifrigen, seine Widersacher!«

»Er ist schuld, weil er die Maria entthront hat und die Heiligen verlacht!« stöhnte in seiner Verzweiflung der Meister. Da nahm ihn Margarete in ihre Arme und hielt ihn fest.

»Schmähet ihn nit, den heiligen Mann! Eure Angst ist so wild wie die Greuel der Stürmer. Harret, bis Martinus kommt!« sagte sie ergriffen. Cranach aber löste sich von ihr und rief:

»Was wird Euer Dürer sagen, wenn er das hört? Wie wird sich sein Herz härmen!« In den grauen Bart des Meisters liefen heiße Zähren. Margarete aber ließ ihn nicht los; mit weicher Stimme sprach sie:

»Meister Albrecht wird diese Unbilden stärker ertragen, er wird sagen: Keine Not ist so groß, als daß nit Gottes Gnade sie erlösen könnte. Er wird neue Tafeln malen, und Luther wird sie schützen, der Kurfürst wird seine Landsknechte gegen die Bilderstürmer schicken.«

Cranach aber konnte sich nicht beruhigen, er stöhnte in einem fort:

»Meine Bilder, die lieben Bilder haben mir diese Teufel Luthers zerschlagen!«

Melanchthon zerrte an den Armen des verzweifelten Malers, er konnte ihn nicht bezwingen; da nahm er seinen zagen Mut zusammen und schrie ihn an:

»So hört doch endlich auf mit dem Geweine! Ist es dazu gekommen, daß Karlstadt und seine Horden die Bilder vernichten, was kann Martinus dafür? Begreift Ihr denn nit, daß es ein loser Bubenstreich ist? Wär' Luther in Wittenberg, kein Arm würde nach den Bildern greifen dürfen! Aber die Irrlehre Thomas Münzers, der in Allstedt das Volk gegen Kirche und Fürsten, gegen Zucht und Recht aufwühlt, ist schuld an dem

Bubenstreich. Luther ist ihm zu milde, da will er das Volk gegen die Herrenrechte sich erheben lassen; Lärm und Gewalt will er ins Land rufen, will alles in Blut tränken, was nicht gegen Papst und Obrigkeit schreit. Was Luther in Frieden und Eintracht aufbaut fürs Heil der Seele, dieser Gewaltmensch stürzt es mit seiner Irrlehre um. O Schande über solche Freigeister, die eine gemeine Macht an sich reißen wollen aus Habsucht und Mordlust. – Wo bleibst du solange, o Martinus, du Held? Komme und schlage mit deinem Geist die wilden Rotten, die sich wider deine Macht erheben!«

Die Worte des Gelehrten dröhnten wie Glockenschläge in den Abend hinein; aber kaum waren sie verklungen, als von der Gartenpforte her lauter Hufschlag erscholl. Ein Junker, bewehrt und besport, sprang vom Roß. Sein vom wilden Ritt erhitztes Gesicht war mit einem Vollbart umrahmt. Aus den Augen leuchtete zornentfachte Glut. Er eilte auf die Gruppe der Verzweifelten zu, die ihn für einen Fremden hielten, und sprach mit bewegten Worten:

»Was rufest du mich, mein getreuer Philippus? Siehest du nit, daß ich zur rechten Stunde komme? Gott schickt mich zu meinen verirrten Schäflein, in deren Pferch Wölfe und wilde Bestien eindrangen. Trotz Acht und Bann, trotz dem Zorn meines edlen Schützers, bin ich geritten, um mit selbwärtiger Person und lebendigem Mund einzustehen für Gottes Wahrwort und für des Volkes Zucht. Da nutzt kein Verstecken mehr vor irdischen Feinden, wenn mir die Wilden den Garten versauen, den ich bestellt hab' für meinen Herrn und Gott! Es geschehe sein Wille, in seinem Schutz und Schirm will ich mich der wilden Horde stellen und, wenn's sein muß, mein Leben hergeben für Jesus Christus. – Seid mir gegrüßt, ihr Getreuen! Erkennet ihr mich denn nimmer? Ich bin doch der ›Junker Georg‹!«

Mit einem Sprunge war Frau Klara bei ihm; einen Freudenschrei ausrufend, sank sie an seine Brust und schluchzte vor Freude:

»Unser Ehrdoktor! Unser Martinus! Seid Ihr doch gekommen, wie ich's erträumt hab'?«

So war Luther, trotzdem sein Schützer und Gönner es ihm wehrte, nach Wittenberg zurückgekehrt, weil man ihm von Karlstadts und Münzers Wühlarbeit berichtet hatte. Die Schwärmer und Wiedertäufer, die Zwickauer Unberufenen und die Irrenden wollte er in Zucht halten, er mußte ihre mittelalterlichen Ideen, die sie für evangelisch ausgaben, abwehren. Er fürchtete den Tod nicht; er, der Geächtete, lief in die Gefahr hinein aus Liebe zu seinem Volke, zu seinem Gotte.

»Ehrdoktor!« rief Meister Lukas, der es nun bereute, die Bilderstürmerei mit Luther in Zusammenhang gebracht zu haben. »So habt nit Ihr ihnen geboten, die lieben Bilder zu zerstören? So habt nit Ihr es gewollt, daß die Maler fürderhin verhungern mögen? So sprecht doch; seht Ihr denn nit meine Angst?«

»Lukas, Lukas!« sagte Doktor Luther strenge und legte seine Hand auf die Schulter des Meisters. »Auch Ihr, der Sanftmütige, seid irre geworden an mir? Ist ein Jahr genug, um meine Felsen zu verrücken, meine Augen zu vergessen, meine Treue zu bezweifeln?«

»Nein, nein – nur die Bilder – die Bilder!« stöhnte der Meister.

»Eure Bilder sind mir wahrlich leid. Ich will sie wieder zurückverlangen von den Lotterbuben. Ihr sollt weitermalen in Eurem rührenden Fleiß! Wer könnte das arme Volk besser über den Leidensgang Christi und seiner Mutter unterrichten als unsere Maler mit ihren Tafeln? Eure Kunst soll mir keiner mehr anrühren.«

Da drängte der greise Meister Frau Klara zur Seite und umarmte den Doktor. Freudig rief er:

»Haltet Wort, Ehrdoktor! Der liebe Gott will konterfeit sein; zu was hat er denn die Maler erschaffen? Und jetzt – Gott zum Gruß in Wittenberg. Ich gehe alsogleich, die Ratsherrnglocke zu schwingen. Der ehrbare Rat soll Euch den Schutz schwören, damit Euch im Stadtfrieden das Edikt des Kaisers nichts anhabe. Ihr müßt Asylrecht finden bei uns; ich, als ältester Ratsherr, will das Wortschwert für Euch führen, so Ihr das Eure für die Kunst schwinget. Da mögen die Hunde vor der Stadtmauer bellen, soviel sie wollen! Auf das Kaiserliche Edikt pfeifen wir Wittenberger!«

Aus schwerer Angst befreit, lief Meister Lukas, von seiner Ratsherrnwürde erfüllt, ins Rathaus. Noch zur selben Stunde verkündete der Spruch der Ratsherren den Schutz und das Asylrecht für Luther im Stadtfried.

Luther ließ sich den Bartscherer kommen, vertauschte sein Junkergewand mit dem Mönchskleid und trat noch in später Abendstunde auf die Kanzel der Schloßkirche, die durch die Nachricht von seiner Wiederkehr alsbald überfüllt war von seinen Anhängern. Mit glühenden Worten berichtete er von seinem Siege vor Papst und Kaiser, von seiner Gefangenschaft auf der Wartburg. Mächtig sprach er gegen die Schwarmgeister und Volksverführer, rief Gottes Zorn über die tollen, wilden Bilderstürmer herab und gab sein friedesames Glaubensziel den demütigen Bürgern kund. Als er aus dem von ihm übersetzten Neuen Testament über den Heiligen Geist, der die Apostel erleuchtet hatte, vorlas und daran die Warnung knüpfte, das Volk möge sich vor den falschen Propheten hüten, da ging eine tiefe Bewegung durch das Gotteshaus. Luther reckte sich und rief mit Donnerstimme: »Und ihr, die ihr Gottes wahres Wort nicht hören wollt, sollt auch seiner Liebe nicht teilhaftig werden! Hebet euch hinweg aus dem reinen Tempel des Herrn, bis euer Herz wieder frei wird von den Verirrungen. Wer aber den allmächtigen Gott und seinen gebenedeiten Sohn aus dem reinen Evangelium kennenlernen will, der schare sich um mich! Ich will ihm zur Seligwerdung die Worte Christi auslegen und ihn führen, auf daß er die Liebe Gottes erkenne! Ich schließe den Ring um mich, und wer den Frieden bricht, sei ausgestoßen aus der Gemeinschaft des heiligen Evangeliums. Helfet mir, die wilden Horden bezähmen, die eingebrochen sind in meinen Garten, denn wahrlich, ich sage euch, mit dem Schwerte des Herrn sollen sie vernichtet werden!« –

In der lauen Nacht saßen in Luthers Stube die Getreuen beisammen; auch Margarete fehlte nicht. Als der Doktor sie sah, zog er sie zu sich heran und sprach:

»Ich sehe Euer Herz weinen, Jungfraue. Habet Mut! So wie die falschen Propheten alle frommen Werke stören, so hat der böse Teil einer Menschenseele Euer Glück gestört. Aber es ist ein größeres Glück in Eurer Seele lebendig geworden. Christi Samenkorn ist in Euch aufgegangen. Haltet getreu zu ihm, er vermag es, den harten Sinn eines Greises zu wenden. Wer sein heiliges Antlitz im Schmerze sieht, den kann kein Schmerz mehr niederbeugen. In dem Garten des Herrn sollt Ihr eine reine Lilie bleiben!« Er neigte sich über Margarete und küßte sie auf die Stirn. »Gott segne Euch, Jungfraue. Viele Kämpfe harren Euer. Seid stark im Evangelium, harret aus in der Liebe zu Gott. Wer den rechten Glauben hat, dem trägt sein Dornenbusch die schönsten Rosen. Von Eurem Bruder habe ich heimliche Kunde; bereitet Euch vor zur Heimfahrt; es mag sein, daß er Euch bald zu Albrecht Dürer bringt, von wo Ihr dem Vater entgegeneilen sollt. Gehet in Frieden, im Namen Jesu Christi! Auch Euer harret die Liebe Gottes!«

Ein Lärmen erscholl vor den Fenstern Luthers. Als Melanchthon hinausspähte, sah er Scharen von Scholaren und Studenten, Gesellen und Meistern mit Fackeln in der Hand, um den Ehrdoktor bewegt und reumütig zu grüßen. Es waren die Bilderstürmer, ohne ihre Führer. Sie wollten sich mit Luther versöhnen und sangen eines seiner Lieder im mächtigen Chor. Luther trat ans Fenster, seine Augen wurden feucht. Gerührt sprach er zu Meister Cranach:

»So sind sie alle wieder in meiner festen Hürde, die Schäflein, die verirrten!«

Der Märzregen schlug mit Wucht an die Fenster der Studierstube Wilibald Pirkheimers. Frühzeitige Dämmerung schlich über die Bücherwände und hüllte die astronomischen Instrumente auf den Schränken in Dämmerung. Am Fenstertische saßen Dürer und der Gelehrte im eifrigen Gespräch über das Ptolemäische System. Ein Wust Handschriften, in denen Pirkheimer blätterte, lag aufgestapelt am Schreibpult. Es waren die Schriften des Ptolemäus, die Pirkheimer ins Lateinische übertrug. Dürer sollte ihm dazu einen Holzschnitt machen, der das Instrument zur Bestimmung der Sterne im Verhältnis zur Erde, die Armillarsphäre, als Ringgefüge der Bewegungslinien darzustellen hatte.

»Sehet«, sagte Dürer, »das Vollkommene, das ewig Bewegliche und Lebendige schließet nur die Linie im Kreise ein. Sie ist unter allen Linien die würdigste, die vollendetste, von wo sie ausgeht, dort schließt sie sich wieder, daher drehen sich auch alle Himmelskörper in kreisförmigen Bahnen. Und glaubet Ihr, daß die Erde ihr Mittelpunkt sei?«

»Wer kann's wissen!« Verächtlich zuckte Pirkheimer die Achseln. »Wir Menschlein bilden's uns ein und glauben, weil wir die Erde bewohnen, müssen sich alle Himmelskörper um uns drehen! Wir sind ein hochmütiges Pack! Ein Strafgericht wird niederfahren über uns mit Pech und Schwefel!«

Dürer lächelte, er kam bei dem Schnauben des Gewaltigen nicht aus seiner Ruhe. Gelassen sagte er:

»Wilibaldus, Ihr treibt's gar zu arg mit Eurem Zorn! Habt doch Erbarmen mit den Armen im Geiste! Sie sind so gottverlassen wie wir.«

»Schon als Bub wart Ihr so ein Angsthas' und seid's geblieben!« Böse hob Pirkheimer seinen mächtigen Kopf und zog ihn in die Schultern hinein, daß sein Nacken verschwand. »Ich hasse das ganze Gelichter! Und Ihr, armselig Menschlein, das in seiner Sanftmut wie ein Blumenglöckl läutet, sehet vor lauter Rücksicht das Volk erbarmungswürdig an. Erbarmen soll ich haben mit den Armen im Geist? Haben sie Erbarmen mit den Reichen im Geiste? Aufstehen tut das Pack wider uns, vernichten will es uns mit roher Gewalt! Die ganze Menschheit ist besudelt von dem Antichrist, der in unsere Zeit ist hereingebraust mit Schwefel und Sünde. Seht Euch die Herren des Rates an; sie balgen sich um Luthers Ehre und büßen die ihre ein.«

»Wilibaldus, seid sanftmütiger, lasset mir den Luther!« lächelte Dürer.

»War ich nit sein Anhänger? Hab' ich ihn nit verteidigt in meiner Schrift, hab' ich nit den Bannstrahl vom Papst gespürt dafür? Hab' ich nit erhofft, daß die römische Barbarei, desgleichen der Mönche und Pfaffen Schalkheit sollte gebessert werden? Aber, so man zusieht, hat sich die Schlechtigkeit so verschlimmert, als daß die evangelischen Buben jene Buben fromm machten! Jetzt steht das Volk auf gegen den Papst und gegen Kaiser und Fürsten, Stände und Ratsverwaltung. Die Pfaffen sind wilde Hetzer geworden. Solange ihre Unwissenheit von der Wissenschaft widerlegt werden konnte, war der Kampf ein interessanter. Nun haben die Plebejer, die Volkshorden und die Bauernschädel die Gelegenheit an sich gerissen; und was ist aus der reinen Glaubenssache geworden? Einen Teufel haben sie ausgetrieben und neunundneunzig ärgere losgelassen. Stehlen, lügen, lastern, fressen, saufen, morden, brandlegen – ist ihr Evangelium. Da soll ich nit hassen? So wie ich ihnen die Ratskette hinwarf, so werfe ich nun dem Luther die Thesen ins Gesicht. Unrat, ärger als ehedem, sudeln die Lutherbuben in den Christusglauben hinein! Alle Menschenwürde begraben sie in zügelloser Rauflust und Saufschande.«

Dürer seufzte. Er sah verloren durchs Fenster, an das der Regen klopfte. Seine Wangen röteten sich in leisem Unmut; ruhig sagte er:

»Die Zeit verlangt's. Die Knechtschaft war allzu arg!« Wie ein Stöhnen rang es sich aus seiner Brust: »Was Ihr da vorbringt, hat Luther in seiner Schrift an die Stände auch ausgeschrien. Wenn andere also wild sich zeigen, was kann er dafür? Luther will's nit, er wird es schon richten!«

»Der?« Pirkheimer blieb vor Dürer stehen und sah ihn verächtlich an. »Der ist auch ein Hetzer geworden. Steht nit Erasmus gegen ihn? Er verträgt sich mit keinem, der Starrkopf. Was vermag auch ein Mönch gegen hunderttausend reißende Wölfe!«

»Der Thomas Münzer, der Karlstadt, der Schwertfisch und alle seine Widersacher –«

»Das sind Lumpen, jawohl, Gesinnungslumpen und Ausbeuter«, unterbrach Pirkheimer den Meister zornig; »die greifen aus Luthers Schriften irgend etwas heraus. Jeder Saukerl wirft mit Luthers Worten herum und macht Unflat daraus; da habt Ihr recht, Albrecht! Der Münzer ist der ärgste, er treibt das Bauern-volk in den Abgrund. Diese Hunde reißen sich von den Ketten los, sie wollen nit mehr in ihren Hütten hausen, nach Schlössern und Burgen verlangen sie. Kirchen stürmen sie, Klöster und Vogteien plündern sie und richten sich selbst das Kreuz des Elends auf, an das sie die Verführer nageln werden. Ein Hund, der beißt, gehört an die Kette! Das heiße ich Weltsystem! Ptolemäus hat es erkannt, wenn er an die Armillarsphäre Ringe ineinanderfügt. Nur im *System* liegt der Bestand; zerfällt es, so zerfällt *alles*!«

»Wilibaldus – Wilibaldus!« stöhnte Dürer unter der Wucht der Worte.

Pirkheimer lachte gallig und sah den Verzagten mitleidig an.

»Wunderlicher Heiliger, der Ihr seid! Wenn ich Euch so sanft sitzen sehe, da könnt' ich im Zorn vergehen! Ihr seht allezeit nur immer den bunten Falter in der Sonne schwingen. Denket daran, daß er Eier legt, aus denen gefräßige Raupen kriechen, die Euch das Kraut fressen, weil ihnen die Gesundheit ihrer Bäuche das wichtigste ist! Was wissen aber diese Gefräßigen, was uns ein Krautacker für Plage macht; was wissen die Menschenbestien beim Morden und Plündern der Herren und Herrengüter, wie wir alle im Schaffen und Aufbauen der Kultur leiden? Und je besser das Geschaffene, desto mehr müssen wir leiden! Das Große, Zielsichere in Kunst und Wissenschaft, im reinen Menschentum, windet sich beim Gebären in allen Schmerzen. Unser Geist zerfleischt uns, die Freuden weichen dem Ernst, im Ringen nach Vollkommenem müssen wir uns selbst vergessen! Sehet in Euch hinein, Albrecht, armer Albrecht! Zweifel, Grübelei, Enttäuschung und Not haben Euch verbittert und darniedergeworfen! Das Vertrauen zu Euch und zu Eurer Kunst ist ein mißlungen Konterfei; Euer Ruhm ist Euch ein Fastnachtsspiel! Ihr seid in Euch leer geworden im notigen, kümmernisreichen Vergrübeln! An Euch ist's, sich zu beklagen! Ihr leidet, wie der Heiland gelitten hat! Ihr fühlt Euch zu Großem reif, aber mühsam müsset Ihr Euch im Kleinen vertun. Eure Demut warf dem blöden Unverstand Perlen hin, die Euer Geist aus den Tiefen harter Muscheln löste! Denket jetzt einmal nit an andere, denket an Euch selber, raffet Euch auf zu einer befreienden Tat. Ergreifet den Stift wie einmal, da Ihr des Papstes Übermacht in der ›Apokalypse‹ zerschluget. Zerschlaget jetzt *den neuen Irrwahn der falschen Propheten*!«

Wilibalds Keuchen drang durch die Stubenstille. Mit mächtigen Schritten, hinkend im Podagraschmerz, der ihn arg quälte, lief er vor Dürer auf und ab, den Kopf eingezogen, als suche er Kraft, um ihn wieder gewaltsam hervorzustoßen.

Dürer erhob sich. Ein Leuchten erfüllte seine Seele, Gestalten stiegen auf in ihr, mächtige, drohende. Er empfand den Sinn der Worte des Zornigen. In ihm löste sich ein Aufschrei aus dem Aufschrei des Freundes. Ein übergroßer Wille formte im Augenblick Figuren zu einem Bilde, die wie Pfeiler aufragten, an denen die Brandung abprallte. – Aber dieser aufflammende Wille zerbrach wie ein Rohr, als der Meister seines Leibes Schwäche spürte. Müde zum Niedersinken war er, zermürbt vom Fieber und vom Zweifel. Was war aus ihm geworden? Kaum gab ihm ein Gedanke Mut, so warf ihn die Kraftlosigkeit wieder zurück. Pirkheimers Nähe war ihm das Aufflackern des Geistes, der Schwingen fand. Er hatte sich an ihm immer zur Höhe gehetzt, jetzt stand er vor dem Abgrunde, den ihm die Todesahnung aufriß. Jetzt drückte ihn der Gedanke nieder, daß er sich nie wieder werde aufraffen können, um das Große zu schaffen, das noch in ihm gestaltenlos rang. Da ihn die Kraft verließ, empfand er den Ekel gegen alles, was er früher schuf. – Im Kampfe ums Dasein erlahmte er immer dann, wenn ihn eine Idee vom Tagesgeleise wegzog und ihn die Angst wieder in die Mühle trieb, wenn die Idee nicht das Korn für sein Brot reifte. In allen Zweifeln zweifelte er am meisten an sich selbst, und jetzt gewann die Krankheit des Körpers auch die Herrschaft über seine Seele. Traurig, müde, entmutigt setzte sich Dürer wieder und sagte mit erfrorener Stimme:

»Der Haß gegen sich selbst ist die schmerzlichste Erkenntnis. Wert liegt nur in der Kraft. Wer die verloren hat, dem ist die Menschenbestie über.« – Langsam erhob er sich wieder. »Wilibald, wie sollt' ich so Gewaltiges vollbringen können, wie Ihr es von mir fordert? Sehet mich doch an, wie ein Kind bin ich geworden. Ich zittere und friere in meiner Hilflosigkeit. Die Wandmalerei im Rathaussaal hab' ich nit einmal ausführen können. Die kleinsten Dinge sind für mich Schwerarbeit! – Wo ist die Zeit, da ich in Eisen meine ›Verzweiflung‹ und meine ›Entführung am Einhorn‹ hab' ätzen können! Sind erst sieben Jahre her und dünket mich eine Ewigkeit. Da hab' ich in das Wunderland der Antike hinübergeträumt, und die deutsche Kunst ist mir als unförmig dralles Weib vorgekommen, ohne Geist und Adel. Hinüber hab' ich sie pflanzen wollen in arkadische Schönheit, daß sie sich veredle und freier werde. Bin wie ein Verzweifelter vor ihr gekniet, sie aber hat geschlafen in fauler Üppigkeit. Traumlos lag die deutsche Kunst, häßlich im Schlafe, wie tot. Und der Schlafende kann doch wie ein Engel ausschauen, wenn er das Irdische abstreift und nur im Geiste lebt. Der Geist ist die erhabenste Schönheit. Meine Verzweiflung sah niemand. Der stolze Patrizier ging achtlos an mir und der Schlafenden vorbei, keinen Blick fand er für uns. Der Dumme mit der Maske des Weisen und Gerechten hat vor der Schlafenden sein wahres Gesicht gezeigt und ihr mitleidig den Labetrunk in der Kanne hingehalten, zögernd, ob ihm ein Gewinn daraus entstünde. Bei dem Gleichmut ist meine Verzweiflung gewachsen, und ich hab' die schlafende Kunst auf das Fabeltier gesetzt, auf das mythische Einhorn der freien Phantasie. Durch die deutsche Wildnis bin ich geflohen, dem Sonnenlande der Schönheit bin ich zugeritten. Im Anblick der Schönheit, der Freiheit wollte ich die deutsche Kunst erwecken, veredeln und erheben. Sie aber hat sich gesträubt dagegen, sie wollte die Heimat nit missen. Die Sonne war ihr zu heiß, die Farben zu bunt, die Schönheit zu sündhaft – ich war machtlos. Auch das Einhorn sträubte sich, ein kreischendes, geiferndes Weib in die Gefilde der Götter zu tragen ...«

Dürer ließ die Arme sinken, und Wehmut blickte aus seinen Augen. Wilibald blieb stehen und fragte:

»Das sind die beiden Ätzungen, die Ihr mir gezeigt habt? Was weiter?«

»Weiter?« Dürer stöhnte: »Der Ritt mißlang, die Kunst schläft weiter. Die Sehnsucht in mir ist verkümmert. Die Kunst hat mir nit geholfen, sie ist ohne Ideale, ohne Geist und Adel geblieben!«

»Armer Freund«, hohnlachte Pirkheimer, »wisset Ihr nit, daß es im Deutschen Reich keine Ideale gibt? Wir stehen an der Wende einer Zeit, wo die Roheit triumphiert, die Schönheit stirbt und der Glauben wankt. Was braucht der Deutsche Ideale? Er braucht Fäuste und Gewalt! Ha, ha, ha! – Wecket die Kunst auf andre Weise, heißet sie aufstehen und *fordern*! Da wird sie Euch willig sein! Ihr dürft nit flennen um Dinge, die die Sinnenlust befriedigen. Euch gab Gott eine andere Mission, als mit Gefühlen zu tändeln, Euch gab er die *Pflicht*, die müsset Ihr erfüllen! *Pflicht und Zorn! Die machen das Große.* In der Pflicht das Erkennen, im Zorn das Durchsetzen! Stellet Denkmäler auf, die den Deutschen in die Seele schreien! Schaffet Gestalten, die dem Wahnwitz gebieterisch trotzen! Dürer, wachet auf!«

Eisige Hilflosigkeit, ängstliches Verlassensein durchschauerten den kranken Leib des Meisters. Konnte er noch heraus aus seiner Schwäche? Schaffen, schaffen sollte er; Großes, Forderndes! Würde er die Kraft dazu finden? Sein Geist flammte auf, als hämmerten die Worte des Freundes glühenden Stahl auf seinem Amboß. Hatte ihn Susanna nicht auch emporgerissen zum Erfassen im Geiste? Hatte er nicht erkannt, daß das höchste Ziel der Kunst Kraft und Geist seien? Und was hatte er seitdem schaffen können? Kleine Stiche, heraldische Holzschnitte, wie ein Anfänger. Sein »Hieronymus«, den er nach der Zeichnung des Antwerpner Urgroßvaters auf eine Holztafel malte, war ein Kinderspiel gegen das, was sein geistiges Auge erschaute. Sein »*Ecce homo*« war ohne Erleuchtung, ein Zerrbild, ohne lebendige Schönheit. Nichts gelang ihm mehr. Was war ihm der Ruhm? Und doch – war sein Geist nicht reger als je? Stand er nicht vor einem Abgrund, den er überspringen mußte? –

Pirkheimer schaute den Verzweifelnden mitleidig an, liebevoll sprach er ihm zu:

»Harret noch eine Weile, Albrecht. Ich sehe in Eurer Seele den Kampf, der nach Gestaltung ringt. Haben wir erst den April vorbei, dann müßt Ihr mit mir in mein Sommerhaus ziehen. Lenzsonne, Wärme und Blütenduft sind die beste Arzenei für einen, der an sich selber krankt!«

Des Freundes Milde trieb den gereizten Meister plötzlich zum Widerstand. Er löste sich von ihm los. In seine Seele war ein Funken gefallen aus Pirkheimers Zorn.

»Früher muß ich schaffen! Jetzt! – Ich sehe Gestalten!«

»Wie, Albrecht! – Wie? Was seht Ihr für Gestalten?« Er reichte ihm einen Stift und Papier hin; Dürer begann hastig zwei Apostelfiguren zu skizzieren, dicht aneinandergedrängt, den Raum ausfüllend. Begeistert von der Idee rief er:

»Sie ragen empor wie Säulen des Glaubens. Zersprengen müssen sie die Enge, in die man sie drängt. Oben der Kopf, unten die Füße müssen anstoßen! Rechts und links die Körper müssen sich spreizen. Die Größe im Raum muß monumental sein.«

»Zersprengen müssen sie im Zorn die Engen der Widersacher und Leugner!«

»Und Geist vom Geiste der Wahrheit sollen sie sein.«

»Nur Riesen können die Glaubenszwerge bezwingen«, hetzte Pirkheimer weiter, die Glut schürend, und Dürer hetzte mit ihm:

»Die Augen müssen in alle Seelen flammen und sprechen!«

»Lebendig müssen sie werden, die Gestalten, die Riesen! Lebendig!«

»Alles in mir muß ich zerstören, was mich hemmt!«

»Ohne Zerstörung kein Aufbau! Pflicht und Zorn!«

»Pflicht, im Erkennen der Wahrheit.« Dürer stöhnte, Wilibald trieb:

»Im Befehlen, im Fordern muß es schreien!«

»Pflichtlos und kraftlos darf kein Apostel sein!« Jeder Strich saß, die Gestalten wuchsen gewaltig im schmalen Raum, den Dürer mit harten, breiten Strichen begrenzte. Wilibald schrie sich heiser. Dürer entflammte immer mehr:

»Kampf gegen die Lüge! Sehet – sehet! So hat sich's immer in mir aufgetürmt, nie hab' ich's erfassen können! Jetzt ist's aus

Eurem Zorn gewachsen und lebendig geworden!« Dürer hob die Zeichnung empor.

»Aus Eurem Zorn, Albrecht! Eine gewaltige Idee kommt immer aus dem Zusammenprall von Kraft und Zorn! Ihr erreicht's, das Große, ich seh' es entstehen! Das ist Euer Ruhm!«

Da war die Kraft Dürers zu Ende. Er ließ sich in den Stuhl sinken, seine Augen, die wie trunken aufgeleuchtet hatten, wurden wieder trübe.

»Wilibald! Denkt an die vergangenen Jahre. Mit Euch bin ich durchs Leben gegangen, auf Euren starken Arm hab' ich mich oft stützen müssen, und das heilige Feuer ist in uns lebendig gewesen in manch einer Stunde bei Streit und Verstehen. Denkt an die Zeit, da Ihr zuerst meine Reiterlein sahet und riefet: ›In der Kunst ist der Streit gegen das Unrecht erlaubt und versöhnlich, weil er kein Ende mit Blut nimmt.‹ – Ihr fandet in meinen Reiterlein die Wucht des Grauens und sagtet, daß ich zu Euch hinauf- und Ihr zu mir herabgestiegen seid. – Wilibald, saget mir: Wo stehe ich jetzt?«

Besorgt sah Pirkheimer den Freund an. Warum kam er zu diesem Fragespiel? War er wieder entmutigt? Er durfte ihn nicht wieder im Rückfall erstarken. Fort mit dem Adelsstolz!

»Ihr stehet über mir«, rief er, den Freund zu beleben. Dürer lächelte.

»Und Ihr?«

»Was fraget Ihr Dinge, die ich selbst nit weiß!« Ärgerlich wendete sich Wilibald von Albrecht ab. Ja, wo stand er? Diese Frage hatte er sich in den letzten Jahren oft vorgelegt und wußte keine Antwort darauf. In seiner Heftigkeit zerschlug er sich mit allen, hatte seine Stadtwürden niedergelegt, um sich der Wissenschaft zu widmen. Und was brachte ihm die ein? Selbstzerwürfnis und Ekel.

Dürer sah den beleibten Freund an und sagte leise:

»Sehet Ihr? Und Ihr seid der Starke! Gekämpft habt Ihr im Schweizerkrieg wie ein Held und habt auch gesiegt. Mit Eurer Rhetorik schluget Ihr alle, die Euch widersprachen, denn Euer Geist ist mächtig und faßt alles Wissen! Ruhmreich ist Eure

Gelehrtheit, Ihr fechtet mit dem Schwert, das alles durchdringt. Der Kaiser hat Euch geliebt und gewürdigt, das ganze Reich spricht von Eurer Klugheit und Weisheit – und Ihr wisset nit, auf welcher Stufe Ihr stehet. Wie traget Ihr Euren Ruhm?«

Pirkheimer hielt in seinem Hinundherschreiten inne; ihm war, als begehrte man Rechenschaft von ihm in einer Zeit, in der er sich nicht mehr zurechtfand.

»Albrecht! Was ist mir der Ruhm jetzt, wo der Glauben verfällt, wo die Freiheit des Geistes nit mehr gehemmt, aber weniger fruchtbar ist als in der Enge! Wo das Recht aus den Fugen geht und ich's täglich fühle, daß alles, für das ich mit meiner Kraft bin eingestanden, abbröckelt von mir, sich loslöst vom Reich und sich als Spielzeug erweist gegen die Gewalt des Volkswillens. Keiner ist so stark, in dieser Verfallzeit die Zügel zu führen, ein jeder, der hervorreitet, wird aus dem Sattel gehoben. Albrecht, was ist mir der Ruhm noch wert?«

Dürer erhob sich, legte seine Hände auf die Schultern des Freundes, den er nie so mutlos gesehen hatte, ergriffen stöhnte er auf:

»Und so ist mir zumute, wie Euch jetzt. Wilibald, es ist immer eine Frage ohne Antwort, die wir uns stellen, wenn sich die Überhebung rührt und uns auf dem Rößlein der Eitelkeit in Trab setzet. Ihr wolltet mit Eurem Zorn die Welt aus den Angeln heben, ich in meiner Verblendung die Riesen schaffen. Wir beide wollen herrschen und können uns selbst nit im Zaum halten.«

»Ihr seid ein anderer, Albrecht. Ihr seid der Gerechte! Was Ihr geschaffen habt, das bleibt …«

»So lange, bis einer aufsteht und Besseres schafft! Eine neue Zeit räumt mit der alten auf! Wilibald, der Ruhm ist ein Eitelding, ein Glauben, in dem nur der selig wird, der den wahren Gott nit gesucht hat. Ich hab' erkannt, daß die Wahrheit grausamer ist denn die Lüge. Und vor der Lüge habe ich mich gefürchtet. Ich hab' erkannt, daß die Schönheit sündhafter ist denn die Freude; und vor der Freude hatte ich Angst. Ich hab' aber auch erkannt, daß der Gott, den wir in uns fühlen, ein Gott ist, der straft und peinigt; und ich glaubte, er sei die Liebe. So weiß ich jetzt, daß der, der Wahrheit, Schönheit und Gott sucht, das Vollkommene nie finden kann; das Vollkommene legt Gott in das Genie, das nie sucht und findet. Und darum gibt es keinen Ruhm, nur eine Gottesgnade. Der Ruhm ist nichts sonst, als die Eitelkeit der Nachwelt, die einen Götzen braucht, den sie anbeten kann.«

»Höret auf, Eure Logik ist wie Euer Scheidewasser, sie zerfrißt uns die Stahlplatte, die wir um unser Ansehen spannen. Sind wir denn Deutsche, daß wir also winseln und mutlos zusammenbrechen? Wer soll denn Martern erleiden, als ein Deutscher? Albrecht! Sehet mich an, so weit hat mich Euer Wankelmut gebracht, jetzt lieg' auch ich wie ein Kindlein in den Windeln. Aber ich lass' mich nit unterkriegen! Heut noch nehm' ich die Ratskette wieder um und will sehen, wie weit ich es mit dem störrischen Volk bringen kann. Wie ein Hammer soll meine Faust auf den Tisch fallen, wenn meiner Rede Kraft die Ratspandekten reformieren wird. Und Ihr, Albrecht, bedenket auch Ihr, daß Ihr ein Deutscher seid. Allem Selbstzweck zum Trotz, allem Widerstand zum Zorn, allen Feinden zum Hohn muß ein Deutscher sich in der Stunde, wo seine Scholle blutig wird und seine Sonne sich verhängt, aufraffen, er ist dazu da, dem Heiligen Deutschen Reich sich aufzuopfern, sonst ist er ein Lump! Albrecht, sollen wir beide, denen Gott Geist und Genie gab, müßig zusehen, wie sich die Wölfe in die Schafherde stürzen und unseren Krautacker zerstampfen? Hie Recht und hie Gewissen! Wachet auf!«

Da hielt sich Dürer nicht länger; er sank schluchzend an die Brust des Freundes, ihm war, als hätte er seine Heimat wiedergefunden nach langem Irren in der Fremde.

»Ihr seid ein getreuer Führer, Wilibald. Meine Seele hat es geahnt, daß in einer Stunde meines armen Lebens der deutsche Geist über mich kommen und mir das Tor auftun wird. Ihr riefet mich zurück aus dem Todesschlaf. Den Gottessohn hab' ich leiden lassen, und er hat mir doch sein Antlitz gezeigt. Es ist auch das meine! Groß ist sein Schmerz, größer noch sein Werk!

Ich trag' sein Kreuz, und jetzt bin ich oben am Golgatha. Im Geiste der Liebe will ich mein Werk beginnen! Mich erfüllt's! Die Säulen des reinen Glaubens müssen aufragen!« Wie ein Seher stand Dürer und hob die Arme empor: »Gott, du mein Gott! Gib mir die Kraft, deine Apostel zum Leben zu rufen! Im Deutschen heiligen Reiche hebt das Wüsten an; was blüht, darf nit vom Baume fallen, es muß befruchten! Wilibald! Ja, wir müssen erwachen! Deutschland ruft!«

Wilibald Pirkheimer reckte sich, eine innere Glut durchströmte seinen mächtigen Leib, er fühlte im Erschauern, wie das Genie in Dürer seinen Gott anrief, seiner Kunst einen starken Willen gab.

»Albrecht! Die Stunde ist reif. Hebt Euren Geist aus dem kranken Leib, Ihr werdet gesunden! Schafft die Riesen des Glaubens! Sie werden uns zum Siege verhelfen! Wenige sind auserlesen, zum Volke zu reden, Eure Worte haben Gewicht! Reißet die Mauern ein, die Euch beengen; weiset die Bedränger ab, die Euch behindern. Machet Euch frei! Großmächtig ist die Kunst, die Ihr geschaffen. Die Gestalten, die Ihr aufgerissen habt, müssen hinaustreten unter die Tiere in der Wildnis, müssen hinausschreien, was Gottes Wort befreien soll vom Falschdeuten. Machet lebendig die Riesen!«

Albrecht griff nach der Skizze. Seine Augen wurden wieder hell, er vertiefte sich in die Formenkraft der Gestalten.

»Die Kraft liegt in der Fläche! Breit und einfach muß sie deuten, daß kein Kleinzeug an ihr hanget.«

Der Faltenwurf eines Mantels formte sich wie ein Erzguß. Pirkheimer erkannte, daß sich in Dürers Geist die Kraft sammelte. War es Zorn, Haß oder der göttliche Funken der Genialität, was den kranken Meister durchströmte und ihn zum Schaffen trieb? Im Kopfe des Apostels Paulus, den Dürer mit sicheren Strichen genauer ausführte, flammte Entschlossenheit und eine starke Willenskraft, die Augen schienen sich in den Beschauer zu bohren, als riefen sie: Ich will! Ich bin das Wesen, das beharrlich ist in allen Zeiten, denn ich habe den Gottessohn leiden sehen. Groß war sein Schmerz, aber größer seine Liebe, und mein Schwert soll allen Zweiflern und Leugnern und Lügnern im Geiste den Irrwahn zerschlagen!

»Groß muß mein Werk werden. Lebensgroß!« Der Meister sah den Freund mit funkelnden Augen an. »So hat sich's aufgetürmt in mir, jetzt ist's aus Eurem Zorn gesprungen. Unzweifelhaft, wollensstark und gottgetreu will ich die Künder von Gottes wahrem Worte als Kämpfer für den reinen Christenglauben hinstellen, in unsere Zeit. Gott helfe mir!«

Aus den leichten Umrissen zog Dürer feste, unverrückbar sichere Formen, die wie aus Felsen gemeißelt schienen. So hatte Pirkheimer den Meister noch nicht arbeiten sehen. Mit sicherer Kraft, als wolle er vor seinem Ende der Kunst sein Bestes geben, schuf er. Nach welchem Maßstabe? Er fragte nicht danach. In dieser Stunde verlor er sich in die Idee, als durchstieße er seine Einsamkeit und fände ohne Grübeln und Zweifeln endlich zum Ziele. Er hing in einem Raume wie am Kreuz der Erlöser und lauschte einer Stimme von oben, die nur *er* vernahm. So wurde er wieder Herr über Geist und Leben.

»Das soll mein Letztes werden und mein Einziges sein!« Die vordem noch in sich zusammengefallene Gestalt Dürers reckte sich empor zur Tat.

»Braun oder grau? Nein! In Farben! In Farben, die das Gesicht betrügen, als wären sie das Leben. In Farben, die Wahrheit sind!«

»Und die Modelle, Meister, wo nehmet Ihr diese Männer her?«

»Aus mir! Ich male sie aus mir heraus! Mich erfüllt's! Kein Angesicht, das wankend im Zweifeln des Glaubens um sich sieht, sollen meine Apostel tragen. Fest gefügt, Zug um Zug sicher, soll jedes Antlitz, vom heiligen Geist erstarkt, aus meinen Tafeln reden. So wie Giorgione und Tizian im heidnischen Rausch die Venus sahen, so sehe ich im heiligen Rausch die Streiter für Gottes Wahrheit. Sie sollen werden, wie in Erz gegossen. Einzig und allein von Gott soll mein Schaffen geführt, meine Hand gestützt werden, und so will ich das Denkmal errichten für den wahren Glauben in Jesus Christus.«

»Meister!« Pirkheimer staunte den Freund an; der aber erhob seine Hand, als weise er auf ein Bild, das in seinem Geiste farbenglühend sich entrollte.

»So wie in Venedig die Sonne in Gold und Purpur untergeht und alles überstrahlt, was arm und farblos ist, so hat diese Stunde mein armes Leben übergoldet und in Purpur getaucht. Im Sterben ruft der Tag noch einmal Kraft und Schönheit, daß sie ihn hinüberführen in die Nacht!«

Wie zum Gebet faltete Dürer die Hände.

Pirkheimer aber riß ihn ungestüm in seine Arme.

»Albrecht! Euch ruft die Kunst, wie sie nie gerufen hat. Wer ihre Weihe empfangen will, der muß das Suchen lassen und sich selber finden! Euch hat das Weltweh befreit. Das Heilandsantlitz zeigt Euch den Irrgang des Lebens im Erkennen und Erlösen. Euer Geist steht am Gipfel, schauet in Euch, vollbringet das reinste und heiligste Werk Eurer Kunst! Opfert Eure Liebe dem Volke, das an Euch glaubt! – Erlöset! – Stehet sicher! Um alle Höhen gähnen Tiefen, die zum Schwindel reizen!«

»Ich stehe fest!« sagte Dürer feierlich, sein Wille wuchs. »Ich siege!«

Pirkheimer sank erschüttert vor Dürer nieder; jetzt wuchtete sein Freund über ihm.


A m Marktplatz standen in langer Reihe die Karren der Bauern und Gärtner. Vor plumpgezimmerten Wagen ruhten träge Ochsen und ausgehungerte Saumtiere. Die Karren waren mit Gemüse, Obst, Hühnern, Rauchfleisch und Kleinvieh beladen. Weiber und Männer boten ihre Waren feil, wüstes Gedränge herrschte im Umkreis der Wagenburgen.

Da schob sich plötzlich ein Mann durch die Menschenmassen und schrie aus Leibeskräften:

»Ihr lieben Leut', loset auf, was der Schuster Hans Sachs von der ›Wittenbergisch Nachtigall‹ für ein Lied ersonnen hat!«

Durch den dichten Ring der angesammelten Menge zwängte sich Kaspar, er hielt die Laute über seinem Kopfe hoch, stellte sich neben Sachs und rief ihm zu:

»Fahet an, Singer und Poet, ich spiel' den Ton zu Eurem Bar, zu Ehren des gotterleuchteten Martin Luther!«

Die Laute erklang wie ein Davidspsalm; dann fiel die Stimme des Schusters volltönig in die Weise ein:

»Wach' auf, es nahet gen den Tag,
Ich hör' singen im grünen Hag
Ein' wunigliche Nachtigall,
Ihr' Stimm' durchdringet Berg und Tal.
Die Nacht neigt sich gen Okzident,
Der Tag geht auf von Orient,
Die rotprünstige Morgenröt,
Her durch die trüben Wolken geht!«

Während Hans Sachs mit melodischem Bariton sein neuestes Poem weiter sang, herrschte eine völlige Ruhe am Marktplatze, so daß man jedes Wort deutlich hören konnte. Das Volk war so erfüllt von des Poeten Preislied auf Luther, daß niemand darauf achtete, als durch die enge Gasse vom Rathause her die ehrbaren Ratsherren auf den Marktplatz schritten. Verwundert blieben sie stehen, hörten das Lied an und sahen den dichten Menschenring um die Bude, auf der Sachs und Kaspar agierten. Was war für eine Lustigkeit in Kaspar gefahren, daß er dem Volke einen Hansnarren abgab? Nach jeder Strophe, die Sachs sang, spielte er auf der Laute eine lustige Weise und stampfte mit den Füßen wie ein Wilder den Takt dazu, so daß sich das Volk an seinem Tanz ergötzte. Sprachlos sah und hörte das der ehrbare Rat Hans Hirschvogel. Ein mächtiger Zorn stieg in ihm auf, solches öffentliche Ärgernis gab sein Sohn, sein Fleisch und Blut! Er, der Ratsherr, hatte in dieser Stunde einen Sieg gegen den Martin Luther heiß erkämpft, und sein Sohn gab dem Volke einen Narren ab, um Stimmung für Luther zu machen. Heiße

Scham würgte in der Brust des Fanatikers, er sprang in den Volksring hinein, der sich ihm ehrerbietig öffnete, trat vor Kaspar hin und schrie:

»Ehrvergessener! Was stehst du unter den Gemeinen wie ein Hansnarr und hilfst dem Schuster schreien wider der Kirche Regiment? Ist dir die Ehre deines Vaters so gering, daß du sie also an den Pranger stellst? Willst du meinen Zorn noch mehr herausfordern? Dir gebührt, daß ich dich ins Lochgefängnis werfen lasse als Anstifter des ketzerischen Aufruhrspektakels! Du gottloser Bub!«

»Vater!« rief entsetzt Kaspar. »Was tue ich wider Gott? Hier stehe ich, wohin mich Euer Trotz getrieben hat. Gottlos ist der, dem Gottes Barmherzigkeit als Kramladen dienet! Der Papst mit seinen Ängsten hat verspielt, die Wahrheit Luthers siegt! Gegen die Wahrheit der Worte Christi kann kein Mensch aufkommen, auch bei Euch wird die Stunde schlagen, wo Ihr erkennen werdet, daß Ihr falschen Priestern gedient habt! Gott will die Menschen nit verderben lassen, wie Ihr Eure Kinder verderben lasset in rauhem Zorn. So wie uns sein Stern zu Luther getrieben hat, auf daß er unsere irrenden Seelen mit Liebe und Barmherzigkeit erlöse, so wird auch die Liebe Gottes Euch auf den wahren Weg leiten!« Hoch aufgerichtet, mit erglühtem Gesicht und sprühenden Augen, stand der Sohn vor dem Vater: »Ihr seid ein Zerstörer, auch meiner Mutter Leben habt Ihr zerstört! Spüret Ihr nit die gewaltige Hand Gottes in Eurem Gewissen? Lasset mich ins Lochgefängnis werfen! Tut das, es wird Euer wahres Bild als Vater und als Glaubensstreiter zeigen; ich habe um Euch mehr gelitten als leibliche Pein! Trotze ich jetzt, so erkennet darin Euer Fleisch und Blut!«

Hirschvogel war zurückgewichen. So, wie er selbst einmal vor seinem Vater stand, da dieser ihn zwang, die Barbara Tucherin als Weib zu nehmen und seiner Geliebten zu entsagen, so stand jetzt sein Sohn vor ihm. Derselbe Zorn, dieselbe Verzweiflung war jetzt in Kaspar. Wilde Angst bemächtigte sich Hirschvogels, die sein Herz zusammenpreßte. Die Worte Kaspars entwaffneten ihn völlig. Ein heißes Gefühl stieg in ihm auf; ihm war, als müsse er seinen Sohn an seine Brust pressen, als müsse er ihm abbitten, in demütiger Liebe. Sein Zorn erstarb.

»Kaspar!« keuchte er fassungslos. »Was habe ich getan? Was habe ich getan, daß du mir die Seele also aufreißest? Siehst du nit, wie mein Herz blutet? Hat mich nit Gott getrieben, meine Kinder vom Wege der Blutschande zu führen?«

Kaspar las in dem Antlitz seines Vaters die jähe Wandlung, er sah in seinen Augen die Liebe; aber er hatte kein Mitleid mehr mit dem Manne, der sich als sein Vater bekannte. Hochmütig sprach er:

»Euch hat der Teufel versuchen wollen, aber willig seid Ihr dieser Versuchung erlegen. Wenn Eure Seele blutet, so ermesset erst den Schmerz, den Ihr dem Herzen Eurer Tochter eingeschnitten habet! Bei fremden Menschen hat sie Liebe finden können, Ihr habt sie ihr verwehrt. Was aber ist fremde Liebe für das Kind, das nach der Liebe seines Vaters schreit? Rufet sie heim! Gebet ihr das Recht wieder, das Ihr ihr verweigert habt, das Recht, ihre Seele auszuweinen zu dürfen am Herzen des Vaters. Luther, den Ihr hasset, hat Eure Kinder beschützet, sie mit Christi Worten getröstet und zur Liebe für ihren Vater ermahnt. Ihm danket!«

»Nimmermehr!« Der Name Luther hatte plötzlich alle Weichheit aus dem Herzen Hirschvogels fortgespült. Zornig reckte sich der Ratsherr, und mit überlauter Stimme schrie er:

»Vor diesem Erzketzer, der von Papst und Kaiser gebannt ist, beuge ich mich nit! Und wenn mein Herz dabei verblutet! Ich bleibe meiner Kirche getreu; wer sie befehdet, der soll meinen Haß spüren! Ob fremdes Blut, ob eigen Blut, mein Schwert ist Gottes Zorn, es muß die Ketzer treffen!«

»Verblendeter!« rief Kaspar und warf die Laute zu Boden, daß es klirrte. Seine Gebärde, die nach dem Vater verlangte, mißdeuteten einige Burschen, sie drängten den Ratsherrn zurück mit schmähenden Worten. Es entstand ein Tumult, ein Gedränge, Hirschvogel brach kraftlos zusammen.

Konrad Nützel und Hieronymus Holzschuher sprangen dem Ratskollegen zu Hilfe, rissen ihn vom Boden auf und führten ihn in sein Haus.

Kaspar konnte dem Vater nicht beistehen; schmerzlich ergriffen rief er ihm nach:

»Vater – Vater – wie handelt Ihr doch grausam wider Euer Herz!«

Er stand wie gebrochen unter der Menge, seine Arme hingen müde am Körper herab.

Hans Sachs sprang von den Brettern, auf denen er während des Auftrittes zwischen Vater und Sohn stehengeblieben war, und nahm Kaspar in die Arme. Begütigend sprach er ihm zu:

»Erholet Euch; was Ihr getan habt, war recht und billig. Wer so verstockt ist in seinem Aberwitz, dem gebühret, ein gerecht Teil Wahrheit zu hören. Tut's auch sein eigen Kind, ein solcher Vater verdient es nit besser!«

Kaspar fiel dem Freunde um den Hals und weinte.

Mit den Stadtknechten trat Lazarus Spengler, der Stadtschreiber, unter die Unruhestifter und gebot der Stadt Frieden.

»Was treibet ihr für ein Wesen, ihr Leute!« schrie er.

»Das Neue Wesen!« brüllte es im Chor. »Das Neue Wesen!«

»Wollt ihr der Stadt Frieden brechen und öffentlich Ärgernis geben?« herrschte Spengler Hans Sachs an, den er erkannte. Sachs trat auf den Gestrengen zu und flüsterte ihm heimlich ins Ohr:

»Herr Stadtschreiber, Eurer Weisheit mag's entgangen sein, daß ein ehrsamer Schustermeister sich hat auf den Pegasus geschwungen und daß er hat ein Lied gesungen von der Wittenbergisch Nachtigall, deren Stimm' durchklinget Berg und Tal. So Ihr Euch bemühen wollet, das Poem zu lesen, das ich nit hab' zu Ende singen können, hier ist es!« Er reichte dem Stadtschreiber den Papierstreifen, der ihn hastig ergriff und lächelnd in den Wams steckte. Laut rief er: »Zeuchet hinweg. Radelsführer! Daß ich Euch ein andermal nit erwisch'! Ihr kennt das Gebot! Der Kaiser bannt alle, die mit dem Ketzer zu Wittenberg pfeifen. Lasset in Hinkunft das Versemachen, Schuster, und bleibet bei Eurem Leisten!« Seine Augen zwinkerten Hans Sachs ermutigend zu, der mit Kaspar davonging.

Das Volk hatte den ungestümen Stadtschreiber umringt, der trotz Papstes Bann geehrt wurde, es johlte ihm zu und geleitete ihn unter Zurufen, die sein Einvernehmen mit der Sache Luthers bejubelten, bis zum Rathause. So wuchtete die Hand der Anhänger Luthers über den Segnungen der Kirche.

Kaspar hatte an dem Schrecken, der seinen Vater niederwarf, erkannt, wie es eigentlich im Herzen dieses Fanatikers aussah. Hinter dem eisernen Trotz sah er die Liebe lauern. Jetzt wußte er, daß es an der Zeit sei, seine Schwester aus Wittenberg zu holen. Er ging zu Albrecht Dürer, mit dem er alles besprach und der ihn in seinem Vorhaben bestärkte.

Einige Tage später ritt Kaspar mit einem Wagenzug Imhoffs, der gegen Leipzig fuhr, in sicherem Geleite nach Wittenberg. Sein Herz bebte in Sehnsucht, nach so langen Monaten die geliebte Schwester wiederzusehen und heimzuführen. Er betete zu Gott, daß sich das Herz des Vaters aus den harten Schlacken lösen möge.

Die Bewegung der Reformation griff in Nürnberg immer weiter um sich, je mehr sich der päpstliche Legat Cheregatti, der zu dem Reichstage mit dem Bruder des Kaisers, dem Statthalter König Ferdinand von Ungarn und Böheim, nach Nürnberg gekommen war, dagegen auflehnte. Es entspann sich ein heißer Kampf, der Rat ließ sich aber nicht einschüchtern, diplomatisch verwickelte er die Unklarheiten und zog aus ihnen Schlüsse, die den hitzigen Legaten verwirrten und lächerlich machten. Der Sendbote des Papstes fühlte die glühenden Kohlen unter seinen Füßen, das Volk haßte ihn, machte vor seinem Hause Krawall und führte in der Nacht eine Katzenmusik auf, um ihn zu vertreiben. Sein Begehren, der Rat möge die lutherischen Prediger: Osiander, Scheupner und Venatorius festnehmen und aus der Stadt vertreiben, blieb unerfüllt. Diese Prediger gaben kein Ärgernis, sie führten keinerlei Spaltung der katholischen Kirche herbei, ihre Reformidee ließ sich mit gemeiner Gerichtsbarkeit nicht antasten. Hier handelte es sich nur um eine reine Glaubenssache. Das Volk strömte ihren Predigten zu, und nichts sonst als die Worte Gottes deuteten diese

Männer in deutscher Sprache aus. Cheregatti verlangte, daß die vom Rate abgeschabte Fronleichnamsprozession den Kirchen wieder zugestanden werde, hatte aber keinen Erfolg damit. Der schneidige Osiander, der keine Furcht vor dem Legaten kannte, widerlegte die Mißbräuche der römischen Kirche, bekannte frank und frei, daß die Lutherischen eine Teilung der Kirche nicht beabsichtigen und nur eine Reform durchsetzen wollen, die alle Sektierer und Schwärmer ebenso bekämpfen solle, wie scholastische Unwahrheiten der bestehenden Glaubenssache. Er gab unzweideutig zu verstehen, Luther halte sich nur die Ehre Gottes, das Seelenheil des Volkes vor Augen und strebe nichts sonst an, als die Verkündigung der reinen Lehre Christi im Rahmen der Kirche, in der das päpstliche Bibelverbot falsch ausgedeutet werde. Die Anhänger Luthers predigen nicht heimlich, vor verschlossenen Türen, sondern stellen sich frei vor die Öffentlichkeit, bereit, ehrliche Antwort zu geben, was das Evangelium betrifft. Wolle der päpstliche Legat über diese Prediger Beschwerliches vornehmen, so würde sich das Volk, das ihnen vertraue, erheben, und es könnte zu weitläufiger Besorgnis um den Frieden der Stadt kommen.

Von dieser Erklärung waren die Reichsstände befriedigt und gaben dem erzürnten Legaten zu verstehen, daß sie nicht ergründen könnten, inwieweit die Prediger gegen den christlichen Glauben Stellung nähmen, vielmehr sei ihr Vorgehen so offenkundig, daß kein Einspruch gegen sie erhoben werden könne. Dem Legaten aber warfen sie vor, er sei als päpstlicher Orator zu weit gegangen, habe sich einigen übereifrigen Priestern zu willig gezeigt, von der Wahrheit in seiner Anklage abzuweichen.

So mußte der Legat zurücktreten und geriet in Angst, denn er fürchtete einen Aufstand des Volkes. Noch vor dem Ende des Reichstages verließ er Nürnberg, und die Bürger triumphierten. Die Gemeinden der Kirchen verlangten jetzt energisch das heilige Abendmahl in beiderlei Gestalt, so wie es Christus, nach den Worten der Bibel, eingesetzt hat. Trotz des heftigsten Widerstandes der römischen Geistlichkeit schaffte der Rat die heilige Messe ab, untersagte jene Zeremonien, die der Bibel widersprachen, verbot die Prozessionen und gab in vielen Dingen dem Volkswillen nach. In vielen Kirchen wurde das heilige Abendmahl eingeführt, Wein und Brot gereicht, beim Gesange deutscher Lieder.

Dieser unerwartete Verlauf der Dinge brachte den Ratsherrn Hans Hirschvogel in gewaltigen Zorn. Um ihn scharten sich die fanatischen Priester. Insbesondere sein Neffe, der Karmeliterprediger Ludwig Hirschvogel, lag ihm stark in den Ohren und versuchte, durch seinen Onkel den Rat umzustimmen. Aber erfolglos. Schließlich setzte es Hans Hirschvogel durch, daß die Zustände dem Reichsverweser König Ferdinand geschildert wurden, was zur Folge hatte, daß die lutherischen Pröpste von St. Sebald, St. Lorenz und des Augustinerklosters vor den Bischof von Bamberg gerufen wurden. Diese Männer protestierten gegen die Kompetenz des Bischofs in ihrer Sache und erklärten, daß sie nur die Heilige Schrift als Richter ansehen können. In vielen Verhandlungen setzten sie es durch, daß ihre Sache durch ein künftiges freies und christlich-gottseliges Konzilium entschieden werden solle. So siegten die Pröpste, weil sie wußten, die päpstliche Kirche könnte die Wahrheit der Bibel nicht widerlegen.

Unbeteiligt an den äußeren, hatte Albrecht Dürer alle inneren Wandlungen durchgemacht. Seines Geistes wiedererwachte Kraft besiegte die körperliche Schwäche. Ein unbändiges Schaffensfieber löste das Fieber seiner Krankheit ab. Trunken von der Eingebung, in den »vier Aposteln« seine innere Kraft zu erweisen, bestand er heldenhaft die Anstürme seiner Nöte. Mild, wie von einer Höhe herab, überblickte er beinahe gleichgültig die Kämpfe, die er einmal um Schönheit und Antike gefochten hatte. Die Gewalt des Glaubens verdrängte die Gefühle der Enttäuschung, die ihn zur Melancholie getrieben hatten, er sah wie in eine neue Welt über die Grenzen seiner Enge hinaus. Frau Agnes' Verwunderung darüber, daß er so viel Zeit an unbestellte Arbeit verwende, begegnete er mit den Worten, er hole alle Zeit, die er hätte in Kirchen andächtig verbringen sollen, jetzt nach, um in Ergebenheit seines Glaubens Werk zu vollenden.

»Der Mensch, so schwach er auch ist, findet am Ende doch nur, was er finden muß. Wie groß seine Welt ist, das bestimmt Gott allein. Wenn schon ein Mensch die Welt über uns nit ergründen kann, so muß er doch in der Welt um uns, aus dem Geschehen, den rechten Weg zum Frieden finden. Mein' Agnes, wir müssen uns schon hienieden ein Himmelreich schaffen, auf daß wir die Ahnung vom selig kommenden in uns haben. Keinen besseren Himmel hat Gott für uns vorbedacht!«

Die Frau sah den sanft Dahinträumenden an, der dem heiligen Johannes ein Buch Luthers in die Hand legte, so wahrhaftig und getreu, wie es vor ihm auf dem Tische lag. Sie verstand seine Worte nicht.

»Du sprichst wie ein Ketzer.«

Stillvergnügt lächelte Dürer.

»Das ist immer so, daß der als Ketzer ausgeschrien wird, der sich zu einer Erkenntnis durchgerungen hat, die ihm kein Trug mehr sein kann. Wie viele schreien den Stimmen nach, die sich mit dem Stahlhemd der Verblendung umpanzern. Mein' Agnes, vor Gott gibt es keine Ketzer. Wenn ich mich durch ein Werk erlöse und errette, da diene ich Gott besser, als wenn ich ein Werk schaffe, das aus dem Irrgang des antiken Heidentums aufsteigt.«

»So, nun siehst du das ein? Und mir hast du es nit glauben wollen.«

»Nie noch hab' ich das so eingesehen wie jetzt. Du hast immer recht gehabt, mein' Agnes. Der Mensch soll nit vom Weg abkommen, der zu seinem Himmel führt. Drum will ich nit mehr Bilder für die Bäckersfrauen stechen und auch keine ›Nemesis‹. Nit mit dem Volk und nit mit den Humanisten will ich meine liebe Kunst verbuhlen; ich muß mir ein Denkmal setzen, mein' Agnes, ein Denkmal, das einmal sagen soll, daß in mir die Wahrheit Gottes den Geist auf die Höhe meines Schaffens geführt hat. Jetzt ist Gott in mir!«

»Du bist irre geworden in deiner Krankheit, Albrecht.« Fassungslos, den Worten nicht folgen zu können, stand die Frau vor dem Meister und starrte ihn an. Der sprach ruhig:

»Ich bin klarer geworden in meiner Krankheit, sie hat mich an die Vergänglichkeit, an den Tod gemahnt. Ich bin dem Geist nähergekommen, und du bist geblieben, wo du standest. Wir leben nebeneinander, wir schaffen beide, du für das notwendig Vergängliche, ich für das notwendig Ewige. Du suchst Hilfe im Kleinen, ich such' Trost im Großen. Was groß ist, zeigt die Zeit, die es verlangt. Meine Zeit ist ein Rufen nach Kraft, eine Wandlung nach neuen Wandlungen, ein Kampf um das wahre Licht. Ich will den Vorhang von der Sonne reißen, daß sich ihr wahrer Schein verbreite! Ob ich's vermag, ich weiß es nit, das werden allein meine Apostel sagen können!«

Mit Tränen in den Augen, von Angst beunruhigt über das Unfaßbare im Wesen ihres Mannes, lief Frau Agnes in die Werkstatt der Gesellen und rief aufgeregt:

»Der Meister ist nimmer klar im Geist, o Gott im Himmel, er hat den Verstand verloren! Er will den Vorhang von der Sonne reißen, daß sich ihr wahrer Schein verbreite!« Keuchend sank sie in einen Stuhl.

Georg Penz trat zu ihr; lachend sah er die Meisterin an und sprach:

»Der Meister ist aus unserem Ring herausgetreten. Er hat sich vom Kreuz heruntergenommen und ist aufgestiegen zu Gott, der ihn auserlesen hat, durch irdisches Leid ewigen Ruhm zu erringen. Freuet Euch, Meisterin, er ist über uns, wie die Flamme des Heiligen Geistes über den Aposteln war. Nur wer ihn erkennt, der wird von ihm erleuchtet! Sein Geist und seine Kraft sind befreit von irdischen Engen.«

»Er will sich selbst ein Denkmal setzen, sagt er.« Frau Agnes rang die Hände, sie begriff den Sinn dieser Worte nicht. Penz sagte ruhig:

»Das tut er, Meisterin! Aber nit ein gemeißelter Stein und kein Erzguß wird das Denkmal sein. *Sein Werk, das er selbst ist*, das seinen Namen weiterleben läßt, solange ein deutscher Geist die Malkunst ehrt, wird ihn unvergessen machen.«

Die Gesellen standen um Penz herum und fühlten mit ihm die Weihe in diesem Erkennen ihres Meisters.

Frau Agnes erhob sich. Schluchzend lief sie aus der Werkstatt, ihr war zumute, als müsse ihr Eheliebster sterben, als sähe sie das offene Grab und den schwarzen Sarg darin. In ihrer Angst lief sie in die Kirche und betete zur Maria um die Gesundheit ihres Besten, den sie auf dieser Welt am liebsten hatte.

Scheu und mitleidvoll betreute sie ihren Albrecht und wagte es nicht, ihn an die Worte zu gemahnen. Er aber empfand ihre Scheu und fühlte sie als Abwehr, die ihn enttäuschte. Scheinbar gleichgültig für seine Umgebung, war diese Enttäuschung nicht von ihm gewichen. Er fühlte die Ehrfurcht der Gesellen, die mit Verwunderung zu ihm aufblickten, als Vorwurf, daß sich seine Schaffenskraft neige, daß ihn die Krankheit erlahmen lasse. Er wollte seine inneren Entschlüsse anderen nicht eher faßbar machen, als bis er sein Werk vollendet hatte. Keiner der Gesellen durfte die mächtigen Tafeln sehen; geheimnisvoll, eingeschlossen, in sich zurückgezogen arbeitete er. Er wollte sie überzeugen von seiner Kraft, und sie wußten es, daß er nur Großes schaffen könne, denn sein Wesen trug es zur Schau. Sie glaubten an ihn und ehrten seine Verinnerlichung, die wie ein unirdisches Licht aus seinen Augen strahlte.

Wenn seine physische Kraft erlahmte, vergrub er sich in Grübeleien. In den stillen Stunden der Abende und Nächte schrieb er an dem Werke über »Die Unterweisung der Messung«. Alle seine Kämpfe mit dem Kunstausdruck standen wieder vor seiner Seele auf. Mühsam gab er seinen Erfahrungen und Anschauungen Worte, die sich nicht recht fügen wollten. Er schrieb mit großer Anstrengung an seiner Proportionslehre, verwarf das Geschriebene und begann es von neuem. Das Schreiben verwirrte ihn, er vermochte das, was in ihm so sicher war, nur mangelhaft wiederzugeben, zerquälte sich, verärgerte sich, ließ aber doch nicht nach. Er wollte sich nicht nur als schaffender, sondern auch als denkender Künstler erweisen. Er wollte Gesetze der Schönheit, Ergebnisse seines Grübelns festlegen. Und das war in seiner Zeit bei einem Maler etwas Unerhörtes. Er, der zeitlebens im heißen Drange nach Erweiterung seiner Bildung gleichzeitig mit der idealen Künstlernatur eine grüblerische

Gelehrtennatur verband, fühlte sich berufen, seine Errungenschaften niederzuschreiben, noch ehe ihn der Tod ereile. In seiner Todesahnung überkam ihn oft die Angst, daß er seine Mission nicht werde zu Ende führen können.

Sein erstes Büchlein, das 1525 erschien, widmete er seinem Freunde Wilibald Pirkheimer; es enthielt einen Lehrgang der angewandten Geometrie und trug den Titel: »Unterweisung der Messung mit Zirkel und Richtscheit, in Linie, Ebenen und ganzen Körpern; zu Nutz aller Kunstliebhabenden.« Als Geleitspruch für dieses sein erstes Büchlein schrieb er in seiner religiösen Überzeugung: »Das Wort Gottes bleibt ewiglich, das Wort ist Christus, aller Christgläubigen Heil!« Mit diesen Worten bekannte er sich öffentlich zur Reformation zu der Zeit, wo es in den Chroniken heißt: »In diesem Jahr hat man dem Papst Urlaub gegeben«, das heißt: In diesem Jahre wurde die Reformation amtlich eingeführt. Wie Dürer sich zu Luther hingeneigt fühlte, waren auch der Erzgießer Peter Vischer und Hans Sachs, der Poet und Schuster, für die Reformation tätig, und wer immer Wert auf Geistesbildung und fortschrittliche Gesinnung legte, wendete sich von Rom ab. An Niklas Kratzer, den Hofastronomen Heinrichs VIII. in England, schrieb Dürer in einem Briefe:

»Item des christlichen Glaubens halben müssen wir in Schmoch und Gefahr stehn, dann man schmäht uns, heißet uns Ketzer. Aber Gott verleih uns sein Gnad und stärk uns in seinem Wort, dann wir müssen Gott mehr gehorsam sein dann dem Menschen. So ist es besser, Leib und Gut verlorn, dann daß van Gott unser Leib und Seel in das hellisch Feuer versenkt würd. Dorum mach uns Gott beständig im Guten und erleucht unser Widerpart, die armen, elenden, blinden Leut, auf daß sie nit in ihrem Irrsal verderben.«

Seinen Gesellen und Malknaben ließ Dürer volle Freiheit in Glaubenssachen; obzwar er eifrig dagegen auftrat, als er erfuhr, daß Georg Penz und die Brüder Beham sich mit den Schwärmern und Täufern einließen und die Nächte hindurch heimlich mit dem Formenschneider Hieronymus, dem Rektor der Sebaldusschule Hans Denk und wohl auch mit Thomas Münzer, der unerlaubt manchmal in Nürnberg sein Handwerk trieb, verbrachten, im Disput über eine Reform, wie sie Denk ausklügelte. Dieser Phantast und fanatische Aufwiegler wußte beredt gegen das alte Buch der Heiligen Schrift zu reden und einen unmittelbaren, rein persönlichen, ja visionären Gottesgeist zu schildern. Er ging auf im Erkennen der Unmoral in der Religionslehre, bestritt die unbefleckte Empfängnis der Maria und wußte, durch geheimnisvolle Gesichte bestärkt, die Gotteswahrheit zu bezweifeln, Christus jede Gottheit abzusprechen und die weltliche Obrigkeit zu verachten. Er verwarf Bibel und Sakramente und leugnete überhaupt Gott. Die Brüder Beham waren seine trutzigen Apostel, sie wurden zu Gottesleugnern und Leugnern jeder Obrigkeit. Darüber erzürnte sich Dürer derart, daß er den Beham seine Werkstatt verbot. Auch die Sekte der Gegner aller Heiligenbilder verachtete Dürer, und er erhob die Klage, »daß jetzt bei uns und in unseren Zeiten die Kunst der Malerei durch etliche sehr verachtet werde und gesagt will werden, sie diene zur Abgötterei. Doch wird ein jeder Christenmensch durch ein Gemälde oder Bildnis so wenig zu einem Aberglauben erzogen als ein frommer Mann zum Morden daraus, daß er eine Waffe an seiner Seite trägt. Darum ein Gemälde mehr Besserung denn Ärgernis bringt, so es ehrbarlich, künstlich und wohl gemacht ist«. Diese Worte richtete er an die Bilderstürmer, die über die Abgötterei durch Kunstwerke eiferten, die in der Malerei die Gefahr der Glaubensschändung erblickten und das Volk zur Anfeindung der Kunst verhetzten. Pirkheimer, der von der Reformation abgefallen war, weil seine aristokratische Gesinnung in dem Treiben der Lutherischen gemeine Instinkte entdeckte, zog sich angeekelt von der Öffentlichkeit zurück. Seine Schwester Charitas, Äbtissin im adeligen Klarakloster, bestärkte ihn darin, und so vergrub sich der verärgerte Gelehrte in seine literarischen Studien. Mit Dürer hielt er immer innigere Freundschaft, da sich sein ungestümer Geist an der abgeklärten Ruhe und inneren Sieghaftigkeit des kränklichen Meisters besänftigte. Die Zeit lief dahin, die deutsche Not mit ihr.

An einem warmen Aprilabende versuchte Dürer einen längeren Spaziergang vor das Laufertor hinaus. Er schritt über die grüne Halde des Grabens, die leuchtende Schönheit der Natur tat ihm so wohl, daß er sie nicht genug in sich hineintrinken konnte. Er schritt langsam am Wassergraben entlang über die saftgrüne Wiese dahin. Seine Gestalt, die so vornehm war wie sein Geist, reckte sich. Das Antlitz trug die Spuren der Krankheit, die ihn nicht losließ, unter der Biberkappe waren die Haare kurz geschnitten, die prächtigen Locken, die dem geistvollen Gesicht so viel Schönheit verliehen, fehlten, der Bart war gestutzt. Die feinen, durchgeistigten Hände trug der Meister fröstelnd in die Mantelärmel geschoben. Die klaren, suchenden Augen aber leuchteten wie Sterne aus dem eingefallenen Gesicht heraus und ergötzten sich an der Lenzespracht, die die Natur so überreich über Wiesen und Wälder goß.

Ein feuriger Schein lohte über dem Himmel, der mit einer Herde kleiner Wölkchen überdeckt war. Die Sonne sank wie ein glühender Ball hinter dem violetten Schattenriß der mächtigen Burgtürme Nürnbergs. Es war, als wollte sie dem Meister, der sie überaus liebte, ihre Schönheit zeigen. Sie rückte an dem steil aufragenden Sinwell-Turm herab, als kröche sie in die Mauer hinein, als schnitte sie sich an der Kante ihre rotglühende Wange ab. Wie ein geteilter Granatapfel war sie anzusehen: brennend, gleitend zur Erde in ihrer Überfülle des Fruchtens, in Schönheit der Überreife.

Eine Angst ergriff Dürer, als er sah, wie die Sonnenscheibe an den Mauerkanten sich zu zerschlagen schien und bald nur ein Splitter wurde, der in versickernder Glut plötzlich von der Mauerecke in die Unendlichkeit sprang.

»So stirbst du, Tagesgestirn!« Mit erhobenen Händen sprach es Dürer, in schmerzlicher Empfindung. »Im Erwachen erhebst du das Leuchten über die sehnsuchtsbange Scholle, gießest Helle in die vom Tau der Dämmertränen gefüllten Blumenkelche. Dein erster Strahl zerbricht den Wassertropfen in bunte Farbenspiele, du saugst ihn auf, daß der Himmel Nahrung sammle zur Befruchtung der Erde. Im stolzen Bogen erhebst du dich, heiliges Licht, befreit vom Blut der erstorbenen Nachtalben. Im hohen, stolzen Bogen gießest du Reinheit und Klarheit in das Erwachen. Als Göttin des Lebens bist du Göttin des Lichtes, deckest Gut und Böse auf, versöhnest Schatten mit Farbe. Du, Weckerin, hast den Himmelsweg für dich, du missest mit dem gerechten Maß die Größe der Schöpfung. Du, Wisserin, bist die einzig Erleuchtete, die im Schöpfungstrieb die Ewigkeit beherrschet. Und strahlst du im Mittag, so betet der Schatten stehend zu dir; stirbst du im Abend, so legt er sich verzweifelt über die Erde in Schmerz und Trauer, deinem Versinken nachzuweinen, in deinem blutenden Entgleiten bangend vor der lichtlosen Nacht. Allen Kreaturen bist du die sichtbare Gottesgewalt, und mir bist du die Gnade, die heilige Flamme der Schaffenskraft, die Formerin aller Gestalten. Ich bete dich an, Flamme der Schönheit, der Wahrheit, der Ewigkeit!«

Verzückt hob Dürer die Hände empor zu dem verglühenden Purpurreflex, den die sinkende Sonne immer höher trieb, der in dem hellen Herdengewoge der schwimmenden Wölkchen das Himmelszelt aufglühen ließ. Eine unendliche Dankbarkeit erfüllte den Meister, er vergaß seine Umgebung, seine Seele schien mit dem Sonnenball in die unsichtbare Tiefe zu tauchen, erlöst von jeder Not.

Er sah nicht, wie hinter ihm, finsteren Blickes, mit zornigem Ausdruck im Gesicht, Hans Hirschvogel stand und ihn belauschte. Erschrocken fuhr er auf, als der Ratsherr ihn anrief:

»Zu wem betet Ihr, Meister Albrecht? Wollt Ihr eine neue lutherische Sekte gründen? Wollet Ihr Sonne und Feuer als Euren Gott anrufen? Haben wir nit genug Irrwahn unter uns auf Erden? O der Schande, daß Männer, auf die das Volk blickt, den Schwarmgeistern sich anschließen und alles Heil vergessen, das die katholische Kirche über tausend Jahre lang in die Seelen der Christen ergossen hat! An Euch ist's, Klage zu führen wider die gottlosen Schwärmer, die der Kunst die Nahrung nehmen, die sie verachten, verleumden. Wer hat der Kunst die Größe verliehen? Wer hat Meister wie Raffael, Leonardo, Bellini, Tizian, Michelangelo, Perugino und Crivelli erweckt zu ewigem Ruhme? Die Päpste und die Kirche! Was wäre aus Euch geworden, hättet Ihr Papst Julius' II. Gnade erlebt! Meister, bleibet Ihr solchen Tatsachen verschlossen? Wollet Ihr, undankbar gegen die römische Kirche, dem Kunstverächter, dem Bilderzertrümmerer, dem Kulturverderber Luther anhangen, der Maria vom Himmelsthrone stößt, die Heiligen aus den Kirchen verbannt und ihre Bilder zerschlagen heißet?«

Erschrocken wendete sich Dürer dem eifernden Greise zu, dessen erblichene Locken, vom Winde getrieben, um das zornige Antlitz flatterten. In der schwarzen Sammetschaube sah der Ratsherr wie ein Priester aus. Dürer hatte ihn lange Zeit nicht gesehen und erschrak über die eingefallenen Züge und die funkelnden Augen, mit denen ihn Hirschvogel anstarrte. Er ließ seine Arme sinken und sagte ernst, als fühle er das Pfund seiner Sendung:

»Ehrbarer Rat, es ist mir nit bekannt, daß Doktor Luther die Kunst aus der Kirche verbannt. Es mag ein übereilt Gerücht Böswilliger sein, solche Bubenstücklein maßloser Schwärmer dem Gottesstreiter und frommen Helden anzudichten, um ihn also zu verunglimpfen!«

»Den frommen Helden meinet Ihr – den teuflischen Ketzer meine ich, der mir die Kinder verführt hat!« Als stürze ein Fels über einen Abgrund, so kollerten die zornigen Worte aus der Brust des Ratsherrn. Dürer sah ihn mitleidsvoll an, ergriff seine Hand und sagte ruhig, als spräche er zu einem Irren:

»Hans Hirschvogel, Ihr seid ein weiser Mann, besinnet Euch! Luther betet denselben Christus, denselben Gott an wie Ihr. Er ehrt Maria als Mutter des menschgewordenen Erlösers. Er anerkennt die Erleuchtung der Apostel und der Kirche. Ist er darum ein Ketzer? Ist er etwan ein Glaubensabtrünniger, wenn er Schlakken vom reinen Wort des Herrn löst, die menschliche Unbedacht darüber aufgetürmt hat? Ist er etwan ein Ketzer, wenn er Gottes Worte in deutscher Sprache dem Volke in die Hände legt, daß es sich daran erbaue und sie in das Herz einschließen lehrt? Und um diesen Mann der erleuchteten Wahrheit lebet Ihr in Haß und Finsternis, wegen dieses starken Mönches scheitert die Versöhnung mit Euren Kindern. Hätte mir Gottes Gnade Kinder gegeben, ich früge wahrlich nit, welchem Glaubensbekenntnis sie sich zuneigen. Stünden sie arm und verlassen in der Welt, und ein Moslem nähme sich ihrer an, mein Vaterherz könnte sich darum von ihnen nimmer loslösen. Ich öffnete ihnen mein Herz der Liebe willen und verschlösse es nit des Glaubens halber. Habt Ihr können in die Seelennöte Eurer Kinder schauen? Wie sollt Ihr da ein gerechter Richter sein? Höret sie erst an! Ihr traget eine wächserne Maske um Euer wahres Gesicht – aber Euer Herz, ehrbarer Rat, Euer Herz leidet darunter, ich durchschaue Euch! Nichts ist erbärmlicher vor Gott, als das Trugspiel mit sich selbst und mit ihm. Erkennet endlich, ob Euer Herz, das sich den Kindern entgegensehnt, oder Euer Glaubenstrotz vor Gott besser besteht! Ich weiß, daß Ihr Euch betrügt!«

In Hirschvogel verging der Zorn. Er fühlte die getreuen Augen des Meisters in seiner Seele lesen wie ehedem, er fühlte, wie seine ruhigen Worte ihm ins Herz griffen. War Luther so, wie ihn Dürer schilderte, warum mußte er ihn dann hassen? Hatte er Luthers Schriften überhaupt gelesen? Ließ er sich nicht nur von den Priestern, die ihn aufhetzten, bestimmen, gegen den Wittenberger Mönch zu kämpfen? Was wußte er von Luther sonst, als was ihm der Haß der Gegner zutrug? Konnte er sich nicht Klarheit verschaffen? Seine Blicke umlauerten Dürers ernstgeprägte Gesichtszüge, er wußte, dieser Mann forschte tieferen Entschlüssen nach, er suchte die Wahrheit. Mit tonloser Stimme sagte er:

»Ich bin bestellt von Gott, das Seelenheil meiner Kinder zu beschützen. Ich hab' sie sehen der Sünde entgegentaumeln, sie wären der Blutschande verfallen …«

»Das mag sein, Ehrbarer!« sagte Dürer gütig. »Die Sorge um das Seelenheil der Kinder vermag viel, sie vermag aber auch zu irren! Ihr habt an Euch ein Beispiel erlebt, das sollte Euch warnen: Erkennet, wer der Stärkere in Euch ist, die Liebe oder der Trotz! Eure Liebe will verzeihen, Euer Trotz vermag es nit. In Luther sehet Ihr einen streitbaren Widersacher Eurer Überzeugung. Ehrbarer Rat, im Kampfe muß man auch den Gegner bewundern und achten, sonst ist der Kampf ein wildes Dreinschlagen und führt zu keinem ehrenhaften Siege. Der Kirchenglauben ist ein Rahmen um das Bild, das unser Gemüt malet. Von Gott ist alles, was wir erleben und erschauen; er lebt in uns, er lebt in seiner eigenen Schöpfung – er ist die Versöhnung und ist die Gewalt! Er erbaut und zerstört, er ist die Allmacht und die Liebe!«

Hirschvogel erschrak. Ängstlich trat er Dürer näher und sagte.

»Schon einmal hab' ich Euch so reden hören, Meister, damals, als ich meinen Sohn im Willen Gottes fand. Wo habt Ihr diese Weisheit der Franziskaner her, habt Ihr die Schriften Bernhards von Clairvaux gelesen? Was haben die mit Luther zu tun? Ich hab' die Kirchengeschichte studiert und bin den Franziskanern nachgegangen, weil ich vermeinte, daß in ihren Anschauungen ein Sinn meiner Nöte versöhnlich gedeutet sei. Aber überall ist mir Ketzerei und Weisheitsverdrehung aufgefallen; daß man diesen Mönchen das geduldet hat, ist mir auch heut noch nit klar!«

»Ehrbarer!« Dürer sah mitleidig den Ratsherrn an. »Ihr seid ein Gelehrter, könnet wohl anders deuten als ich, aber mir ist in den Schriften des Clairvaux ein Wort aufgefallen, das sich nit mißdeuten läßt, er schreibt: ›Das Beste soll das Liebste sein, und in dieser Liebe soll nit angesehen werden Nutz oder Unnutz, Gewinn oder Verlust. Was in Wahrheit das Edelste und das Beste ist, das soll uns das Allerliebste sein!‹ Den Sinn dieser Worte hat Luther Euren Kindern gedeutet. Er hat damit den Vater im Himmel gemeint, der seinem Sohne das Liebste und Beste ist; er hat das Edelste in der Liebe gesehen, durch Jesum Christum!«

Hirschvogel starrte den Sprecher an; er erhob seine Hand und griff nach dem Arme Dürers. Erregt sagte er:

»Haltet einen Augenblick, Meister! Wenn eine andere Gedankenwelt sich uns auftut, so müssen wir erschauern. Ihr meinet, Luther hätte die Worte des Franziskaners so gedeutet? Dann mußte sie doch auch der Franziskaner so *meinen*?«

»Ja, Ehrbarer. Dieser Mönch, der vor dreihundert Jahren schon den edelsten Regungen der Menschenseele nachgespürt hat, dieser Mönch, der sich seinen Gott in Gottes Schöpfung dachte, war ein Erleuchteter! Seine Mystik ist als katholische Frömmigkeit, rein und unanfechtbar von den Kirchenvätern befunden worden, in Beziehung auf die einzelne Seele, die in Gott verinnerlichte Religion ist. Warum soll Luther heut als Ketzer verschrien werden, wenn er dasselbe sagt, nur deutsch und klarer? So wie Gott durch die Menschwerdung seines Sohnes in der Seele Christi lebte, so lebt Gott in jeder Seele seiner Schöpfungen, das ist das Beste. Und das Liebste ist: Christus, des Leben aller Natur und Selbstheit das bitterste Leben war und doch mit Gott versöhnen, aus seiner Liebe entstehen, in seiner Liebe sterben konnte. – Bernhard von Clairvaux schreibt weiter: ›Hiernach möchte ein Mensch sein Leben richten von innen und von außen! In *ganzer* Wahrheit soll man glauben und wissen, daß kein so edles und gutes und kein so liebes Leben ist als das Jesu Christi.‹ In diesen Lehren steht Luthers Glaubensidee. Ist das ketzerisch? Er will in ganzer Wahrheit die Liebe Jesu zu seinem Vater rein und heilig wissen, so wie er die Liebe Eurer Kinder zu Euch, Ehrbarer, durch die Aufopferung ihrer eigenen Liebe rein und heilig wissen will! Er sagt, des Papstes Ablaß vermag nur solche Strafen zu erlassen, die *er selbst* auferlegt, nie aber vermag er die geringste Sünde hinwegzunehmen, so wie Ihr es nit vermöget, Ehrbarer, durch Zorn die Liebe Eurer Kinder, selbst wenn sie eine sündige wäre, zu strafen; es wäre denn, daß diese Sünde nit vor Gott, sondern nur vor Euch bestünde. Dann könnt Ihr auch die Strafe erlassen. Und so ist es.«

»So teilt Luther die Sünde vor Gott und die Sünde vor den Menschen?« Hirschvogel stutzte und dachte nach:

»Irdische Macht sühnt am Leib …«

»Und göttliche Macht an der Seele«, fuhr Dürer fort. »Daher vermag es kein Mensch, solche Sünden zu vergeben.«

»Und der Ablaß?«

»Ist ein Ausfluß der Machtbefugnisse des sichtbaren Oberhauptes der Kirche, ist so wie Euer Zorn, der nichts vermag, als an Gott zu rütteln!«

»Meister Albrecht!« stöhnte der Ratsherr. Dürer sah ihn mitleidig an und fuhr fort.

»Höret weiter, was Luther sagt: ›Die Christenheit ist keine Gewaltherrschaft mit dem *sichtbaren* Oberhaupte, sondern sie ist ein *innerlicher Glaube*, eine geistige Versammlung der Seelen im reinen Glauben.‹ Sehet, Ehrbarer, Bernhard von Clairvaux hat dasselbe gemeint und war kein Ketzer; warum soll Luther einer sein? Bedenket, was der Mönch vor dreihundert Jahren sagen durfte und was man dem Mönch von heute verbietet, zu glauben, daß es das Beste und Liebste auf der Welt ist, sich in das Leben und Leiden Christi zu vertiefen. Das eigene Ich und auch die Außenwelt redet eine eigene Sprache zu Gott, die jede geistige Gesellschaft ausschließt.«

Wie eine Zerrüttung des gequälten Herzens war es über Hirschvogel hinweggegangen, so wie ein Sturm über eine Glocke geht, die schmerzlich aufschreit, wenn er an sie anprallt. Die Zerrüttung zeichnete eine Strenge und ein Aufbäumen in seine erstarrten Züge, ein Schauen und Hinhorchen, was in der Welt des Wesens, das er noch nicht begriff, innen und außen sich begeben will. Luther und Clairvaux – der Ketzer und der Erleuchtete – forderten von ihm Vergleiche, die er suchen mußte, die er geben mußte, oder er war feige. Waren der Fluten, die um ihn tobten, kein Ende? Stand Luther so fest in seinem Wege, daß er ihn berühren mußte? Er hatte Dürers Worte begriffen, sie berauschten ihn, hoben ihn aus dem Zorn, der ihn zu verzehren schien. Die Liebe! War Gott die Liebe, dann war ein Vergeben und Verzeihen seiner Schuld vorbestimmt, denn der Gotteswille hatte ihn getrieben zur Schuld. Wie sollte er die Liebe finden?

Er näherte sich Dürer, hielt ihm die Hand entgegen, als griffe er durch Dornen und Nesseln. Langsam, jedes Wort überlegend, sprach er, und ihm war, als spräche er das, was er irgend-einmal zu irgend jemand schon gesprochen hatte:

»Durch Eure Sprache verstehen sich die Bedrängten aller Zeiten. Sie redet aus einem neuen Reiche. Da spricht das Innerste, das in uns ist oder keimt. Dem müssen wir erst Glauben schenken. Wir müssen uns erst lösen von dem alten Meister, wenn wir selbst Meister werden wollen am Eigenen. Wir müssen erst frei werden, um das neue Reich zu ersehnen; Kinder müssen wir wieder werden, die das Weise verlachen und dem Märlein anhangen! Dürer, wie vermag es einer, dem das Herz blutet und die Seele erfroren ist? Wie vermag der an Liebe zu glauben, den der Haß erfüllt!«

»Die Liebe ist das Märlein von der erfrorenen Seele, vom blutenden Herzen, vom Haß, der blind ist, und von der heiligen Barmherzigkeit. Die Liebe taut auf, heilt die Wunde, löst den Haß und breitet die barmherzigen Arme aus, um versöhnen zu können.

Wer nur von Gott den Namen weiß und nicht nach seinem Geist gesucht hat, für den hat Gott seinen Sohn nit kreuzigen lassen. Ihr habt ein schweres Kreuz geschleppt, Ehrbarer, schwerer als alle anderen, dreimal seid Ihr darunter zusammengebrochen, Ihr seid der Liebe Gottes teilhaftig geworden, vor ihm ist Eure Schuld gesühnt, sühnet auch die Schuld vor Euren Kindern!«

Da war es, als weite sich vor den Augen des Ratsherrn der Himmel, alle Herdenwölkchen gaben die Wölbung frei, und er sah die Tiefe, die unendliche Tiefe im Weltraum ausgefüllt mit Strahlen, die seine Seele erhellten. Er stand vor Dürer wie ein anderer, sanft und verklärt. Aufschluchzend sank er an seine Brust.

»So ist mir doch *einer* zurückgekehrt, an den ich wieder glauben kann. Ihr habt mir wohlgetan. Vergebet meiner Zerrissenheit, Meister! Ihr seid kein Ketzer, kein Abtrünniger, Ihr stehet Gott näher denn ich. Aber meine Kinder, welche Wege gehen die? Im Trotz steht Kaspar auf gegen mich. Öffentlich gibt er Ärgernis!«

»Nicht im Trotz wider Euch, Ehrbarer!« sagte Dürer ergriffen. »Er hat die Überzeugung, daß das Beste und Liebste in Jesus ist, die hat er durch Luther gefunden. Lasset ihm Freiheit! Ihr selber habt ihm den Trotz geweckt. Er hat mir alles berichtet, er weiß auch, daß Euer Herz die Schlacken löst; haltet Euch bereit, es mag die Stunde kommen, wo Ihr der Liebe Zügel löset!«

»Die Stunde – die Stunde!« stöhnte der Ratsherr.

»Er ist ausgeritten, Euer Sohn, die Schwester heimzuholen!«

»Er ist ausgeritten – und ich stehe da und helfe ihm nit, ich seh' seine Liebe und leugne sie!«

»Ihr müßt Euch vorbereiten, Ehrbarer, vergessen und verzeihen. Schauet hinauf, wie die Sonne stirbt im letzten Purpurglanz. So soll Euer Trotz des Abends verglühen, auf daß ein neues Licht in Euch zum Tage aufsteige. Im Sonnenaufgang ist auch meine Kümmernis über Schluchten gesprungen. Im Sonnengold ist meine Seele klar geworden, um Gott zu erkennen. Im Sonnenpurpur ist meine Kraft erwacht zu neuem Schaffen! Ich harre dem neuen Tage entgegen, der mir zur Ewigkeit leuchten mag, meine letzte Pflicht ist Versöhnung in mir, ist das Loslösen von Kraft im Geiste der Wahrheit. Ich baue Gestalten auf, die über unseren Glauben wachen, die das wahre Wort Christi heldenhaft beschützen sollen. Ich habe das Beste und Liebste gefunden. Suchet auch Ihr es!«

Dürer wendete sich ab von dem Ratsherrn und schritt über die Wiesen hin, Nürnberg zu, wie eine Apostelerscheinung. Er wußte nun, daß das Samenkorn Luthers, das er in die harte Scholle des Greises gepflanzt hatte, keimen werde.

Hirschvogel sah ihm nach, Dürer schien vor seinen Augen riesengroß zu wachsen und zu schweben. Dann faltete er die Hände, und leise murmelten seine Lippen unverständliche Worte. Langsam ließ er sich auf die Knie nieder, eine Wehmut überkam ihn. Eine Weile verharrte er so in seiner Andacht. Dann erhob er sich plötzlich, sein starrer Blick suchte ängstlich die Gestalt Dürers, die schon entschwunden war, und ein neuer Trotz sprach aus den Zügen seines gepeinigten Gesichts. Mit heiserer Stimme rief er:

»Es führt keine Brücke über den reißenden Strom; ich kann nit hinüber, zu Luther und zu meinen Kindern, und sie können nit herüber zu mir. Das Wasser ist zu wild!«

Über zertrümmerte, verwüstete Herrengüter, zerstampfte Wiesen und unbestellte Felder, an abgebrannten Burgen, geplünderten Klöstern und Vogteien vorbei ritt ein Fähnlein Wittenberger Stadtknechte mit Martin Luther, der auszog, sein lebendiges Wort unter die Wölfe zu tragen, die seine Hürde niederrannten und seine Schäflein verführten. Thomas Münzer, der ausschrie, daß mit den Gesetzen der Kirche auch die Gesetze des Landes ungültig seien, daß alle Menschen von Natur aus und vor Gott frei von Leibeigenschaft und Knechtschaft sein müssen, daß sie alle Brüder geworden, über die keiner der Herr sein darf; dieser Thomas Münzer hatte rasche Arbeit getan. Er scharte das Volk der Bauern um sich, predigte ihnen, daß weder Fürst noch Vogt mehr zu befehlen hätten, die einzige Obrigkeit seien die Gemeinden, die ihre Führer zu wählen hätten untereinander; keine Gewalt der Kirche und des Kaisers dürfe das Volk mehr regieren. Alles Eigentum der Reichen müsse verteilt werden unter die Armen. Aber so, wie dieser Schwärmer sich das ausdachte, verstand es das Volk nicht, und damit gab er sich zufrieden und scharrte alle Reichtümer für sich zusammen, deren er habhaft werden konnte. Diesem Beispiel folgte das Volk um so williger, vergaß dabei auf Glauben und Recht und wurde zur Bestie.

Das Treiben dieses Religionsschänders und Volksverführers empörte Luther. Diesen Schimpf, den ihm Münzer, der Rebelle, angetan hatte im Namen des Evangeliums, wollte er mit Titanenzorn abwenden. Er wollte die Bauern zur Vernunft bringen, die mordend und plündernd durch die Lande zogen und im Namen der göttlichen Gerechtigkeit zu Gewalt und Greuel schritten. Mit beredten Worten hatte er die Fürsten zum Kampfe wider die räuberischen Mörderbuben in einer Schrift aufgefordert, hatte sie angefleht, die wilden Rotten zu vertilgen, da sie seine Lehre schändeten und alles Recht zerschlügen. Sein Ausruf fand kein Gehör, so ritt er denn selber in das Lager der Bauern, sie zu besänftigen. An seiner Seite ritten Kaspar und Margarete, die heim nach Nürnberg wollten und unter dem sicheren Schutz Luthers durch die rebellische Zone geleitet wurden.

Wenn Luther eine Rotte bewaffneter Bauern traf, rief er ihnen ins Gewissen, sein heiliger Zorn übermannte die Rebellen, sie duckten sich unter den Schwertstreichen seiner Rede, manche warfen Raub und Waffen fort und liefen davon, die anderen ließen seinen Zorn über sich ergehen oder widersetzten sich ihm, beriefen sich auf des Kaisers Edikt, bedrohten ihn sogar, plünderten aber weiter.

Die Aufständischen Oberschwabens hatten sich zu einem gewaltigen Heer zusammengerottet unter der Fahne des »Bundschuh«. Auch in Thüringen ging es schon wüst her. Von Kloster zu Kloster, von Burg zu Burg wälzte sich der zügellose Volkshaufen, und alles sank in Schutt und Flammen unter dem Zerstörungswerk des Aufruhrs.

Kurfürst Friedrich der Weise war matt und krank, dem Ende nahe, seine Macht entglitt ihm, und bald war auch in seinem Lande der Sturm losgebrochen. So mußte Luther selbst in die Bresche springen. Sein unerschrockener Mut, seiner Worte Kraft und Heftigkeit, mit denen er in diesen Tagen ganz allein den Bauern entgegentrat, verhalfen seiner Volkstümlichkeit zu neuem Ansehen. Aber was nützte es? Die Bauern nahmen keine Vernunft an, sie richteten sich nicht nach Luther, sondern hatten an Thomas Münzer einen Führer, der ihre wilden Triebe weckte und ihnen Nahrung gab, nach der sie verlangten. Aber aufhalten konnte Luther eine Weile diese Meuterei, und das brachte die Fürsten dazu, daß sie seinem Beispiel mit einer Heeresmacht folgten. Nun gelang es, die Unbändigen zu besiegen.

Das furchtbare Strafgericht bei Mühlhausen, wo das Blut der Bauern in Strömen floß, war grauenhaft. Die von den wahnwitzigen Verheißungen Münzers Irregeführten, denen das Zerstören und Plündern besser gefiel als das Arbeiten, wurden in diesem Kampfe rücksichtslos niedergemetzelt; was übrigblieb von den Rebellen, wurde am Marktplatz in Massen hingemordet, und auch die Köpfe Thomas Münzers und seiner Kumpane fielen unter den Schwertstreichen der Henker.

Nicht genug des Blutvergießens, die Fürsten und Junker nahmen an den Bauern, die sie niederzwangen, furchtbare Rache.

Die Zuversicht Luthers war erschüttert. Sein freudiges Vertrauen auf das deutsche Volk war der Einsicht gewichen, daß die Menge gezügelt werden müsse, denn des Volkes Freiheit hätte das Reich zertrümmert.

Durch diese Greuel hindurch ritten Kaspar und Margarete. Erschüttert von den Bildern der Verwüstung, war ihre eigene Not vor der großen Not des Reiches zurückgetreten. Schon bei Zwickau verließen sie Luther und suchten sich durch die Lager der Bauernrotten hindurchzudrängen. Margarete nahm alle Kraft zusammen, um beim Anblick der Greuel und der Verwüstungen nicht zusammenzubrechen. Liebevoll blieb Kaspar an ihrer Seite. An Seele und Leib erschöpft kamen endlich Bruder und Schwester in Nürnberg an.

Im Hause Dürers war für Margarete eine Kammer vorbereitet. Meister Albrecht nahm sich der durch den Anblick der Greuel verstörten Jungfrau väterlich an. Aber ihre Angst war so groß, daß sie oft in Weinkrämpfe verfiel, so daß Dürer um ihren Verstand bangte.

Da war es Frau Agnes, die mit ihrer Pflege dem verängstigten Wesen Margaretes beikam. Sie wußte nach ihrer Art zu helfen, zeigte sich wie eine Mutter, was der heimatlosen Jungfrau unendlich wohltat, so daß sie ausrief:

»So hab' ich doch eine Mutter wieder!«

Hirschvogel hatte durch Dürer erfahren, daß seine Kinder trotz Gefahr und Mühsal nach Nürnberg zurückgekommen waren. Er schloß sich in seine Studierstube ein und suchte einen Kampf mit sich auszufechten, der aber den alten Trotz nicht bezwang. Es waren schwere Stunden des Erwägens. Anfangs trieb es ihn, alsogleich zu Margarete zu gehen. Dürers Gespräch hatte ihn weich gemacht. Wie aber sollte er ihr gegenüberstehen? War er denn frei von Schuld? Hatte er sie nicht wider ihren Willen ins Kloster gebracht? Hatte er sie nicht fast verzweifeln lassen, so daß sie sich voller Abscheu von ihm abwenden mußte? Hatte er sich in ihrer Not je um sie bekümmert? Wie stöhnte der Greis unter dieser Bürde Schuld, die er nicht abwälzen konnte. Furcht und Angst machten ihn feige. Er betete die Nächte hindurch in seiner Zerrissenheit, zerquälte sein Hirn mit Vorwürfen und Fragen.

Der unselige Gedanke, daß seine Kinder Luthers Anhänger geworden waren aus Verachtung und Trotz gegen ihn, ließ ihn nicht los, er gewann immer wieder Oberhand; Luther war ja sein Erzfeind. – Warum war er es? Was wußte er überhaupt von Luther? War es nicht doch nur der Trotz, der ihn gegen ihn zwang? – Heimlich nahm er die Schriften Luthers zur Hand, die er sich gleich nach dem Gespräch mit Dürer besorgen ließ, und las, grübelte, erwog, verwarf. Immer nur fand er das heraus, was ihn reizte, was gegen seine Überzeugung stritt. Aus jedem Kraftworte vernahm er den Schwärmer, die Worte der Liebe Gottes hielt er für leere Versprechungen und Verheißungen.

Und doch griff eine starke Hand aus den Schriften an sein gemartertes Herz und ordnete darin die Zerfahrenheit. In Stunden der Reue waren ihm die Worte Luthers ein Trost, er fühlte ihre Wohltat, die seine Schuld geringer werden ließ; er fühlte die Hinneigung seines Gemütes zur Einkehr und dachte milder über Luther. Würde er aber von seinem Neffen, Pater Ludwig, wieder in den Kampf gerissen und zum Haß gedrängt, dann verlor er sein Gleichgewicht und klagte Dürer an, daß er ihn mit seiner Worte Macht vom Wege ablenken wollte, den er nun einmal zu gehen habe.

»Dürer – Dürer –«, jammerte er; »auch du bist ein Verirrter! Warum willst du mir die Waffe entwinden, die ich gegen den Abtrünnigen Roms gebrauchen will? Ich muß doch die Kirche beschützen vor den Wölfen, die sie niederreißen!«

In schlaflosen Nächten irrte er durch sein Gemach und suchte nach einem möglichen Wege zu seinen Kindern. Er hatte im Erkerfenster des Dürerhauses Margarete einmal weinen sehen. In eine Hausnische gedrückt, blieb er lange stehen und blickte empor zu der Dachstube, in der Dürer arbeitete. Er sah, wie der sanfte Meister seinem Kinde zusprach, wie es die feuchten Augen zu ihm emporhob und ihn unter Tränen anlächelte. Oh, ein solches Lächeln seines Kindes wollte er mit tausend Küssen lohnen, wüchse es aus Liebe in ihren abgehärmten Zügen dem Vater entgegen.

Nun sah er das müde Lächeln in den schlaflosen Nächten; es peinigte ihn, weil es nicht ihm galt. Er beneidete Dürer um das Lächeln Margaretes. Eine grenzenlose Sehnsucht nach seiner Tochter schlug wie heiße Flammen in seinem Empfinden auf. Und dann hörte er die Worte Kaspars, die ihm dieser am Marktplatze beim Tumult mit Sachs nachrief: »Vater – Vater! Wie handelt Ihr doch grausam wider Euer Herz!« Er fühlte in diesen Stunden, wie er wider sein Herz gehandelt hatte.

In einer mondhellen Nacht schlich er zum Fenster und sah über den Marktplatz. Der »Schöne Brunnen« stand übersilbert vom Mondlicht, sein feines Maßwerk wies wie ein Finger empor zum Himmel, als wolle er deuten: »Dort oben ist der barmherzige Gott, der liebt und verzeiht.« Und Hirschvogel betete. Der Geist Luthers, den er aus seinen Schriften trotz allem Widerwillen in sich aufgenommen hatte, gab ihm Worte auf die Lippen, von denen er doch wußte, daß er sie als ketzerisch ausgeschrien hatte.

Die blaudunkle Monddämmerung machte ihn weich. Er schluchzte: »Dürer! Du bist doch die Wahrheit. Und so wie ich dich verkannt hab', so mag ich auch die Kinder verkannt haben und – Luther verkennen. Helf' mir Gott, daß ich überwinde!« Und wie der Ratsherr in seiner Zerfahrenheit über den Marktplatz blickte, fuhr er zusammen. Kaspar stand im Mondlicht und sah sehnsuchtsbang nach dem Fenster des Vaters.

»Er liebt mich, er sehnt sich nach mir!« schrie Hirschvogel auf. Ihm war, als käme Kaspar immer näher, als schritte er auf den Mondscheinstufen herauf zu ihm und breite die Arme aus. Aber der schritt traurig, als wäre er von aller Liebe vereinsamt, in den Schatten hinein und lehnte sich an eine Hausmauer, die

Blicke nach den Fenstern gerichtet, hinter denen er das weiße Haupt seines Vaters schimmern sah. Die Sterne flimmerten, der Mond sank tiefer, der Marktplatz lag wieder lichtleer im Schatten der Nacht. Vater und Sohn sahen einander nicht mehr.

Wie ein Irrer taumelte Hirschvogel im Gemache auf und ab, immer wieder sah er hinab, aber eine finstere Kluft hing zwischen ihm und seinem Sohne. Da schrie es in ihm: »Herr, mein Gott! Wahrlich, du lassest den Greis schwer büßen, was er als Jüngling verschuldet hat!«

Was die Nacht in seinem Herzen aufbaute, das riß die Tagessonne nieder, und der Ratsherr verfiel in seinen alten Trotz. Er schloß sich in seiner Studierstube ein und vergrub sich in die Schriften Luthers. Er mußte sich endlich darüber klar werden, wie weit er ihm glauben durfte. Eher wollte er mit keinem reden und keinen sehen. Zu allen Versuchen seiner Freunde, die an der Tür rüttelten und Einlaß begehrten, verhielt er sich ängstlich still, sein unaufweckbares Schweigen hieß die Freunde wieder gehen. Er hörte, wie sein Neffe, Pater Ludwig, ungestüm nach ihm rief, wie der Ratsdiener pochte, wie der Karmeliterprior Andreas Stoß an der Tür rüttelte und vergrollt Einlaß heischte. Vergebens. Hirschvogel fühlte sein Blut rascher pulsen, ängstlich verhüllte er sich in den Hauspelz, fröstelnd zuckte er bei jedem neuen Pochen zusammen, sein Atem stockte, wenn eine Stimme nach ihm rief, er fürchtete, sein Sohn könne kommen und ihm am Gewissen rütteln. Er las und wußte nicht, was er las, er grübelte und wußte nicht, worüber. Sein Sohn hatte Sehnsucht nach ihm, sein Sohn liebte ihn, dieser Gedanke ließ keinen anderen Gedanken aufkommen, und das war die Angst, die Furcht, die ihn schreckte. Was sollte er seinem Sohne sagen, wenn er käme? Wer von ihnen mußte verzeihen, wer trug die Schuld an dem Trotz?

Und am Nachmittage hörte er wieder Geräusche vor seiner Tür, ein fester und ein zaghafter Schritt; dazwischen das Rauschen eines Frauenkleides, dann ein leises Pochen wie von zarten Fingern. Brausend trieb das Blut in das Antlitz des Ratsherrn; er hörte es in den Ohren toben, sein Herzschlag setzte aus. Wie gelähmt saß er im Stuhl, die Angst hemmte seine Arme. Wieder das zaghafte Pochen und Kleiderrauschen. Ihm war, als hätte er die ganze Zeit auf dieses Pochen gewartet. Mit einem Male stieg eine Freude in ihm auf, die ihn von der Lähmung befreite. »Mein Kind!« schluchzte er. Er fühlte die Nähe Margaretens. »Öffnen – nur öffnen! – Mein Kind kommt.«

Er schlich zur Tür und lauschte. Da pochte eine Männerhand, und wie Orgelton erklang eine Stimme:

»Öffnet Tür und Tor, ein Engel will einziehen in Euer Herz. Die Liebe Eures Kindes begehrt Einlaß im Namen Jesu Christi und des heiligen Evangeliums!«

Das war Dürers Stimme und Luthers Gruß. Der Ratsherr sank in die Knie, ein Schwindel packte ihn. Will so sein Kind zum Vater kommen? Der Trotz stieg in ihm auf. Will sein Kind den Gruß Luthers über seine Schwelle tragen? Die Spannung all der Stunden, die der zerpeinigte Greis in Angst und Not verbracht hatte, griff nun ungestüm an seine Kraft. Wie ein Sturzbach brauste es in seinen Ohren, ohnmächtig sank er vor der verschlossenen Tür zusammen. Er hörte noch die Stimme Margaretens flehen: »Vater – so öffnet doch Eurem Kinde.« Aber er konnte nicht öffnen, seine Sinne schwanden.

Als er nach geraumer Zeit erwachte, vernahm er seines Kindes Stimme noch immer wie aus weiter Ferne. Er raffte sich auf und öffnete die Tür. Sein Kind stand nicht davor, auch Dürer war nicht mehr da. War alles nur eine Täuschung gewesen?

Hirschvogel schleppte sich mühsam in seinen Ruhestuhl, schellte nach dem Diener und verlangte Wein. Gierig trank er ein Glas leer. Dann ließ er Feuer im Kamin anlegen, und in der wohligen Wärme schlief er ein. Im Kamin flackerte das Holzfeuer und warf rote Lichtbündel über den Schlafenden. Am Marktplatze wogte ein Menschengewühl, leicht überstaubt von fallenden Schneeflocken.

In ängstlicher Hast und Verwirrung stürmten Pater Ludwig und der Karmeliterpropst Andreas Stoß in die unheimliche Stille der Studierstube. Die hastigen Schritte weckten den Schlummernden, der erschrocken aufsprang und abwehrend rief:

»Wer zerstört mir die Einsamkeit – was wollt ihr von mir?«

Er kannte in der herrschenden Dunkelheit seine Freunde nicht. Pater Ludwig richtete sich vor seinem Onkel drohend auf.

»Du verschließest dich in deiner Zelle, dieweil wir im harten Kampfe erlahmen. Wir brauchen dich, Oheim! Ermanne dich endlich aus deiner Schlafsucht, jetzt ist nicht die Stunde der Ruhe! Schwinge die Geißel deines mächtigen Zornes! Sieh hinaus, wie die Rebellen wider die römische Kirche frohlocken! Während du wie ein Dachs in deiner Höhle hausest, haben die lutherischen Ratsherrn unseren besten und kühnsten Gottesstreiter, den Prediger Wunderlich, aus der Stadt vertrieben. Warum hast du geschlafen?«

Pater Ludwig Hirschvogel hob seine Hand und wies zum Fenster. Seine magere, hoch aufgeschossene Gestalt bebte, seine tiefliegenden Augen sprühten, die harten Backenknochen, die weit auseinanderstanden, zuckten, vom roten Widerschein des Kaminfeuers unheimlich herausgetrieben, und die schmalen Lippen preßten sich zornig zusammen. Der Ratsherr entsetzte sich vor dem unheimlichen Anblick, schellte dem Diener, daß er eine Kerze bringe, und ließ sich fröstelnd in den Stuhl sinken. Prior Stoß trat dicht vor den Geängstigten und sprach salbungsvoll, mit bebender Stimme:

»Vergönnet mir, hochmögender, ehrbarer Rat, die erregten Worte meines Bruders in Christo zu deuten. Unter großem Volksaufwand haben die Stadtbüttel den Pater Wunderlich soeben aus den Toren getrieben. Es ist kein gut Vorbild für unsere Würde als Priester, wenn also unglimpflich und ungerecht gegen uns vorgegangen wird. Die Lutherbuben ...«

»Ich weiß – ich weiß alles!« unterbrach der Ratsherr und richtete sich auf. »Dem Mönch ist recht geschehen. Er ist ein Ausbund, der der römischen Kirche mehr schadet als nützet! Sein Schnabel war voller Fürwitz! Wenn solche Hitzköpfe unter euch sind, die in der heiligen Beicht' die Bürger gegen die Ratsherrn hetzen und ausschreien, daß die Ehrbaren Lutherbuben seien, die aus dem Rathause vertrieben werden sollen, dann wundert euch nit, wenn Tumult entsteht. Ich bin doch auch ein Ehrbarer; bin ich ein Lutherbub?«

Der Prior biß sich auf die Lippen, diesen Rechtsschutz hatte er von dem blinden Eiferer nicht erwartet. Der Karmelitermönch Wunderlich war des Priors fanatisches Werkzeug, die Hetzerei war sein Gewerk. Ärgerlich rief er:

»Ehrbarer, die Streitfrage betrifft doch nit Euch und jene Ratsherrn, die in Eurem Geleite gegen die Lutherbuben das Schwert ziehen!«

»Haltet ein, Prior!« Zornig schlug Hirschvogel mit der Faust auf die Stuhllehne. »Redet Ihr dem Eiferer Recht, so muß ich auch Euch verwarnen. Lutherbuben gibt es keine unter dem ehrbaren Rat, das soll Euch gesagt sein! Wartet den Richtspruch über Eure Disputation mit Osiander ab, er wird die Glaubenssache gerecht entscheiden. Ihr seid stark und sicher genug, den lutherischen Predigern zu widerlegen. Seid klug, von diesem Siege hängt alles ab.«

»Die Disputation ist ungerecht, sie ist eine Falle für uns«, stieß Pater Ludwig zornig hervor. »Wir verfechten das ältere Recht der Kirche. Will uns der Rat eine Schlinge legen, so werden wir uns anders wehren. Und du, Oheim, wirst die Disputation hintertreiben! Osiander plant eine Zwickmühle, ein niederträchtiges Ränkespiel; mit ihm disputieren wir nit. Wir weigern uns ganz entschieden!«

Diese Weigerung machte den Ratsherrn stutzig. Er selbst hatte darauf gedrungen, daß diese Disputation zustande käme. Sie sollte den Lutherischen beweisen, daß der alte Kirchenglaube unantastbar und die Übersetzung der Bibel falsch sei. Und die Priester weigerten sich, dem argen Osiander entgegenzutreten?

»Fürchtet ihr, im Streit zu erliegen? Habt ihr keine widerlegenden Beweise? Ist euer Kirchenglauben die Wahrheit, oder habt ihr Angst vor der Wahrheit Luthers? Wo ist eure Macht, von der ihr sprecht? Seid ihr wankelmütig geworden?«

Zornfunkelnd trafen des Ratsherrn Blicke die beiden Priester, die erschrocken zurücktraten. Pater Ludwig fuhr wild auf:

»Gegen des Teufels Ränkespiel ist Gottes Sanftmut nit flink genug. Wir hatten nit Zeit, die Bibel zu prüfen!«

»Nit Zeit? Ja so, ihr hattet nit Zeit in all den hundert Jahren und wißt nichts von der Bibel, als daß sie Luther mißdeutet. Weißt du so gewiß, Pater Ludwig, daß es der Teufel ist, der dem Luther hilft? Könnte es doch nit gar Gott sein? Es gibt Augenblicke, wo sich der Mensch besinnen muß, was das Beste und das Liebste ist. Ich frage mich jetzt selbst, wo die Wahrheit liegt im Wort Gottes: bei uns oder bei Luther? Und das wird die Disputation erweisen!«

»Wir lassen uns auf die Disputation nit ein. Die Wahrheit liegt bei uns, das ist verbrieft und besiegelt von allen heiligen Vätern!«

»Und haben die es so gewiß gewußt?« Lauernd sah der Ratsherr, wie die Zornadern auf der Stirne seines Neffen herausquollen, wie er die Hände ballte und sich reckte:

»Sie haben es gewußt, Oheim! Aber du bist wankelmütig geworden im wahren Glauben. Du bist irregeführt vom Teufel. Wo ist dein heiliger Zorn? Wo ist dein unbändiger Haß geblieben? Ist in der Liebe zu deinen Ketzerkindern dein Mut erlahmt?«

Wie Messerstöße fuhren die Worte den Ratsherrn an. Eine Weile blieb er stumm, weit, von weit her hörte er die Stimme seiner Tochter rufen: »Vater – Vater!« In der Mondhelle sah er verlangend seinen Sohn zu ihm emporblicken. Ihm war, als pochte Dürer wieder an die Tür: »Öffnet Tür und Tor, ein Engel will einziehen in Euer Herz!« – Da bäumte sich sein Trotz wider die Karmeliter auf, denen er bedingungslos gefolgt war, ohne tiefere Erwägung. Herrisch schrie er seinem Neffen zu:

»Glaubst du, daß Zorn und Haß mächtiger sein können als Liebe? Glaubst du, daß ein Schwert, an hartem Stein geschliffen, zerschlagen kann, was Gott an Liebe in unser Herz gelegt hat? Ich habe gekämpft für euch, solange ihr euch gut gehalten habt. Jetzt aber erkenne ich in euch die Widersacher der Wahrheit. Mit Zorn und Trotz habe ich nichts erreicht, jetzt will ich's in Liebe versuchen. Aber noch fühle ich mich nit geläutert genug, erst muß ich aus dem Irrweg kommen. O du mein Gott, verzeihe mir! Ich hätte sollen die Demut sein – und war der Trotz. Ich hätte sollen die Liebe sein – und war der Haß! Allmächtiger, der du in die Tiefen einer Menschenseele schaust, erkenne, daß in der meinen neben dem Haß die Liebe war, der Funken, den du angefacht hast in meiner Finsternis. Und wenn du die Liebe bist, wie Luther sagt, so sei barmherzig und hilf mir!«

Inbrünstig war der Greis in die Knie gesunken; er empfand in diesem Augenblick, als löse sich alle Erdennot aus seiner Seelenpein, als erleuchte ihn ein Licht von oben. Pater Ludwig lachte höhnisch auf:

»Oheim, Ihr werdet alt und kindisch! Was vermag Liebe, wenn der Zorn es nit tun kann? Aufstehen müssen wir gegen Luther und wider das verführte Volk, das im Namen des Evangeliums den Feuerbrand ins Reich wirft. Die Kraft des päpstlichen Bannfluches muß sich auftürmen wider die Ketzer, das Edikt des Kaisers muß zur Vollstreckung kommen. Ich will den Geist des Zornes streitbar machen gegen den Wittenberger. Das hab' ich vor den Wundmalen des Heilands geschworen. Die Priester müssen ein Beispiel geben in Nürnberg, sie müssen einen Scheiterhaufen errichten und die Lutherbücher öffentlich verbrennen wie Pestleichen.«

Immer mehr durchschaute der Ratsherr die Ohnmacht des fanatischen Priesters. Er empfand tiefen Schmerz über den Zusammenbruch der päpstlichen Macht. Der Kampf aber, der sich weigerte, öffentlich die Kirche zu verteidigen, der nur in Hinterlist und Haß aufloderte, erschien ihm nicht mehr ehrlich genug. Mit stahlharter Stimme schrie er seinen Neffen an:

»Verblendeter! Vermagst du es, mit den bedruckten Papieren auch den lebendigen Geist des Reformators zu verbrennen?!«

In dieses zornige Gespräch klang mächtig ein Choral, von tausend Stimmen gesungen, vom Marktplatz herauf. Windlichter gossen einen feurigen Schein über die Hausmauern. Der Ratsherr erschrak, er wußte nicht, was vorging, er hatte sich ja tagelang abgesperrt.

»Es brennt am Markt!« rief er und lief zum Fenster, um auf den Platz zu sehen.

»Ja, es brennt, Ehrbarer!« Der Prior stieß die Worte hastig hervor. Er erkannte den Wankelmut des Ratsherrn und wollte ihn zu sich herüberretten. »Das sind die Feuer der Lutherbuben, die in nachtschlafender Zeit den ehrbaren Rat ehren, weil er den Prediger Wunderlich vertrieben hat. Ja, es brennt lichterloh, alle unsere Priesterwürde brennt, das Recht der Ehrbaren, die dem Papst zur Seite standen, brennt; das sind die Feuer, die zum Himmel schreien? Und hört Ihr das Ketzerlied? Euer Sohn hat es dem Volke beigebracht, ihm hat es Luther aus Wittenberg verschrieben, um die heilige römische Kirche zu höhnen. Euer Sohn, Ehrbarer, ruft in den Versammlungen der Ketzer den Streit auf, wider seinen Vater. Euer Blut steht auf gegen Euch und führt die Rotten an, auf daß sie die heilige Mutter Gottes verleugnen und die Heiligen entweihen. So gebärdet sich die Liebe, von der Ihr meint, daß sie stärker sei wie der Haß. Ehrbarer, erkennt Ihr das?«

Hirschvogel hatte das Fenster geöffnet. Der kalte Dezemberwind blies seine weißen Haarlocken durcheinander. Der fromme Gesang klang harmonisch durch die Nacht, dichtgedrängt schritt die Volksmenge dem Rathause zu, an ihrer Spitze schritten Kaspar und Hans Sachs. Die Stimme Kaspars klang wie reines Metall. Der Ratsherr vernahm nur diese eine Stimme: »Ein' feste Burg ist unser Gott!« … Jetzt jauchzte das Vaterherz, da diese Stimme Gott pries als eine feste Burg aller Christgläubigen.

Als der Zug vorüber war, taumelte der Ratsherr zu seinem Stuhle, warf sich hinein und deckte seine Hände über die Augen. Die tiefe Ergriffenheit ließ ihn vergessen, daß die beiden Karmeliter ihn belauerten. Pater Ludwig wußte nun, daß sein Onkel für den Glaubensstreit verloren war. Wütend griff er nach dem Arm seines Priors und zog ihn aus dem Gemache. An der Tür zischte er dem Prior zu:

»Kommet, Bruder! Hier hat der Teufel sein Werk an einem Wankelmütigen getan. Sein Sündensohn, den ihm die stumme

Dirne gebar, rüttelt an seinem Gewissen. Er ist umnachtet und dem wahren Glauben abtrünnig geworden!«

Der in tiefer Andacht versunkene Ratsherr hörte die Worte des Neffen. Er ließ sie verklingen, war doch sein Herz nun voll der Liebe. Still lächelnd betete er: »Herrgott, vergib ihnen, sie wissen nit, was sie tun.«

Dem Ratsherrn war es, wie wenn nach langer Winternacht die Lenzsonne auf die erfrorne Ackerscholle niederflammte und die Keime zu neuem Leben riefe. Und alle die erstarrten Erwartungen blühten in ihm und drängten zu neuem Fruchten. Dürers Samenkörnlein ging in dieser Stunde im Herzen des Ratsherrn auf.


Die Nürnberger rüsteten sich zu den Fastnachtsspielen. In diesem Jahre hatte der ehrbare Rat erlaubt, daß ein »Schembartlaufen« stattfinden dürfe. Dieser alte, tolle Maskenaufzug der Metzger und Messerschmiede hatte den Namen nach den Masken mit allerhand schönen Bärten, er war ein Privileg Kaiser Karls IV., eine Art Belohnung für die Treue der Metzger und Messerschmiede, die sie dem Nürnberger Rat während eines großen Volksaufruhrs gehalten hatten. An diesem »Schembartlaufen« durften die Gesellen, angetan wie die Geschlechtersöhne, in Samt und Seide durch die Stadt reiten, und die Messerschmiede führten dann am Marktplatz den »Schwerttanz« auf, eine Art Turnier nach Ritterart; und die Metzgergesellen trieben großen Ulk im »Zähmertanz«. Der Stadtrat überließ den Gesellen die »Stadtpfeiffer«, wie sich damals eine Art Musikkapelle nannte, die bei den Festen im großen Rathaussaale den Ehrbaren zum Tanze aufspielte. Das »Schembartlaufen« war in den Jahren zu einem übermütigen Fastnachtstreiben ausgeartet, das Politik und Kirchenstrenge oft in roher Weise verspottete, so daß der Rat nur in siebenjährigen Pausen dazu die Erlaubnis gab. Diese Belustigung, die früher alljährlich stattfand, erforderte einen großen Aufwand, und viele Gesellen konnten sich das nicht leisten; sie verkauften ihre »Schembartrechte« an die

Geschlechtersöhne, die den Umzug mit großem Prunk ausstatteten. Das »Nürnberger Schembart-Buch« berichtet darüber: »… sie liefen aus des Weißen Haus bei der langen Brucken, waren der Männer 24, Conz Escheloer als Hauptmann, 12 Ehrbar und 12 aus der Gemein; waren angetan in Leinwand, ganz weiß, mit einem grün Hut und Ermel und auf einer Seite mit grünen Zügen gemacht; kauften den Schönbart[1] um 6 Gulden. Die Metzger tanzten vor das Frauentor hinaus[2]), daß die umreitenden Feind vor dem Wald sie sehen konnten. Es war dies Jahr auch großer Sterb[3] in Nürnberg.«

Diese Chronik gibt den Beweis, wie tollkühn die Fastnachtsspiele trotz Krieg und Seuche getrieben wurden. Der »Schembart« bereitete dem Rat oft große Mißhelligkeiten, was zum Einschreiten der Obrigkeit Veranlassung gab; und in diesem Jahr der Reformation wollte man es arg treiben. Insbesondere sollte die sogenannte »Hölle«, ein Aufbau, der einen Drachen vorstellte und der, auf einem Wagen, räumlich so groß war, daß vermummte Gestalten darauf allerhand Mutwillen treiben konnten, Anlaß zur Verhöhnung der Papisten geben.

Die Vorbereitungen zu diesem Fastnachtstreiben nahmen die Nürenberger Bürger und Gemeinen so in Anspruch, daß sie sich nicht viel um das Wortgefecht zwischen den päpstlichen und den lutherischen Predigern bekümmerten. Im Kapitelsaale der Karmelitermönche aber tobte der Sturm, der nach ohnmächtiger Drosselung den Fanatismus wieder belebte. In der Disputation, die der Rat der Priesterschaft aufgenötigt hatte, siegten die Anhänger Luthers. Ihre Gegner waren den klaren, vom evangelischen Geiste durchdrungenen, von geistlicher Wahrheit durchleuchteten Reden der Reformpartei nicht gewachsen. Osiander erhärtete in zweistündiger Rede die Begründung von der Lehre Luthers über das wahre Wort Gottes; sosehr sich auch seine Gegner bemühten, den Beweis der Lüge im Evangelium

---

[1] Maskenrecht.

[2] Nürnberg war damals vom Feind belagert.

[3] Sterben.

konnte keiner erbringen. Prior Stoß hatte noch das letzte gewagt, er wollte diesen Kampf durch ein Konzilium entscheiden lassen. Osiander aber erklärte klipp und klar, daß er und seine Anhänger für das reine Evangelium wohl Leib und Leben einsetzen, nicht aber vor solchen sich zu rechtfertigen haben, die zu einem Richtspruch nicht berufen erscheinen.

Diese Erklärung griff der Rat auf und schritt zu entscheidenden Maßregeln. Er erließ an die Führer der Priesterschaft und Mönchsklöster ein Gebot, in dem er das Predigen und Beichtehören untersagte, solange diese nicht aus Gottes Wort ihre Lehre sieghaft verteidigen könnten. Ferner wurden alle päpstlichen Feiertage abgeschafft, das Fleischessen an Fastentagen erlaubt und endlich allen Priestern der Stadt befohlen, sich in das Bürgerrecht zu begeben, wenn sie ihre Pfründen und ihr Einkommen erhalten wollen, widrigenfalls sie die Stadt zu verlassen hätten. So riß der Rat das Hoheitsrecht der Kirche an sich.

Dem übereifrigen Karmeliterprior Andreas Stoß, der in seinen Reden und Predigten wider die Verordnung des ehrbaren Rates sich auflehnte und das Volk gegen Luther aufwiegelte, wurde befohlen, innerhalb dreier Tage das Stadtgebiet Nürnbergs zu verlassen. Solche Maßnahmen führten zur Tatsache, daß die Reformation in der Reichsstadt eingeführt wurde, und alle Proteste der Bischöfe und des kaiserlichen Gesandten wurden nicht gehört.

So brach der Sturm im Kapitelsaal der Karmelitermönche los. Die Ratsbeschlüsse wurden beschimpft und verhöhnt, und man war nicht gesonnen, den Kampf aufzugeben. Ludwig Hirschvogel warf sich als Führer der Mönche auf, da der Prior Nürnberg verlassen mußte; seine fanatische, unbedachte Art hatte zu dem Entschluß geführt, daß in der Nacht des »Schembartlaufens« im Karmeliterhofe die Schriften Luthers öffentlich verbrannt und der Bannfluch des Papstes sowie das Interdikt des Kaisers gegen den Erzketzer Luther verlesen werden sollen. Auf diese Weise wollten die Mönche dem Volke die Macht und den Willen Roms zeigen. Daß dieser ohnmächtige Gewaltakt aber Öl ins

Feuer gießen müsse, das bedachte der fanatische Pater Ludwig nicht. Mit bangem Herzen rüsteten die Mönche zu diesem Fastnachtswerke, was es zu rüsten gab.

Im Dürerhause war Frieden und Ruhe eingekehrt. Der Meister gesundete bei emsiger Arbeit und schuf mit erneuter Kraft an dem großen Werke, das seine Glaubensidee in den vier mächtigen Apostelgestalten verkörperte. Alle Zerrüttungen der ruhelosen Zeit hatten keine Gewalt über ihn. Eingesponnen in seine Ideen, hielt er sich dem Treiben fern. –

Dreißig Jahre seines Lebens hatte er dahingeträumt, gesucht, von Zweifeln beirrt, vergrübelt in melancholischer Zerrissenheit, ehe er begriff, daß ohne Frage und ohne Grübeln die wahre Kunst im Genie wirksam wird. Der lebendige Geist, der aus der Farbe zu sprechen vermag, war ihm jetzt die Antwort auf alle Fragen. Er hatte bisher grau in grau gesehen, in den Gefühlen anderer gefühlt, nun sah er die Farbe als Lebenselement und die eigenen Gefühle als Ausdruck lebendiger Kraft, die sein Schaffen vertiefe. Ahnte er, daß dieses Werk, aus dem Zorn seines Freundes lebendig geworden, seine Schwäche bezwang – seinem aus der Kunst emporgerungenen Schöpfergeiste die Größe seines Lebensinhaltes sein sollte? Ahnte er, daß sein Heilandswirken der deutschen Kunst in diesen wuchtigen Apostelgestalten die Nachfolger seiner göttlichen Mission, als Verkünder seiner Idee in Kunst und Glauben, überliefern würde? Er wollte nichts sonst, als sein Bekenntnis ablegen: daß im wahren Glauben alle Wege zu Gott führen, daß aus Menschenwitz und Schwarmgeisterei das Irren komme, aus dem alles Übel fließt. Seine Seele war übervoll vom Drange der Zeit, da fühlte er sich gerufen, ein Machtwort in das Toben zu schreien und zur Zucht und Mäßigung zu mahnen.

So in den Geist seiner Mission versenkt, stand der Meister am Abend des »Schembartlaufens« vor den Tafeln und gab seinen Apostelgestalten mit den letzten Pinselstrichen die Wirkung lebendigen Geistes. In der Fensternische saß Margarete, früh gealtert in den Jahren ihrer Seelennot, und sah auf das Treiben in den Straßen hinab, wo das vergnügungssüchtige

Volk hastend und drängend im bunten Mummenschanz durcheinanderwirbelte.

Die Gedanken der Jungfrau gingen dem Bruder nach, bangend und verängstigt. Die Gesellen hatten ihn zum Schembarthauptmann erwählt, und sie fürchtete, daß sein ungestümer Geist den Wagemut haben werde, in der Sache Luthers gegen die Karmelitermönche vorzugehen, denn der Rat hatte den Stadtfrieden verschärft ausrufen lassen. Kaspar und Hans Sachs hatten sich oft zu unbedachten Fehden mit den Papisten verleiten lassen und wurden vom Rat ermahnt; daher ängstigte sich Margarete heut insbesondere, denn es lag in der Luft, daß ein Zusammenprall des aufgeregten Volkes mit den Mönchen erfolgen würde. Sie schlich zu Dürer und flüsterte in ihrer Kümmernis:

»Ach Meister, wie ist mir doch gar so bange. Könnte ich in die aufgeregten Gemüter der Menschen den Frieden tragen, wie gerne tät' ich's.«

Dürer lächelte in seiner Schaffensfreude versonnen:

»Banget nit, Margarete. Die Seele der Menschen darf keinen Frieden haben, sonst bliebe jedes Geschehen stillestehen und die Zeit erfüllte sich nit. Keine Grenzen dürfen wir dem Geiste setzen; er muß frei und ungebunden bleiben, sonst fällt er in die Schwäche. Wie ein wogendes Ährenfeld muß der Menschengeist sich ausreifen; da ist keine Hitze zu groß, kein Regen zu naß; wenn das Korn zum Fruchten kommen will, darf die Zeit keinen Frieden haben. Die Stürme müssen darüber hinziehen und das Unkraut und die schwachen Halme zerschlagen, auf daß der starke Halm die Ähren reif werden lasse. Kraft und Erneuerung sind im Frieden träge, und sie sind doch die Erhalter aller Wirkungen. Lasset Euer Bangen! Im Austoben, im wogenden Zusammenprallen feindlicher Elemente reift die Zeit. Ohne Zerstörung gibt es keinen Aufbau. Ich weiß, daß Ihr um den Bruder banget.«

»O Meister, wie seid Ihr doch von Gott begnadet, daß Eure Worte und Eure Blicke einem in die Seele zu dringen vermögen. Ich erwache oft des Nachts, das Gesicht in Tränen gebadet, denn alles löset sich in meiner Seele in Mitleid auf, wenn ich im Traum Eure Worte hörte und Eure so traurigen Augen erschaute. Ihr habt so viel erreicht und fühlt Euch doch arm und gering. Warum wohl, Meister?«

»Ich habe *erkannt*!« Übers Antlitz Dürers lief es wie ein leises Zucken, die Lippen preßten sich fester zusammen, dann seufzte er: »Das ist alles, was ich vom Leben erfahren konnte. Das Wort: ›erkennen‹ ist wohl ein Trost für einen, der gesucht hat und wenig zu finden vermochte: Es ist der Aufschluß über unser Unvermögen, zeigt die Wahrheit an in Leben und Tod und schließt einen Ring um Zeit und Raum, in dem wir nicht ahnen, was außerhalb ist. Mein Ring ist geschlossen, er schwingt sich ins Jenseits, wo es kein Verlangen nach Erdenwünschen mehr gibt.«

Ihm kam es vor, als wenn ihn der allgütige Jesus erst jetzt zu seinem Apostel gemacht hätte. Margarete aber war tief bewegt von diesem Entsagen und Erkennen.

»Scheuchet den Gedanken, er ist krank! Ihr seid doch begnadet, das Vollkommene zu schaffen; da muß es auch in Euch sein!«

Dürer setzte sich vor die Aposteltafeln. Mit der Hand nach den lebensvollen Gestalten deutend, sagte er mit bewegter Stimme:

»Wenn das wäre, so vermöchte ich es, diesen Männern des Glaubens *Leben* einzuhauchen, auf daß sie hinaustreten aus meiner Werkstatt, sich von den Holztafeln lösten und in diese wüste Zeit hineinschrien wie Löwen unter die Tiere der Wildnis, die an den Säulen der Kirche wühlen. So aber muß ich in meinem engen Ringe stehen und erkennen, was für ein armseliger Schöpfer ich bin, der diese Vollkommenheit nicht erreichen kann.«

Margarete wollte Dürers Vermessenheit abwehren, da aber drang ein Lärm von der Straße herauf. Trommeln und Pfeifen, Johlen und Lachen zerschnitt die ruhesame Stimmung der Erkerstube. Der Meister stand auf und trat an das Fenster.

»Das Schembartlaufen beginnt«, sagte er versonnen. »Diese Glücklichen verlangen nit nach Erkenntnis und können es kaum erwarten, Narren zu spielen. Sehet, Jungfraue, wer so sein Leben vertun kann im Übermut, braucht nit Seele noch Geist vor den Karren spannen und nit das Verlangen haben, dem lieben Gott das Letzte abzubegehren. Diese Narren sind allezeit die Weisen, sie dürsten nit und hungern nie, weil sie das Leben satt macht. Kommet, Margarete! Es ist gut, wenn auch wir unter die Narren gehen. Es könnte sein, daß wir unter ihnen einige Weisheit des Lebens erfassen.«

Er nahm den Pelzmantel um die Schultern. Ein Lächeln stand um sein bleiches Gesicht, als wollte er damit erweisen, daß ihm die Weisheit zur Narretei wurde.

Frau Agnes drängte ihres Leibes Fülle durch die enge Türe. Als sie ihren Ehegemahl im Pelz stehen sah, erschrak und eiferte sie.

»Du wirst mir doch an diesem rauhkalten Abend nit etwan wollen unter die Schembartleute gehen?«

Dürer setzte seine Pelzkappe auf, und der Schalk trieb ihn, im Tonfall der Stimme seines Weibes drollig auszurufen:

»Du wirst mir doch etwan nit wehren wollen, einmal unter die Narren zu gehen und zu sein wie diese?«

»Heilige Mutter Anna!« rief Agnes fassungslos. »Du willst ein Narr sein? Du? Da steht die Welt nimmer lang. Mein armer Albrecht, dazu fehlt dir ja alles! Du bist ja …« Sie mußte nun lachen, lachen über ihren Gestrengen, der ihr ein gar übermütiges Spiel vormachte, Grimassen schnitt, die Pelzhaube verdrehte und sich wie närrisch gebärdete. Er nahm Margarete um die Mitte, tanzte mit ihr und tollte zur Tür hinaus. Agnes band ihm draußen noch flink einen Schal um den Hals.

So hing des Meisters Stimmung mit einem Faden am tiefsten Ernst, mit dem anderen am Übermut. Er war darüber hinaus, sich von Bildern, die jäh seine Seele ängstigten, beherrschen zu lassen. In solchen Stunden stand er *über* dem Narrentum des Lebens. Sein in der Kunst erlöster Geist blieb selbst stark bei seinen Todesahnungen, er gewann die Kraft, sprunghaft über Gefühlsbewegungen hinwegzukommen. Zu Frau Agnes fand er manchmal eine Sprache, die ihn alles leicht nehmen ließ. Das machte ihm Spaß; denn sein Schauen in ihre Seele war kein Lauern mehr, es war freier geworden.

Seine wundervollen Augen, die nie gehässig blicken konnten, schauten erfüllt von Freudigkeit; seine Stimme bekam wieder den Klang der Glocken, und wenn er lachte, so war es zwanglos; denn er hatte Befriedigung gefunden und in seinen Apostelbildern die Reife und den Gipfel seines Könnens erstiegen. Wenn ihn des Leibes Schmerzen nicht quälten und er den düsteren Sinn Margaretens verscheuchen wollte, vermochte er übermütig zu werden.

Auch suchte er die Humanisten wieder auf, verkehrte rege mit dem gelehrten Dichter und Professor Eobanus Hesse, mit dem Rektor des neuen Gymnasiums Joachim Camerarius und mit dem zu dieser Zeit oft in Nürnberg weilenden Freunde Luthers, Philipp Melanchthon, deren Konterfei er in Kupfer stach. Er korrespondierte mit Luther und dem Schweizer Reformator Ulrich Zwingli, und sein geruhsames Wesen sowie sein klarblickender Geist schufen ihm neue Freunde, die ihn rückhaltlos bewunderten.

Überfiel ihn aber in seiner Krankheit die Schwermut, dann brach er wieder in sich zusammen, wurde launenhaft und kleinmütig; eine grausame Nüchternheit raubte ihm den frohen Mut und jede gerechte Selbstkritik. Seiner Frau gab er in allen Dingen nach, ließ sich von ihr beherrschen und duldete es, wenn sie ihm in den Tagen der Rückfälle die Freunde, selbst Pirkheimer, fernhielt, weil sie einen schädlichen Einfluß dieser Besucher fürchtete. So wuchs auch der Groll Pirkheimers gegen Frau Agnes immer mehr, er begann sie schon zu hassen.

Nur Margarete vermochte es, sein Gleichgewicht zu halten. In ihrem Leid spiegelte sich das seine, in ihrer verdorbenen Jugend erblickte er die seine. Saß sie zu seinen Füßen und hüllte sie ihn in die warme Decke, weil er stets fror, da nahm sie flink die Maske vor ihr vergrämtes Gesicht und tat so, als wäre sie im Innersten froh und ungekränkt. Sie suchte ihn zu guter Laune zu bringen, plauderte kleine Intimitäten von Frau Melanchthon in Wittenberg aus, lachte und spottete über ihr eigenes Weh und spielte eine kokette Komödie.

Und Dürer ließ sie spielen. Er dachte an Susanna Horebout und an sein eigenes Spiel eines Schalksnarren, der lachen konnte, wenn die Königin weinen mußte. Er durchblickte die Maske Margaretes, ließ es aber nicht merken, setzte schließlich selber eine auf und lachte, wenn er ihre Seele weinen sah.

Sie aber erkannte wie er, daß der Schalk nur die Schellen schüttelte; ihrer Seele Kummer war groß über den Trotz des Vaters, gerne hätte sie ihre Sehnsucht nach seiner Liebe vor Dürer ausgeschrien, aber der Meister ließ sie nie dazu kommen, er wollte warten, bis das Körnlein, das er in des Ratsherrn Glaubenstrotz säte, in wunderbarem Leuchten der Erkenntnis aufginge. Dann war der Weg vom Herzen der Tochter zu dem des Vaters nicht mehr verlegt.

Und an diesem Fastnachtsabend, wo alle guten und alle bösen Geister im Übermut zusammenprallen sollten, ging das Körnlein auf. Dürer mochte das ahnen, und darum wollte er unter die Narren gehen und die Weisheit finden.

Er zog Margarete, die sich ängstlich an seinen Arm klammerte, durch das bunte Treiben in den Gassen dem Marktplatz zu. Dort stand neben den Trinkbuden ein kleines Tischlein, auf dem ein mageres Männlein heimlich die Schriften Luthers anbot. Um sein Tun nicht zu verraten, pries er die Büchlein an, die zu verkaufen erlaubt waren, denn auf Geheiß des Statthalters König Ferdinand ließ der Rat das Verbot ergehen, öffentlich die Schriften Luthers feilzubieten.

Zu diesem Tischlein trat Dürer und verlangte nach dem Neuesten. Das Männlein schob ihm ein Büchlein in die Manteltasche und sagte laut:

»Das ist das Neueste, das er hat ausgehen lassen wider Adel und Herren, die zuschauen, wie die Bauren wirtschaften, er redet denen ins Gewissen, weil sie gar so zaghaft bleiben.« Leise flüsterte er: »Wendet den Sinn, Meister Albrecht. Martinus ist von dem Hinmorden des armen Volkes verstimmt. Sie treiben's ihm zu arg, die Herren.«

Dürer lächelte, bezahlte das Büchlein und ging weiter. Kaum war er einige Schritte entfernt, trat der Ratsherr Hans Hirschvogel zu dem Tisch und verlangte dasselbe Büchlein, wie es Dürer gekauft hatte. Das Männlein reichte ihm eine Schrift des Lutherfeindes Doktor Eck, er hatte Hirschvogel erkannt.

»Ist ein Traktätlein wider den Erzketzer Martinus!«

Hirschvogel las den Titel und gab das Buch zurück.

»Ich meine nit das. Gebt mir das Neueste. Ich will Euch nit anzeigen darum. Prüfen will ich, wes Geist der stärkere ist im Für und Wider. Ist's Martinus, dann will ich ihm glauben. Ihr solltet doch wissen, daß ich die heilige Wahrheit zu erkennen anstrebe. Hat man Euch das verheimlicht?«

Das Männlein wußte wohl, daß der Ratsherr wankelmütig geworden, aber er traute ihm nicht.

»Zwiefach ist das Verlangen nach der heiligen Wahrheit, Ehrbarer. Was dem einen gut dünkt, ist des andern Feind. Was dem einen das Kreuz ist, ist dem andern ein Schwert.«

»Kreuz und Schwert! Ja, ich hab' die Klinge geführt wider den Antichrist, vermein' aber, daß wohl ein anderer böser Geist ins Volk gefahren ist, als der des Martinus. Gebt mir nur ruhig von den Büchlein, deren Ihr eines Meister Albrecht gabet, auch ich will des Labetranks für durstige Seelen teilhaftig werden.«

Als der Ratsherr das Buch erworben hatte, lief er Dürer und Margarete nach. Eine unendliche Sehnsucht nach seinen Kindern hatte auch ihn in das Narrentreiben gelockt, er bekam das Gefühl, daß sich die Schranken zwischen ihm und ihnen geöffnet hatten.

Kaum war der Ratsherr gegangen, stand wie aus der Erde gestiegen der Karmeliterprediger Ludwig Hirschvogel vor dem Tischlein und riß dem Buchverkäufer die anderen Schriften Luthers aus der Hand. Einem Mönch, der hinter ihm lauerte, rief er zu:

»Hier wird gegen das Verbot des Statthalters gehandelt. Im Namen der römischen Kirche nehmt dem Manne alle Schriften ab, so der Erzketzer zu Wittenberg hat ausgehen lassen. In dieser Nacht sollen sie verbrannt werden im Karmeliterklosterhof. Ergreift auch den Frevler, der wider das Gebot des Statthalters verstößt.«

Rasch war die Arbeit getan. Die Schriften wurden in einen Sack geschüttet, den Pater Hirschvogel selbsteigen auf die Schulter nahm und eilig davonschritt, weil er Gefahr witterte. Als der Mönch den Buchverkäufer fassen wollte, griff er in Narrengewänder, die zu schellen begannen. Ein lachender Narr schlug mit einer Pritsche über die dicken Hände des Mönches, und ehe dieser sich versah, war er auf die Schultern der Übermütigen gehoben, die ihn in den Mummenschanz hineintrugen.

Der Buchhändler, der sich also befreit sah, rief den Davoneilenden nach:

»Haltet den Pater Ludwig auf! Er will die Bücher des Wittenbergers im Karmeliterklosterhof heut nacht verbrennen!«

Einige Burschen liefen Ludwig Hirschvogel nach, der aber hatte noch rechtzeitig das Kloster erreicht und das Tor verriegelt. Die Vermummten huben einen Lärm an, einer unter ihnen aber rief ihnen zu:

»Laßt brennen das stinkend Feuerlein,
Daß uns die Macht erwachs'!
Die Morgenröt' loht über die Pein,
Das rufet euch zu – Hans Sachs!«

Mit lustigen Sprüngen liefen die Übermütigen in den Trubel hinein, allen voran der Schusterpoet, denn schon zogen die Schembartläufer am Marktplatze auf. An der Spitze des herrlichen Zuges ritt Kaspar hoch zu Roß als Hauptmann. Die Metzger führten den Zähmertanz auf, wobei sie sich an ledernen Ringen hielten, die wie Würste aussahen. Sie reigten über den Marktplatz, den Masken im Narrengewande frei machten.

Einer der Narren warf aus einem Korbe Eier mit Rosenwasser gefüllt auf die Mädchen, so daß sich ein wohliger Duft verbreitete. Pfeifer und Zinkenisten bliesen und schlugen lustig auf Pauken und Trommeln. Der prächtige Zug der vierundzwanzig Schembartläufer, der aus Geschlechtersöhnen und Handwerkern bestand, war umringt von Spaßmachern, die, als wilde Männer und Weiber maskiert, derbe und oft unzüchtige Späße aufführten. Auch der Mutwille hatte seine Maske gefunden. Man scheute zu dieser Zeit nicht mehr zurück vor Bübereien, die den Heiligen Vater verspotten sollten. Ein Narr in einem weiten Mantel aus Ablaßbriefen mit baumelnden Siegelkapseln sprang mit anmaßenden Gebärden durch die Zuschauer und rief diesen heimlich zu:

»Um Glock' zwölf, wo die Teufel aufstehen und tanzen werden, soll im Karmeliterhof mein Mantel im Papistenfeuer in Flammen aufgehen. Kommt alle dahin!«

Diese Botschaft lief wie ein gehetzter Hase durch die Menge.

Die Messerschmiede führten den Schwertertanz auf, der ein prächtig mannhaftes Bild entrollte, von qualmenden Pechfakkeln überglüht. Das Schwertschwingen zeigte ein Ritterspiel von Wagemut und Kraft.

Den Beschluß des Schembartlaufens bildete die sogenannte »Hölle«. Das war eine Riesengrotte, von vier Pferden gezogen, in der ein bengalisches Feuer brannte und sich wie ein Rachen auftat und schloß. In dem Feuer saßen Puppen alter Weiber und Mönche, von roten Teufeln umtanzt. Das Spiel dieser maskierten Teufel war so drollig, daß das Volk nicht aus dem Lachen kam. Der Mann mit dem Mantel aus Ablaßbriefen rief den roten Teufelsmasken zu:

»Glock' zwölf brennt im Karmeliterhof ein stinkend Feuerlein, in das sie Martinus' Geist verbrennen wollen. Ihr Teufel sollt ihn aus den Flammen harpen, auf daß die Morgenröt' auflohe. Macht flinke Arbeit!«

Ein heulendes Gelächter aus dem Höllenrachen gab an, daß die Teufel verstanden hatten. Als um Mitternacht der Zug vor dem Rathause haltmachte, entlud sich aus der Riesengrotte ein mächtiges Feuerwerk, das den Beschluß des Schembartlaufens ankündigte. –

Dürer und Margarete ließen sich im Gewoge der Menschen schieben und tragen. Margarete erschrak, wenn ihr ein Spaßmacher zu nahe kam, und klammerte sich ängstlich an ihren Beschützer an, vor dem der Übermut haltmachte. Ihre Blicke suchten immer nur die stattliche Gestalt des Bruders, der wie ein stolzer Ritter im Sattel saß und mit einem vergoldeten Stabe die Zeichen der Spiele gab. Er trug sein Gesicht mit einer Maske bedeckt, die mit einem langwallenden Bart geziert war. Seine Augen aber funkelten durch die Löcher der grotesken Larve und blieben immer wieder auf der Schwester ruhen.

»Er ist der Stattlichste von allen!« raunte sie Dürer zu, der ihr wenig Aufmerksamkeit schenkte; denn seine Blicke verfolgten den Ratsherrn Hirschvogel, der, immer nur einige wenige Schritte hinter ihm, sich unbelauscht glaubte und sehnsuchtsvollen Blickes seiner Tochter folgte. Einige Male schlich er sich ganz nahe an sie heran, um ihre Stimme zu hören, und da wußte Dürer ganz unvermittelt mit Margarete so zu sprechen, daß das Vaterherz aufzuckte, denn er erkannte die Sehnsucht des Ratsherrn und schürte sie noch mehr. Er fühlte, wie die verzehrenden Flammen der Liebe die letzten Schlacken schmolzen, die so lange Jahre des Ratsherrn Herz umkrustet hatten. Und nun sah er, wie sich der Trotz des Fanatikers in Demut gewandelt hatte, die ihn in die Nähe seiner Tochter trieb.

Dürer dachte, wo denn heut in Hirschvogel der Eiferer der Kirche geblieben sei. Heut, wo so viel Anlaß war, gegen das Treiben der Narren aufzutreten, die Mönche und Papstmacht verspotteten, hätte er doch das Schwert seines Eifers schwingen können, um diesem Unfug zu steuern. Warum rief er nicht seinen Zornspruch dem Manne mit den Ablaßbriefen, den Teufeln am Höllenwagen zu, die mit den Gabeln in die Puppen der Mönche stießen?

Dürer erkannte, daß in dieses Eiferers Herz ein stärkeres Drängen Macht gewann, daß in ihm der Geist Luthers zu wirken anfing. Er hätte es nun leicht vermocht, den Ratsherrn zu dessen Tochter zu ziehen und zu ihm zu sagen: »Siehe diese; ihr Verlangen ist noch heißer als das Eure, warum martert ihr Euch?« Aber er wollte dem Schicksal nicht vorgreifen, nicht neuen Trotz wecken; Gottes Wille sollte Vater und Kinder zusammentun, wie er es schon einmal getan hatte. –

Als das polternde und krachende Feuerwerk abgebrannt war und der Zug der Masken sich zu zerstreuen begann, läutete vom

Turm des Karmeliterklosters das Sterbeglöcklein. Wo doch in Nürnberg das Läuten der Glocken eingestellt war, wie durfte in dieser Nacht des Übermutes eine mahnende Stimme vom Kirchturm rufen? Und dort, über den Marktplatz, wen trugen die Mönche zu Grabe?

Ein langer Zug schwarzer Männer, dem eine kleine Schar alter Frauen und Bürger folgte, schritt um den Platz herum. Einige Mönche trugen Pechfackeln, andere eine Art Bahre auf den Schultern, die mit Büchern angefüllt war. Voran schritt Pater Ludwig Hirschvogel, das eiserne Missionskreuz in der Hand. Mit unheimlichem Gemurmel und Gesang schritt der lange Zug um den Marktplatz dem Karmeliterkloster zu, das die Tore weit geöffnet hatte. Der Hofraum war finster, man sah den kleinen Scheiterhaufen erst, als die Fackeln der Mönche das qualmende Licht hereintrugen und die Tragbahre vor diesen hinstellten.

Mit den Mönchen war eine große Menge Volkes in den Klosterhof eingedrungen, die voller Erwartung der Dinge harrte, die sich abspielen sollten. Eine unheimliche Scheu gab kund, wie doch die Kirche eine mächtige Gewalt war, vor der sich das Gewissen wohl zu fürchten hatte. In vielen sonst übermütigen Burschen regte sich die Angst vor der Strafe Gottes für ihre Freveltaten bei dem Fastnachtsspiel. Wer von all diesen simplen Handwerksgesellen verstand den Geist der Reformation? Wer von diesen Mitschreiern und Unbedachten in Glaubensdingen vermochte es, die Gefahr zu überblicken, in die sich das von Sektierern und Verführern irregeleitete Volk zu stürzen begann? Aber so manchem kam die Angst an, daß er im blinden Eifer wohl doch nicht am rechten Wege zum ewigen Heil dahinwandle.

Pater Ludwig Hirschvogel hatte sich auf eine bereitgestellte Art Kanzel geschwungen, sich demütig an die Brust geschlagen und das schlichte Zeichen des Kreuzes dreimal geküßt. Seine schlanke, hohe Gestalt schien zu wachsen, als er befahl, die Mönche mögen die Schriften und Büchlein Martin Luthers, des Aufwieglers, des Ketzers, des vom Papst und Kaiser gebannten

Abtrünnigen der römischen Kirche auf den Scheiterhaufen legen.

Mit flammenden Blicken suchte der Prediger die Widersacher der Kirche aus der angestauten Volksmenge herauszufinden. Er hob gegen solche, die er in der Düsternis erkannte, das Kreuz, dann rief er mit schallender Stimme:

»Also richtet der Geist der alleinseligmachenden Kirche den Geist des Antichrist! Dieweil durch Verbrennen der Schriften des Ketzers in der Flamme alles Teuflische zur Hölle fleucht und Gottes Wahrheit wie das Rauchopfer Abels aufsteigt, so möge der Irrwahn, der eurer Seele Verderben ist, zur Hölle fahren und eurer Herzen Reue zu Gott aufsteigen. Fachet das Feuer an, ihr Hüter der päpstlichen Kirche!«

Mit weittragender Stimme verlas der Prediger die Bannbulle des Heiligen Vaters wider den abtrünnigen Martinus. Hastig, als fürchte er unterbrochen zu werden, las er die furchtbaren Worte des Fluches, die des Erzketzers Schriften wider den Ablaß und des Papstes Macht auf Erden mit fauligen Früchten vom Baume der Unzucht und Gemeinheit verglichen.

Eine beklemmende Angst hatte sich des Volkes bemächtigt, als der Prediger den Fluch des Papstes auch auf jene schleuderte, die sich des Wittenbergers Gefolgschaft rühmten und die Ketzerschriften Luthers lasen. Um allen eindringlich vorzuhalten, welche Bücher mit dem Bann des Papstes belegt waren, nannte er eine lange Reihe der Schriften. Und als die Flammen aus den Holzscheiten des Scheiterhaufens herausschlugen, hob Pater Hirschvogel das Kreuz darüber empor und rief mit bezwingender Machtstimme:

»So wie diese Ketzerschriften, die des Volkes Seele ins Verderben stürzen, im irdischen Feuer schmoren, also mögen die Seelen des Erzketzers und seines Anhanges im Feuer der Hölle schmoren für ewige Zeit, ohne Fürbitte des Heiligen Vaters, ohne Erlösung durch einen Ablaß und ohne Gnade Gottes; verflucht und verstoßen. Amen!«

Im Volke war das Gewissen rege. Viele sanken in die Knie und bekreuzigten sich demütig, andere schluchzten im Weh ihrer Verirrung und jammerten um ihr Seelenheil. Denn fast alle, die des Lesens kundig waren, hatten die Büchlein Luthers als Labetrank in sich hineingelesen.

Die Mönche schürten im Feuer, Pater Ludwig hielt abermals das Kreuz hoch und verlas feierlich das lateinische Interdikt des Kaisers gegen Luther. Die Stille war unheimlich, die Worte des Predigers warfen ihr Echo von den Hofwänden. Da, mit einem Male, erhob sich ein wüstes Heulen, eine Schar roter Teufelsmasken tollte um den Scheiterhaufen. Sie setzten eine Strohpuppe, der sie den Mantel mit den Ablaßbriefen umgehangen und eine papierene Tiara aufgesetzt hatten, auf den Holzstoß. Von Flammen umzüngelt, war das Bild des frevelhaften Übermutes immerhin ein gewaltiger Anblick.

Einer der roten Teufel schrie:

»Eine jede Seel', so von dem Pater ist verfluchet, mög' sich ein Ablaßbrieflein mit in die Höll' nehmen, dann wird sie nit schmoren.«

Das Volk schrie entsetzt auf, als es die Teufel am Werke erblickte, eine Weile war der Tumult groß, dann aber erscholl ein befreiendes Lachen, als man in den roten Teufeln die Burschen erkannte, die in der Schembarthölle so tolle Späße getrieben.

Die Stimme Pater Ludwigs gellte zornig in diesen wüsten Lärm hinein und drohte mit ewiger Verdammnis den Störern der heiligen Handlung. Aber der Eiferer verlor bald den festen Boden unter sich, von kräftigen Händen fühlte er sich auf die Schultern einiger roter Teufel gehoben. Aus dem Volke wich jede Zerknirschung, unflätige Späße und verabscheuenswerter Spott dröhnte aus dem Gelächter hervor, so daß des Predigers Stimme in dem maßlosen Lärm unterging.

In das Gedränge eingekeilt standen Dürer und Margarete; hinter ihnen der ehrbare Hans Hirschvogel. Mit Entsetzen sah Dürer die Freveltat der entarteten Burschen, und Margarete hielt sich die Ohren zu, um den betäubenden Lärm nicht hören zu müssen. Hans Hirschvogel war starr vor Entsetzen. Einmal über das Unterfangen seines Neffen, der gegen das Gebot des

Rates öffentlich unbefugten Urteilsspruch über Dinge der Kirche verübte; das andere Mal über das unwürdige Treiben der Schembartleute, denen es untersagt war, öffentliches Ärgernis zu geben. Aber was konnte der Ratsherr allein tun gegen diese Narren?

In seiner Verzweiflung erblickte ihn Pater Ludwig und rief ihm zu:

»Ehrbarer Rat, so helfet mir doch! Sehet Ihr nit, wie sich diese Teufel gebärden wider das geweihte Gewand eines Priesters? Warum stehet Ihr da wie ein schwacher Greis, schützet wenigstens Euren Neffen, wenn Ihr schon mit den Lutherbuben Gemeinschaft haltet. Duldet der Rat von Nürnberg diesen Stadtfriedensbruch?«

Als das Volk vernahm, daß ein Ratsherr Zeuge des Übermutes war, legte sich rasch der Sturm, und ängstliche Stille trat ein. Es war, als wollte sich Hirschvogel nicht entschließen, in diesen Aufruhr mit strenger Gewalt einzugreifen. Da fühlte er, wie Blicke, flehend und mahnend, auf ihn gerichtet waren, und dann sah er dicht vor sich das erblaßte Gesicht Margaretens, deren Angstaugen fragend zu ihm emporschauten. Nun wußte er, daß dieser nichtswürdige Teufelsspuk seine Tochter ängstigte. Wie mit zitternden Händen griff ein warmes Gefühl an sein Herz. Da hob er die Arme gebietend auf, und mit lauter Stimme rief er in die Stille hinein zu den Teufelsmasken:

»Setzet den ehrwürdigen Pater ab und zeuchet hinweg aus den Mauern des Klosters. Ihr habt gefrevelt am Frieden der Stadt, und euer Spiel ist eurer Maskerade wert. Vor den Schöffen werdet ihr euer Urteil hören. Ihr aber, Pater Ludwig, habt gegen den Spruch des Rates verstoßen, der als Obrigkeit das kirchliche Recht in Nürnberg verwaltet. Ihr habet ohne Erlaubnis öffentliches Urteil gefällt und vollzogen, der Rat wird Euch aus den Mauern der Stadt bannen müssen! Was errichtet Ihr Euch allhier eine freie Kanzel!«

Pater Ludwig verlor die Besinnung. Sein Jähzorn riß ihn mit sich fort. Er schrie wie ein Wahnsinniger:

»Abtrünniger der heiligen Kirche! Ich handle im Namen des Heiligen Vaters in Rom. Wollt auch Ihr die Kirche stürzen helfen?«

»Ihr seid nit bestellt mit Fug und Recht. Haltet Maß in Euren Worten. Wie wollet Ihr Vertrauen finden im Volke, wenn Ihr Euch also würdelos gebärdet. Noch steht die römisch-katholische Kirche, noch hat sie Macht, und *Luther will sie nit stürzen, er will sie festen!* Festet auch Ihr sie in der Liebe zu Gott und zum Volke! Seid Ihr der Stärkere im Auslegen der Heiligen Schrift, dann wird man Euch lieben und nit verspotten! Bekennt Euch zum heiligen Evangelium, in ihm ist der wahre Geist des Glaubens wirksam. Bekennet Euch zum Evangelium der Liebe, denn in Zorn und Haß hat Jesus Christus die Menschheit nit erlöst. Ich, der eifrigste Kämpfer für die heilige Kirche, bin zu dieser Erkenntnis gekommen, daß die wahre Religion: Friede, Liebe und Barmherzigkeit ist, und Ihr selbst habet mich das im verkehrten Sinne gelehrt, Pater Ludwig.«

»Ihr seid ein Ketzer, ich exkommuniziere Euch!«

Da reckte sich der Ratsherr hoch auf, denn seine Streitbarkeit war nun wieder erwacht. Mit Donnerstimme rief er:

»So wie ich alle schamlosen Reden aus Priestermunde mißbillige, ob papistisch oder lutherisch, so weise ich aber auch alles Maßlose der Hüter der heiligen Kirche weit von mir, wenn sie nit das Recht wahren können. Wie muß es um Euch bestellt sein, Pater Ludwig, wenn Ihr als Christ gegen Christen fluchet und unschuldige Bücher verbrennet, die vom heiligen Evangeli Zeugnis ablegen. Ihr gehet einen falschen Weg, weil Ihr die Worte des Heilands bekämpft.«

Das eingefallene Gesicht des Predigers wurde grün im Zorn. Die tiefeingesunkenen Augen schienen erloschen zu sein, er erkannte seine Niederlage. Er reckte sich auf den Rücken der roten Teufel, schleuderte das Eisenkreuz gegen den Ratsherrn und schrie:

»Ich stoße dich aus der Gemeinschaft der heiligen Kirche aus. So wahr Jesus Christus am Kreuze gestorben und seine gebenedeite Mutter ...«

Ein gellender Schrei hallte markdurchschütternd durch den Hof und in die angsterfüllte Menschenmenge hinein. Margarete hatte das Eisenkreuz, das den Ratsherrn treffen sollte, aufgefangen und war dem erregten Vater an die Brust gesunken, als wollte sie ihn beschützen, als wollte sie den Fluch von ihm abwehren. Sie hielt das Eisenkreuz hoch empor und rief:

»So heilig dem Christen das Zeichen des Kreuzes ist, so unheilig ist dein Fluch gegen meinen Vater, Pater Ludwig. Ich schleudere ihn an dich zurück im Namen Martin Luthers!«

Und ihr bebender Leib hing wie ein zum Neste heimgekehrtes Vöglein in den Armen des Vaters, der sein Kind im Glauben der Liebe durch die Gnade des Heiligen Geistes wiedergefunden hatte.

Auf dem Scheiterhaufen züngelten die Flammen um die Ablaßbriefe. Schluchzende Frauen waren in die Knie gesunken und beteten. Die roten Teufel schlichen wie geprügelte Buben davon. Der erregte Pater Ludwig war vor dem Aufschrei Margaretens erschrocken, wie zu einer Bildsäule verwandelt, stehengeblieben. Die Fügung Gottes, daß sich in dieser Stunde Margarete und ihr Vater finden mußten, kam ihm vor wie ein Wunder. Er fühlte den Zug des gemeinsamen Fadens, der ihn mit den beiden verband, daran er nun gerissen und der sich losgelöst hatte.

Dürer sah ihn in dieser Niedergeschlagenheit. Seine horchende Güte, welche die wirren Gedankenströme des gedemütigten Priesters in ruhigere Bahnen lenken wollte, strebte Versöhnung an. Er nahm Pater Ludwig an der Hand und führte ihn in den Klosterkreuzgang hinein. Seine sanften Worte erschütterten den Kämpfer um die Kirche, daß er reuig eingestand, vor Gott und Menschen übel getan zu haben.

Die Stadttrabanten trieben das Volk auseinander und verlöschten das Feuer. Es wurde finster und leer im Klosterhofe.

Vater und Tochter hielten sich umschlungen, für sie war alles Fremde versunken ringsumher. Da führte auch sie Albrecht Dürer aus dem dunklen Hofe hinaus.

»Kommet, Ehrbarer«, sagte er, tief ergriffen von der Art, wie sich seine Ahnung erfüllt hatte: »Noch einer harret der Liebe des

Vaters, die wie der Vogel Phönix ist aus der Asche der Narretei aufgestiegen ins reine Licht des Evangeliums.«

Da schritten die drei durch die dunklen Gassen dem Marktplatz zu. Sie hielten sich an der Hand, wie Kinder, die in ein Märchenland schleichen. Ein Raunen drang schwelgerisch aus der Nachtstille in die Gemüter der Beseligten, die in trunkener Versunkenheit nicht aussprechen konnten, was sie fühlten. Sie lauschten dem Wandel der Stimmen, die herüberklangen aus der Symphonie der Versöhnung.

Dieses hörbare Aufjubeln des Herzens schien sich zuweilen für Margarete in sichtbaren Fäden eines heiligen Glanzes auszustrahlen, den eine innerliche Beglückung flimmern machte. War es nicht köstlich, wie dieses Gespinst, sooft es ein Schreck zerriß, immer wieder von der Sehnsucht verbunden wurde, bis es Gottes Weberschiffchen aufs neue so fest und sicher fügte?

Eine feierliche Stille lag über dem Marktplatz, als ihn die drei betraten. Aus den zerrissenen Wolken war der Mond sieghaft hervorgetaucht und goß eine Fülle silberner Fäden über die steinernen Fliese. Der »Schöne Brunnen« plätscherte geheimnisvoll, sein reich durchbrochenes Maßwerk schnitt in kräftigen Linien den silberflimmernden Himmel durch. Auf den einzelnen Stockwerken des gotischen Aufbaues zahnte sich das Mondlicht in die hohen Spitzbogen und kletterte in den Krabben und Kreuzblumen der lauteren Formen herum.

Dürer betrachtete das wunderfeine Filigransteinschnitzwerk mit sinnenden Blicken. Wie oft hatte er diesen Brunnen gesehen, nie aber wurde ihm seine Bedeutung so bewußt, wie in dieser inneren und äußeren Stimmung.

Die beiden anderen, die ihre Hände ineinander geschlungen hielten, kümmerten sich nicht um die Werke der Kunst. Sie schritten wie von Flügeln getragen in das Licht hinein, das in ihnen und um sie herum so wundersam zu leuchten begann. Die bangen Jahre, die sie getrennt und die sich wie Keile zwischen ihre Herzen gedrängt hatten, suchten scheinbar erdrükkenden Raum in ihrem Fühlen zu gewinnen, um sich dann aufzulösen in ein trunkenes Vergessen.

In diese Strömungen der Gefühle in Vater und Tochter klangen Dürers Worte wie ein Orgellied:

»Über das Meer der Zeit schwimmt leicht, was einer kaum zu tragen vermag. Alles Leid schwimmt dahin über die Wogen wie ein Wrack, das im Sturm am Gestade des Trotzes zerschellte. Und nun das Meer der Seele sturmlos ruht, den Himmel abspiegelnd, zieht unser Geist darüber hin auf Sonnenschwingen, die im Endlichen unendlich scheinen. Das ist die Liebe, die verzeiht, weil sie von Gott kommt. Wer glaubt es dann noch, daß es Stürme gibt, die ein Meer bis in den tiefsten Grund aufwühlen? Ist es nit bedeutsam, daß ein Menschenherz solchen Glauben gewinnt und solcher Liebe fähig wird?«

Die beiden Glückversunkenen lauschten den Worten des Erkenntnisreichen. Sie hatten ja alle Ängste und alle Not überwunden. Sturmlos ruhten ihre Herzen im Hafen der Liebe. Dürer fühlte das Geistige in sich, das ihm eine erlebte und doch verschlossene Welt offenbarte, in der nun die Klarheit auch die Schönheit befreit hatte.

Vor dem Steingefüge des »Schönen Brunnens« blieb er stehen und sagte mit innerem Behagen herzinnig:

»Du liebes Brünnlein! Dein Maßwerk ist wohlbedacht. Du ragest aus einer ruhesamen Erkenntnis heraus, wie dem gottseligen Adam Kraft sein Sakramentsgehäuse. Auch du weisest mit deinem Finger zum Himmel empor, von wo der Quell springt, der in klaren Tropfen die ewige Labung herniederträufelt. Und du bist das Sinnbild der Verträglichkeit! Du vereinigest Christen mit Heiden, Juden mit den sieben Kurfürsten, die das Reich erhalten. Du bist das Sinnbild der Liebe und zeigst uns die Freuden am Leben in deinen lockigen Knaben und freibusigen Mägdlein im Rosengeranke; zu ihren Füßen sitzen die vier Evangelisten, die Hüter des Glaubens. – Kein Streit ist in dir, du lässest all deine steinernen Gestalten friedlich beisammen sein. Nur wir Menschen mit dem wandelbaren Dünkel überheben uns und gehen irre im wahren Erkennen von Eintracht und Liebe. – Du schönes Brünnlein der Liebe, zeige auf, wie heilig die Verträglichkeit im Glauben und im Leben ist!«

»Brünnlein der Liebe!« schluchzte Margarete mit jubelndem Herzen.

»Brünnlein der Verträglichkeit!« stöhnte der Ratsherr in jäher Ergriffenheit der friedsamen Deutung Dürers.

Der mächtige Schattenriß der Liebfrauenkirche ragte wie ein Felsblock in die Mondnacht hinein, von Silberschleiern umsponnen. Rings um den Platz standen die Häuser der Patrizier mit den spitzen Giebeln und Erkern. In ihnen wurde der Geist der Unverträglichkeit als Kindlein geboren, das im stolzen Wahn der Sippe zum Manne erstarkte, der nun mit dem Frieden des Glaubens in Fehde lag und Zwiespalt schuf.

Das Brünnlein plätscherte und plauderte wie ein Mund, der aus allen Zeiten zu allen Zeiten spricht. Wer das erlauschen könnte! –

Aus einer Schänke klimperte hart und schrill das Spiel der frohen Lust; Burschen und Dirnen tanzten. Gestalten huschten aus der Mondhelle in die Schatten der Nacht, kichernd und flüsternd. Und eine Gestalt stand vor Hirschvogels Haus. Stattlich und vornehm wie ein Ritter, der seiner Herzliebsten Anblick ersehnt. Was kümmerte ihn das Gezirpe der Zinkenisten, der Lockruf der Fiedeln, die heitere Musik, die aus dem düsteren Schlund der Straße vom Rathaus her ertönte, wo die Schembartleute sich ergötzten an wildem Narrenspiel?

Die Gestalt stand im Mondlichtbande und blickte zum Fenster hinauf. In einsamen Nächten war sie sooft dort gestanden, wenn hinter den Fensterscheiben ein Greis, der nicht schlafen konnte, vereinsamt das Licht des Tages ersehnte. Heut waren die Fenster leer.

Klang nicht ein Ruf aus jubelndem Munde?

»Kaspar, mein Bruder!«

Und wieder ein Ruf. Da fuhr der Geselle zusammen. War das nicht die Stimme, die ihn einmal in schicksalsschwerer Stunde so gerufen?

»Kaspar, mein Sohn!«

Die Augen voll kindlicher Freudentränen, das Herz erfüllt von köstlicher Barmherzigkeit und ganz in Befriedigung ergeben, hüllte Dürer den fröstelnden Leib in den wärmenden Pelz ein. Er hörte erstickte Freudenrufe, nun konnten ihn die, die sich im Glück gefunden hatten, entbehren.

Langsam schritt er, seine Blicke nach dem wolkenzerrissenen Himmel gerichtet, zum »Schönen Brunnen« zurück. Eine tiefe Ergriffenheit bemächtigte sich seiner Seele. Er sah, wie aus den Wolkenfetzen helle Sterne wie Trauben herniederleuchteten. Er blickte in die Unendlichkeit der ewigen Ferne des Himmelsdomes und begann zu grübeln:

»Alles scheint mir nahe heut, wie zum Greifen. Als ob ich auf einer Höhe stünde, wie der gute Kaiser Max einmal, hoch über dem treibenden Leben. Nichts fehlt mir als das Weitergleiten außerhalb meines Ringes, wo Tier und Baum, Stern und Mensch eines werden für das Weiterleben im großen Raume, den wir den Tod nennen und der doch das ewige Leben ist. Wüßten das die armen Enterbten und die unfrohen Reichen, sie ließen Haß und Trotz, Hochmut und Neiden, und suchten den Geist der Verträglichkeit hineinzuleiten in den *einen* Glauben an den *einen* Gott, der die Liebe ist und der im Schaffen und Vernichten keinen Unterschied kennt.«

Dürer war vor dem Monumentalbrunnen stehengeblieben. Als er so grübelte, schien es ihm, als kicherte das fürwitzige Wässerlein aus dem dünnen Rohr heraus:

»Menschengeist, wie bist du doch armselig! Dein Haß und Trotz, dein Großtun und Neiden, wie winzig und gering ist das! Wie du dich auch blähen mögest, die Weisheit Gottes ergründest du doch nimmer! Das Leben ist nur ein Brünnlein! Es rinnt durch finsteres Gestein, durch beengte Rohre, führt Unrat und Schlamm mit sich, es verdunstet und steigt empor, von wo es gefallen, und wenn es an den Tag tritt und klar wird, dann kommt der Durst, und der ärgert sich über das Wässerlein, weil's kein süßer Wein ist.«

Dürer mußte lächeln über den Fürwitz des Brünnleins. Auch er war so, wie es das Wässerlein daherplauderte. Nichts war ihm gut genug, sein Durst hatte auch nach Wein verlangt.

»Ja, ja. Armselig ist der Menschengeist, so viel er sich auch blähen mag. Einzig und allein ist die Weisheit Gottes, die ist das klare Wasser, das von oben fällt und wieder aufsteigt als ewiger Quell und das den Genügsamen labt.«

Als Dürer heimkam, harrte Frau Agnes besorgt am Haustor, sie hatte Angst um ihn.

»Du kommst ja allein zurück, Albrecht? Wo ist Margarete?«

Dürer blickte sie lächelnd an; ihre Fürsorge rührte ihn.

»Ich kam doch allezeit allein zu dir zurück, wenn ich mit Erwartungen ausging. In deiner Klause bin ich ja daheim. Margarete und Kaspar haben auch in die schönste Klause heimgefunden, die ihnen heut der liebe Gott im Herzen ihres Vaters erbaut hat.«

Meister Albrecht schritt in seiner Erkerstube hin und her, als schritte er in einer trostlosen Einsamkeit, jeden Augenblick ein Erwartetes zu sehen, das ihn wieder zurückriefe in die laute Gesellgkeit seines Schaffens. Minutenlang hielt er die Augen geschlossen, als erschaue er noch immer sein gewaltiges Werk, das sein ganzes, reges Geistesleben so lange in Bewegung gehalten hatte. Öffnete er die Augen, so suchten sie das leere Malgestell, wie ein Seemann das sichere Ufer im weiten, leeren Ozean sucht.

Und es kam Dürer vor, als ob aus seinem schlichten, einsamen Arbeitsstübchen die vier Apostel, die noch vor einigen Tagen den Raum belebten, lebendig geworden und aus der Enge hinausgetreten wären, um über Dächer und Zinnen und Türme einen Ruf, eine Anbetung, eine unerhörte Macht des Heiligen Geistes unter das verirrte Volk zu tragen. Es schien dem Meister, als hätte er den ragenden Gestalten auch Seele gegeben – seine Seele –, deren Stimme bandenloser aufklang als die seinige. Mit ehernem Munde rufend, sah er die vier Apostel schreiten, um sich in das große Rufen des aufgewühlten Volkes einzumengen und Gottes Wort zu predigen.

Umhergeworfen in harter Fron, wie Wellen im Meere, sah sein geistiges Auge die Bedrängten und Verirrten zu den Füßen der Apostel lagern: »Helft uns, rettet uns! Gebet uns Klarheit!« So hörte das allerinnerste Vernehmen des Meisters das Volk seine Apostelgestalten anrufen. Er hörte die Symphonie seiner Künstlerergriffenheit, wie der Gläubige die stumme Sprache des steinernen Heilands in dem Kreuzwegaltar Adam Krafts vernimmt, aus der weiten, ewigen Seele gesprochen, die einig ist über die Wunderkraft der Gottesliebe und der Menschenwünsche. Wie der steingewordene Ruf des Erlösers, so wurde in Dürer der Ruf seiner Farbensprache lebendig. Es war der Ruf durch die Zeiten, den die Deutschen noch nicht hören konnten in ihrer Verwirrung.

Manchmal riß der Meister die Arme auseinander, um befreit das Bild seiner Vision zu umarmen. Dann ließ er sie wieder hängen, sein Hirn schien ihm leer zu werden, alle Gedanken waren arm, und er stand wieder in seiner grenzenlosen Verlassenheit auf der einsamen Insel seines Lebens. Er fühlte, daß alles fortgewischt war in seinem Innersten, das so lange Zeit in ihm so mächtig werkte, erwog und rang, bis das Werk vollendet war.

Und jetzt, da es der aufgeregten Zeit entsprungen, aus seinem Geist losgelöst, als Denkmal seiner Kunst zum Volke sprechen sollte und er es dem Rate von Nürnberg zum Geschenk gemacht hatte, fühlte er die Leere um sich in trostloser Vereinsamung. Er ahnte nicht, daß sein Werk, wie es ihm in seiner Vision erschien, zur selben Stunde unter dem Volke stand und zu ihm sprach, wie die Apostel sprachen zum Volke Judas.

Als Dürer dem Rate die Tafeln schickte, war er von Stolz erfüllt; er wußte, daß sie würdig seien, seiner Heimatstadt geschenkt zu werden.

Das Schreiben, welches er den Tafeln an den Rat beifügte, zeigt so ganz das schlichte Wesen des Meisters, der es nie vermochte, nach außen hin seiner Kunst den rechten Wert beizumessen. Er schrieb:

»Fürsichtig ehrber weis lieb Herren. Dieweil ich vorlängst geneigt wär gewest, Euer Weisheit mit meinem kleinwirdigen Gemäl zu einer Gedächtnus zu verehren, hab ich doch Solchs aus Mangel meiner geringschätzigen Werk unterlassen müssen, dieweil ich gewüßt, daß ich mit denselben vor Euer Weisheit nit ganz wöl hätt mügen bestehn. Nachdem ich aber diese vergangen Zeit ein Tafel[1] gemalt und darauf mehr Fleiß dann ander Gemäl gelegt hab, acht ich Niemand wirdiger, die zu einer Gedächtnuß zu behalten, dann Euer Weisheit. Derhalb ich auch dieselben hiemit verehr, unterthänigs Fleiß bittend, die wölle diese mein kleine Schenk gefällig und günstlich annehmen und mein gönstig lieb Herren, wie bisher ich allweg gefunden hab, sein und beleiben. Das will ich mit aller Untertänigkeit und Euer Weisheit zu verdienen geflissen sein.

Euer Weisheit unterthäniger

(Oktober 1526.)                                    Albrecht Dürer.«

Jetzt waren die Tafeln im Rathause, und er hatte sich von ihnen trennen müssen. Das machte ihn traurig, als hätte er das Liebste verloren. Keine Stunde der vergangenen Zeit war verflossen, ohne daß sein Denken bei den Tafeln geweilt hätte und seine Augen sie prüfend, manchmal mit Enttäuschung, dann wieder in glücklicher Genugtuung, betrachtet hätten. Spät in der Nacht noch saß er vor seinem Werk und grübelte darüber nach, ob er auch seine künstlerische Aufgabe richtig gelöst hätte. Seine ganze Kraft setzte er ein. Er, der unentwegt über Kunst und künstlerische Dinge nachgedacht hatte und darüber, wie er schöpferisch tätig sein solle, fand in diesem Werk zielsichere Wege. Er schuf, weil es ihn drängte, und als er zu Ende war mit der Arbeit, kam das Erwägen und Fürchten.

Er schrieb in sein Buch: »Erst wenn in den Proportionen ein Werk beweist und die gründlichste Wahrheit anzeigt, dem muß alle Welt glauben.« –

---

[1] Die 4 Apostel.

»Je mächtiger das Werk nach außen wirkt, desto mächtiger muß es nach innen sprechen.« –

»Nur das Leben in der Natur gibt die Wahrhaftigkeit der Schöpfung zu erkennen.« –

»Darum nimm dir nimmermehr vor, daß du etwas könnest oder wollest besser machen, als es Gott seiner erschaffenen Natur zu wirken Kraft gegeben hat!« –

»Der gesammelte Schatz des Herzens wird offenbar durch das Werk und die neue Kreatur, die einer aus seinem Geist schöpft in der Gestalt eines Dinges.« –

»Obgleich wir nichts sagen können von der größten Schönheit einer lebendigen Kreatur, so finden wir doch in den sichtbaren Kreaturen durch unseren Verstand so viel übermäßige Schönheit, daß sie keiner kann so vollkommen in sein Werk bringen.« –

»Das ist Ursache, daß ein wohlbedachter Künstler nit zu jedem Bilde die Natur benützen soll, denn er gießt genug aus sich heraus, was er lange Zeit in sich hineingetragen hat.« –

Und diese Apostelbilder hatte Dürer aus sich herausgegossen.

Solches dachte er in diesen nachdenklichen Stunden und schrieb diese Erkenntnis in sein Büchlein, in dem er grübelnden Ernstes sich Rechenschaft über sein Schaffen zu geben versuchte und die verborgenen Gesetze der Kunst zu enträtseln sich mühte.

Aber in der Verlassenheit, die er so drückend fühlte, war sein Gemüt erschüttert. Seine Werkstatt kam ihm jetzt leer und öde vor, sein Geist war erschöpft, wie erstorben. Zu neuer Arbeit war ihm der Mut gesunken. Stundenlang saß er vor dem Fenster und sah über die belebten Straßen. Plötzlich sprang er wieder auf, schaute umher von Wand zu Wand, als müsse er seine Bilder sehen, von denen er doch wußte, daß sie nicht mehr da waren. Seine starren Augen fielen auf die Stiche und Holzschnitte, die an den Wänden hingen, er fand sie, mit den Apostelbildern verglichen, wie Lehrbubenarbeiten, kläglich im Geiste und armselig in den Gestalten.

Dann stieg er hinab über die Holztreppen, riß die Tür zur großen Werkstatt auf, wo die Gesellen arbeiteten, schritt zu ihnen, prüfte eingehend ihr Schaffen, sprach wenig und ging wieder. Alles war ihm zu gering, alle Kunst war ihm zu leer. Bei Frau Agnes blieb er stehen und schaute ihr zu, wie sie wusch und kochte. Sie eiferte ihn an, neue Marienbilder zu stechen, da die Frauen von der Mutter Gottes nun und nimmer ablassen wollten.

Wie ein Wasserbad fühlte er ihre Worte über seine Stimmung fluten. So ruhesam er seine Gefühle zurückgedrängt hatte, dieser kleine Anlaß, den ihm Frau Agnes ohne jede böse Absicht gab, regte ihn auf. Er fühlte sich aus der Weihe seiner Kunst wieder niedergezogen in den Alltag, wieder gedrängt zu den kleinen Dingen, die er überwunden hatte. Mit höhnischem Groll trat er vor Frau Agnes und rief erbittert:

»Weil die Marktweiber von der heiligen Maria nit lassen wollen, soll ich ihnen eine neue stechen. Ei ja, mein' Agnes, dazu bin ich ja da! Lang genug hab' ich meine Zeit bei den Apostel-tafeln an unnützem Fleiß verbracht. Was denn sonst soll ein Maler schaffen, als Dinge für der Weiber Seelennot. Wer fragt da nach Geist, nach Größe und nach den Höhen der Kunst? Kunst ist ein unnütz Ding, kein Weib will sie. Marktware, ei ja, die ist gut genug für das Volk! Ihr habt ja alle ein solches Recht an mich! Und du – sei froh, daß du das erste Recht an mich besitzest! Damit hast du mich immer dort gehabt, wohin du mich hast haben wollen. Damit hast du mich festgebunden und gepeinigt, so wie sie den Galiläer gepeinigt und festgebunden haben auf sein Kreuz. Wie meine Seele dabei geblutet hat, danach hast du nie gefragt.«

»Jesus, Maria und Joseph!« entsetzte sich die Frau, die nichts von den Seelenqualen ihres Mannes ahnte. »Was redest du daher! Hast du nit allzeit selber gewollt, daß ich Kunstware genug haben soll? Was ist heut in dich gefahren, mein armer, kranker Albrecht?«

Entmutigt ließ Dürer die Arme sinken. Wie sollte ihn sein Weib verstehen?

»Ja, was ist in mich gefahren! Die Enttäuschung, mein' Agnes. Ihr rühmtet mich als einen Meister; ich glaubte daran.

Was in meiner Seele nach Schönheit schrie, war für euch Sünde und Heidentum. Ihr hieltet Wache über mich und mein Schaffen; ihr sperrtet mich ein in die Engen eurer Anschauungen und bautet eine Mauer um mich, hinter der ich einsam in der Kälte nach der Sonne frieren mußte. Ihr habt mich für den gutmütigen, frommen Maler gehalten, habt mir alles erwürgt und erdrosselt, was nach Leben und Licht in mir schrie. In eurem Gefängnis habt ihr mir die Seele gemordet, und nun ich mich befreien möchte, wollt ihr mich wieder einkerkern. Ja, du! Schau' mich nit so an, als wärst du nit dabeigewesen und hättest nit mitgeholfen!«

Frau Agnes stand wie erstarrt und zitterte vor Angst. Sie fürchtete um den Verstand ihres Mannes, sie begriff nicht, daß aus Dürer die grenzenlose Verlassenheit sprach.

»Ich hab' doch nit deine Seele gemordet, wen meinst du denn damit?«

»Euch alle im Deutschen Reiche!« Er reckte sich, seine Stimme bekam immer mehr den verbitterten Klang. »Ihr habt es vielleicht gar nit gewollt, aber getan habt ihr es doch! Meine Enttäuschung habt ihr in lauten Festen gefeiert, meiner durchwühlten Stirn habt ihr den Dornenkranz aufgedrückt, und keiner hat meine Seele bluten sehen! Ich konnte nur erreichen, was ihr gewollt habt!« Er atmete auf:

»Jetzt ist's zu Ende! *Ein Werk, ein einziges* nur hab' ich geschaffen: meine Apostel. Ich bin krank vor Sehnsucht nach ihnen. Ich halt's nimmer aus daheim ohne sie. Mir fehlt ja jetzt alles! Wie ausgestorben ist's dahier. Kannst du mir das denn nit nachfühlen?«

»Du mein Gott, das sind ja doch nur Holztafeln!« Agnes blickte ihn beinahe feindselig an.

»Holztafeln!« Es war, als griffe eine eiskalte Hand in seine Seele, er hätte aufschluchzen mögen. Aber seine Blicke kehrten sich seinem inneren Schauen zu. »Und kein Pinselstrichel kann ich mehr tun; kein einzig Strichel, um den Aposteln das ewige Leben zu geben. Du weißt ja nit, wie es einem zumute ist, der Jahr und Tag, Stunde um Stunde an einem Werk schafft, das aus ihm herausströmt! Mit den frömmsten Gedanken hab' ich auf die tote Holztafel die Gestalten gemalt, auf daß die Wahrheit des Geistes Jesu solle lebendig werden und sie die Widersacher vertreibe. Wie eine Mutter im Herzen banget, wenn man ihr Kindlein, das sie im Schmerz geboren, in Not und Liebe aufgezogen, hinausträgt aus ihrem Haus; geradeso ist mir, seit meine Apostel nimmer bei mir sind. So sag' mir doch, ob du das fühlen kannst! Es ist ja nur ein totes Stück Holz, das ich bemalt hab', aber in die Farben ist Leben von meinem Leben und Seele von meiner Seele geflossen.«

»Du hast wieder das Fieber!« Ängstlich wich Agnes vor dem Aufgeregten zurück, dessen Augen unheimlich glänzten und dessen Hände zitterten. Er hörte nicht, was Agnes sprach, in seinem Innersten war die Angst aufgestiegen.

»Ein Vater will doch wissen, wie seine Kinder geraten sind und ob sie in seinem Geiste weiterwirken. Ein Vater will wissen, ob sie den gerechten Weg gehen, den er ihnen gewiesen hat! Vermöchten sie das nit – dann, du allmächtiger Gott! – dann hätte ich ja umsonst gelebt, umsonst geschaffen und gelitten. Dann wäre ja die deutsche Kunst so arm wie zuvor!«

Fassungslos rang Frau Agnes die Hände, so kannte sie ihren Albrecht noch nicht. Er aber trat vor sie hin, schüttelte sie an den Schultern, als wollte er von ihr hören, daß seine Apostel gut geraten wären. Sie aber blieb stumm, sie wußte ja sonst nichts anderes, als daß diese Tafeln von Holz waren, die ihr Mann mühsam bemalt hatte. Da ließ er sie los und rief schmerzlich:

»Und wenn du tausendmal sagtest, meine Apostel wären nichts, ich glaube dir nit mehr. Du hast ja keine Seele! Auf alles das hinauf, was meinen Geist so tief bewegt hat, was mich endlich die Größe erkennen ließ, als ich nun das erreicht hab', was ich wollte, möchtest du mich hinter Mauern zu den armseligen Muttergottesstichen sperren, damit ich deinen Bäckerweibern gefalle! Was hab' ich denn getan, daß man mir mein Leben gar so sehr verkümmern darf!«

Auf breiter Basis stehend, erst gequält flackernd, dann jäh aufglühend, brannte nun die Lebensflamme Meister Albrechts steil zur Höhe empor, bewußt und selbstsicher. Die Erkenntnis wuchs, seine hohe Gestalt reckte sich, er schlug mit den Armen um sich, als wehrte er alle Bedränger von sich.

»Albrecht!« schrie erschreckt Frau Agnes auf: »Du redest ja irre!«

Da glitt ein verächtliches Lächeln über sein durchgeistigtes Gesicht.

»Ich könnte irre werden, wenn ich bedenke, wie ich all die Zeit meines Lebens vertan habe in kleinen Dingen und Marktkram, und daß ich nichts sonst geschaffen habe als dieses eine Werk, das mir aufgezeigt hat, wie weit ich hätte kommen müssen, wenn ich wie Tizian frei und unbehindert im Lande der Sonne gelebt hätte. Ich könnte irre werden, wenn ich nun fühle, daß mich die Kraft verlassen hat, nun sich mir der Geist der Kunst auftut. Aber über alles hinaus, was ich zu klagen habe, ist mir doch das eine wissend: Ich habe gesiegt!«

Wie er das sagte, so unendlich bitter und so unerhört stolz, brach Frau Agnes in Schluchzen aus. Himmel und Erde schienen über sie zu stürzen und sie zu begraben. Sie glaubte, ihr Albrecht sei verloren.

Dürer nahm hastig Mantel und Kappe und stürmte über die Stiege hinab. Er ging auf den Marktplatz, ging die Gasse hinauf zum Rathause:

»Dort seid ihr jetzt, ihr, die ihr mir noch so viel Trost und Kraft habt geben können. Ihr seid befreit! Mich ließet ihr zurück in der alten Kümmernis!«

Ein Menschengedränge wogte über die Stiegen des Rathauses auf und ab. Alles sprach durcheinander, nickte und grüßte. Ein stilles Erheben und ein freudiges Gebaren trug die Woge der Menschen mit sich hinab; ein Erwarten hob sie die Stufen empor zum großen Rathaussaale, wo die Apostelbilder Meister Albrechts zur allgemeinen Schau aufgestellt waren. Die Ratsherren wollten das Werk ihres berühmten Meisters zum Volke sprechen lassen. Pirkheimer und Hans Hirschvogel gingen, aufgewühlt von dem ungewöhnlichen Geschehen, das ein Kunstwerk entfesselte, durch den weiten Raum, der von des Meisters Geist erfüllt war.

Dürer stand in Sehnsucht nach seinen Bildern vor der Stiege; er ahnte nicht, was das viele Volk wolle. Aller Blicke richteten sich auf ihn, man drückte sich zusammen, so daß der Weg für ihn frei wurde. Er schritt, versunken in seiner Sehnsucht, die Stiege hinauf in den Saal. Das Volk blickte ihm ehrfurchtsvoll nach, alle riefen: »Das ist der gerühmte Meister!«

Dürer stand endlich im großen Saale. »Was wollten die Menschen?« dachte er. »Sie stehen da vor meinen Aposteln und lassen mich nit herbei.«

Hirschvogel sah ihn mit gesenktem Haupte stehen, er lief auf ihn zu und schloß ihn in seine Arme. Jubelnd rief er:

»O Meister, was habt Ihr geschaffen! Ganz Nürnberg ist auf den Beinen, alle wollen die Apostel sehen, alle wollen ihre Predigt vernehmen. Sehet hin, Meister, Eure Gestalten sind lebendig geworden, sie sprechen zu den Gemeinen Nürnbergs, wie sie einmal zu dem Volke Israel gesprochen haben: reine Worte Gottes.«

»Lebendig geworden sind sie?« Dürers Herz hämmerte, seine Augen weiteten sich: »Lebendig geworden? So hat Gott mein Gebet erhört? So sind sie hinausgetreten unter die verirrten Tiere der Wildnis? So haben sie die falschen Propheten unter dem Volke, die nebeneinander verderbliche Sekten führen und den Herrn verleugnen, bekehrt?« Er stand mitten im Saale, die Blicke auf die Aposteltafeln gerichtet, das Volk um ihn herum. Als riefe er den Aposteln zu, seinen Weisungen zu folgen, hub er an zu reden: »Johannes, hast du es ihnen gesagt, daß sie nit jeglichem Geist glauben sollen, daß sie erst prüfen müssen, ob er von Gott kommt? Ein jeglicher Geist, der da bekennet, daß Jesus Christus ist in das Fleisch gekommen, der ist von Gott. Wer anderes glaubt, der ist der Geist des Widerchrists, der in die Welt gekommen ist, uns zu beirren!« Dürer atmete auf; als sehe er die Gestalten lebendig vor sich, rief er mit volltönender Stimme:

»Und du, Markus, hast du sie gewarnt vor den Schriftgelehrten in langen Kleidern, die obenan sitzen in Schulen und über Tisch? Die fressen der Witwen Häuser und sprechen heuchlerisch lange Gebete? Hast du's ihnen gesagt, daß dieselben desto mehr Verdammnis empfangen, weil sie die Seelen betrügen und Gottes Liebe verkaufen?«

»Sie schreien es ja immerzu in das Volk hinein!« sagte der Ratsherr, ergriffen von Dürers Begeisterung. »Sie stehen unter den Wankenden wie Säulen des Glaubens! Sehet doch hin, Meister, wie sich das Volk demütigt! Kommet, Meister, von hier aus kann man sie am besten sehen, Eure Apostel des reinen Evangeliums.«

Er zog Dürer mit sich. Eine tiefe Ergriffenheit machte den Meister willenlos: »Ja, von hier aus!« sagte er in einem fort. Er blickte über die vielen Menschen, die sich vordrängten. Die Tafeln standen an der Wand, etwas erhöht, so, daß die vier Gestalten über die Menschen mächtig emporragten, und das volle Licht überströmte sie.

»Wie feierlich das Schauen ist!« sagte Dürer, verwundert über die weihevolle Stille im Saale. Ihm versank die Umgebung immer mehr, ein wunderliches Gefühl beschlich ihn, er murmelte: »Lebendig geworden sind meine Gestalten, weil Gott in ihnen wirkt, aus ihnen spricht!«

Plötzlich ertönten Rufe um ihn herum; die Leute huldigten ihm wie einem Fürsten, ihre Rufe wurden mächtiger, beschwingter, jubelnder: »Meister Albrecht! Heil dem großen Nürnberger Meister!« Sie neigten sich vor Dürer. Immer wieder brach der Jubel los, durchflutete den Saal, die Apostelbilder taumelten vor den Blicken des Meisters, sie schienen plötzlich aus dem Rahmen zu treten, über die Dielen zu schreiten, über die Köpfe der huldigenden Menschenmenge zu rufen. Alles wankte vor den Augen Dürers. »Sie sind lebendig!« jubelte er. Dann umfaßte ihn Pirkheimer in ungestümer Freude und küßte ihn.

»Albrecht,« rief er, »Ihr habt die höchste Gnade von Gott empfangen! Aus Eurer Versunkenheit, aus Eurem Vergessen ans Leben habt Ihr eine Kraft gerufen, die das Wunderbare schaffen konnte! Euer Geist steht jetzt am Gipfel; schauet um Euch, alles ist tief unter Euch!«

»Sie sind lebendig!« lallte Dürer, vom Schwindel erfaßt, seine Aufregung hatte ihm jeden Willen genommen, er sank taumelnd in die Arme seines Freundes. Während die Begeisterung für Dürer unter dem Volke schwoll, führten die beiden Freunde den Erschütterten in die Losungerstube und labten ihn mit Wein. Als er die Augen wieder aufschlug, sagte er leise, als spräche er zu sich selber:

»Susanna Horebout hat gesagt, alles hätte ich erreicht, nun wolle ich auch noch Unmögliches haben. Das einzig Unmögliche in der Kunst sei das Leben: die lebendige Seele, die lebendige Schönheit. Erreiche die einer, dann sei er Gott! – Und ich habe mich vermessen, ich wollte Gott sein, wollte, daß meine Gestalten leben sollen, und sie leben! Nit einmal das *eine* hab' ich Gott allein lassen können!«

Eine tiefe Ergriffenheit bemächtigte sich der Freunde Dürers. Sie erkannten seine allerinnerste Erlösung, seine visionären Gesichte und störten ihn nicht.

»Lebendig geworden sind meine Apostel!« murmelte er, und eine Fieberglut stieg in seinem verhärmten Antlitz auf.

Die Freunde konnten ihn nicht mehr halten, so hastig lief er in den Saal zurück, drängte sich durch die Menge bis dicht vor die Tafeln. Nun sah er, daß er sich hatte täuschen lassen. Er verfolgte Strich um Strich, die er so mühsam aneinandergefügt, erkannte, daß die Farben eine Fläche bildeten und daß nicht die volle Rundung der Gestalten herausdrängte aus dem Rahmen. Noch einmal folgten seine Blicke der Arbeit seines Fleißes, als betrachte er kritisch die Malerei eines anderen. Dann sagte er zu Pirkheimer, der ihm gefolgt war:

»Ist das auch mein Werk? Hab' denn ich das gemalt?«

»Es ist Euer Werk, Albrecht!« Gerührt sah Wilibald den Freund an. »Ihr habt gesiegt! Aus Eurem Zorn ist ein Funken zum Leben gekommen, der hat die heiligen Feuer angezündet. Das ist Euer Geist, Euer Leben, Euer Ruhm!«

Da kam wieder die Angst über Dürer, die ihn in jeder Enttäuschung, bei jedem Erfolg überfiel. Er wendete sich von den Tafeln ab.

»Sie leben ja nit. Seht Ihr denn nit, daß sie wie hölzerne Statuen auf einer Holztafel festgestrichen sind, wie es die deutsche Kunst verlangt? Warum überhebet Ihr mein armseliges Schaffen immer? Wie könnt' ich auch solch ein Frevler sein, dem lieben Herrgott seine Macht abzulisten und meinen Gestalten Leben zu geben!«

Wie gebrochen wankte er durch den Saal, die Ratsherren umringten ihn, sprachen ihm zu, er hörte sie nicht an und schritt in die Losungerstube. Dort sah er wie irre seinen Freund Pirkheimer lange an, dann lachte er gequält auf und rief:

»Kunstrausch! So hab' ich doch einmal auch den Kunstrausch verspürt. Wie kann ein Deutscher so haltlos sein! In Venedig, ja, dort mag es den Malern anstehn. Dort springen die Marmorgötter aus der Erde, in der Sonnen werden sie lebendig und berauschen die welschen Maler! Der Farbenrausch braust durch die Lüfte; wem kann das Herz dabei erfrieren? Eros mit rosengeschmückter Stirne, Venus in göttlicher Nacktheit! – Giorgione, Tizian! – Aber ich?«

Dürer sank in den Stuhl und schlug die Hände vors Gesicht. Plötzlich starrte er Pirkheimer lauernd an:

»Könnt Ihr es verstehen, Wilibald, wie einem armen Gesellen zumute ist, wenn er an der Sonne steht und nit weiß, was Sonne ist? Wenn er das Leben will und nit weiß, was Leben ist? Könnt Ihr es verstehen, daß er da keine Venus malen kann, daß immer nur eine Eva, ein Schmerzensmann oder ein Apostel aus seinem Rausch aufsteigen?«

Aufschreiend hob er die Hände empor.

»Die deutsche Kunst ist ja kein Freudenrausch, sie ist der Ausdruck der deutschen Not! Und ein Deutscher ist ein Lump, wenn er sich verleugnet und verkauft.« Er sprang auf und rief: »Wenn ich auch sonst nichts hab' tun können für meine deutsche Heimat: in Not und in Pflicht hab' ich für die Kunst mein Leben gegeben. Die deutsche Kunst ist das Kreuz, auf dem ein Dulder sterben muß, wenn er erlösen will!«

Kraftlos sank Dürer zu Boden. Wilibald richtete ihn erschüttert auf.

»Er spricht irre«, sagte Hirschvogel, »wir müssen ihn heim-
führen!«

»Aus ihm spricht die Erkenntnis«, sagte Pirkheimer.

Sie führten ihn über die Stiege, durch die Volksmenge, die,
erfüllt von dem Werke, den Meister voller Bewunderung
grüßte. Sie führten ihn heim, und Frau Agnes sagte weinend zu
Pirkheimer, der ihr von dem Vorfall berichtete:

»Er spricht so oft irre. Ein Denkmal, sagt er, habe er sich
gesetzt. Und eine Mauer, sagt er, hätten wir gebaut um ihn herum,
daß er hat müssen hinter ihr in Einsamkeit verschmachten! Er hat
gesagt, seine Seele sei jetzt leer, und ich wollte ihn wieder hinter
die Mauer zu den Muttergottesbildern sperren. Ist das nit irre?«

»Nein, Frau Agnes«, sagte Pirkheimer, der nun erst erkannte,
aus welcher Verlassenheit heraus Dürer seinen Reflexionen
erlag. »Er spricht in voller Vernunft. Wir haben alle gesündiget
wider seinen Geist. Am meisten Ihr. Ihr habt ihn auf den Markt
gestellt, seine Seele habt Ihr gepeiniget; Ihr habt ihn getrieben,
daß er in seinem Fleiß hat das Lebensglück vergessen müssen!
Euer Widerspruchsgeist hat ihn erlahmen lassen zum freien
Schaffen. Ich hab' Euch damals schon gewarnt, als Jakob Heller
die Altartafel bei Albrecht bestellte. Hättet Ihr den armen Meister nit so in die Enge getrieben, wäre er nit so bald zusammengebrochen. Ein Weib soll den Mann in die Höhe lenken, nit
aber herunterziehen. Ihr aber habt ihn zu Tode gehetzt, Ihr seid
schuld, daß er so geworden ist! Er ist ausgedorrt wie ein Schaub!
Er darf keinen frohen Mut mehr haben. Ihr habt allezeit
geglaubt, verhungern zu müssen, und den armen Albrecht zur
Arbeit hart gedrängt, bloß darum, daß er Geld verdient und es
Euch ließe, wenn er tot ist. Es ist ein trauriges Erkennen das, sor-
get dafür, daß Ihr es nit bereuen müßt!«

»Ihr seid immer mein Widerpart gewesen!« schluchzte Frau
Agnes.

»Das war ich, und das bleib' ich auch. Ich kenne Euch. So
rechtschaffen, als Ihr auch seid und so brav; daß Ihr aber den
armen Mann so habt quälen können, das ist ein traurig Ding.
Freilich, so großer Geist wie ihm ist keinem Weibe gegeben!«

Hilflos blickte Frau Agnes dem Davoneilenden nach.

Dürer zog sich fortan in sein Erkerzimmer zurück, und Frau Agnes betreute ihn mit noch mehr Liebe und Hingebung; aber eine bange Scheu vor dem Manne, mit dem sie es so gut meinte und der es ihr so wenig lohnte, ließ sie nimmer los. Sie fühlte sich keiner Schuld bewußt, und doch hatte er sie beschuldigt. Für Pirkheimer aber trug sie, seitdem er ihr so böse Worte zugerufen hatte, einen Haß im Herzen. Sie wich ihm aus, wenn er zu Albrecht kam, und verhehlte diesen Haß weder vor ihrem Manne noch vor den Gesellen.

So lief die Zeit im Dürerhause wieder träge und ereignislos dahin, der Meister hatte die Kraft verloren.

An einem Nachmittage des nächstfolgenden Jahres saß Hieronymus Holzschuher, wohl der beliebteste Losunger Nürnbergs, Dürer als Modell zu einem Konterfei. Nach einer Stunde rastloser Arbeit sagte er zu dem versonnen Schaffenden:

»Ihr tut zuviel des Fleißes, Meister Albrecht. Gebet mir endlich Urlaub. Ihr seid nit gesund genug für soviel Arbeit!«

»Hab' kein Strichlein zuviel getan!« sagte Dürer, die Pinsel beiseite legend. »Wollt' ich all das hineinmalen, was ich sehe, wüßt' ich nit, wann ich mit dem Konterfei fertig werden sollt'! All Eure Milde und Strenge hab' ich erleben dürfen in den vielen Jahren. Wer so erschaut wie ich, dem fällt es schwer, vorbeizusehen an dem Guten, das in Euch lebt, ehrbarer Rat. Wie Eure Augen lachen können, wie sie aufblitzen, wenn gerechter Zorn sie entflammt, wie Euer Mienenspiel jeder Regung Eures Geistes folgt in Sonnenschein und Sturm, das ist ein ewig Neues, und wollt' ich's festhalten, müßt' ich viel mehr können, als bloß den Pinsel führen. Was ich zustande gebracht hab', ist nur ein winzig Stücklein von Euch. Ich fühl's, meine Kraft gehet zu Ende, es wird wohl mein letztes sein, was ich allhier male. Mit mir fällt die Kunst in eine andere Zeit. Schwerer noch, als die meine war. Ich sehe es kommen, daß die Kunst wird wieder klein werden. Sie wird durch etliche sehr verachtet, was gesagt will sein: sie diene zur Abgötterei. Mir ist so bange um die geliebte Kunst; über kurz oder lang wird kein Heiligenbild mehr in den Kirchen hängen. Die Bilderstürmer und gottlosen Maler treiben's zu arg!«

Holzschuher, der, in seinen Pelzmantel gehüllt, so lange ruhig gesessen hatte, stand auf und dehnte seine Glieder. Er legte die Hände auf die Schultern Dürers; sein rosiges Gesicht, von weißem Bart und Haar umrahmt, war voller Milde, und seine munteren Augen ruhten wie verklärt auf dem schwachen, kranken Meister. Mit volltönender Stimme rief er:

»Ihr müßt Euch nit bangen, lieber Meister! Eure Worte und Werke zeugen von einem Geiste, den kein Bilderstürmer ausrotten kann. Lasset die Lotterbuben und Maulhelden, sie vermögen nichts gegen die Kunst. Vor Euren Tafeln machen sie halt, die sind ihnen eine mächtige Abwehr. Ist Eure Kunst nit das reine Evangelium? Ist sie nit das allerinnerste Zeugnis von Frömmigkeit? Ihr habet sie geheiligt, wie Luther das Wort der Wahrheit geheiligt hat. Ihr habt die Kunst geadelt, wie es kein deutscher Maler vermocht hat. Eure Aposteltafeln stehen wie Felsen fest, keine Hand kann sich an sie heranwagen. Sie werden ewiges Zeugnis geben von dem Nürnberger Meister, der Gott im Schaffen des Großen am nächsten stand. Wie Doktor Luther den Wiedertäufern und zügellosen Sektierern die wahre Bedeutung der Heiligen Schrift ausgelegt hat und wie er mit Heldenmut mitten in das Toben und Brausen der Zeit zur Mäßigung und Zucht hineinschreit, so habt auch Ihr mit Bild und Bibelspruch den Verderbern des Evangeliums den wahren Weg gewiesen zur frommen Wahrheit. Die drei gottlosen Maler, die der Kunst Schande brachten, können doch Euch nit besudeln! Darüber kränkt Euch nit!«

Aber Dürer kränkte sich doch. Diese drei gottlosen Maler kamen aus seiner Werkstatt, sie kamen aus seiner Lehre. Die Brüder Barthel und Sebald Beham und Georg Penz hatten laut ausgeschrien, daß sie weder an Gott noch an die Obrigkeit glaubten, und alle Leute wußten, daß sie Dürers Gesellen waren. Ihre Verachtung der Bibel und der heiligen Sakramente, ihre

Gottesleugnung und ihre Verspottung der Herrenrechte warfen große Wellen auf unter den Malern. Greiffenberg, Lautensack, Dürers Formenschneider Hieronymus Andreae und viele andere Maler wurden von der Zuchtlosigkeit ergriffen, gaben öffentliches Ärgernis und dem Rate Anlaß zu strafenden Erlassen, bis den drei Rädelsführern der Prozeß gemacht wurde und sie die Obrigkeit aus Nürnberg verbannte.

Da war es kein Wunder, wenn sich die Kunstverächter mehrten und verlangten, daß aus allen Kirchen der vom Papst erlaubte Prunk an Kunstwerken entfernt werde.

Das machte Dürer verzagt und traurig. In dieser glaubenszerrütteten Zeit gab es ohnedies fast keine Arbeit für die Maler. Auch Dürer erhielt keine Aufträge mehr zu Altartafeln, er hätte sie wohl auch kaum mehr ausführen können. Einige Ratsherren, wie Hans Imhoff, Jakob Muffel, Johann Kleeberger, ließen sich malen, der Meister hatte aber wenig Freude mehr am Schaffen. »Wer kann das ertragen!« seufzte er. »Ein neuer Antichrist ist erstanden. Oh, was wird noch über die Menschen kommen müssen, ehe sie gereinigt aufschauen können in Liebe zu Gott. Keiner fühlt sich stark und gerecht genug, die Schmarotzer aus seiner Seele zu beuteln. Sie machen sie zu Sklaven böser Triebe, bis ihre Seele im Reiche ewiger Vernichtung verkommt. Ich hab' heut nacht ein Traumbild gesehen. Viel große Wasser sind vom Himmel gefallen, vier Meilen vor mir traf es das Erdreich mit solcher Grausamkeit, mit übergroßem Rauschen und Verspritzen, daß darin alles Land ertränkt wurde. Andere Wasser fielen, die über mir hangeten. Die aber fielen weiter und wieder näher vor mir, sie stürzten großmächtig von hoch hernieder mit solcher Geschwindigkeit und mit Brausen, daß ich dabei erwachte und mein ganzer Leib zitterte, so daß ich lange Zeit vor Grauen nit zu mir kommen konnte. – Sehet, Ehrbarer! So hab' ich das Traumgesicht gemalet, wie ich's erschaute*).«

Dürer nahm aus dem Schrein eine mit Wasserfarben gemalte Skizze hervor und hielt sie mit zitternden Händen dem Rats-

---

*) Aus: »Dürers Gedenkbuch.« 1525. 7./8. Juni.

herrn vor die Augen. »Gott wende das Ding zum Besten und geb' uns Kraft zu tragen, was wir verschuldet haben. Mir ist, als müßt' ich eine neue ›Apokalypse‹ in Holz schneiden!«

Der Ratsherr, der in seinem Aberglauben vor diesem Traumgesicht erschrak, wollte die Angst des Meisters verscheuchen, als Frau Agnes mit einer Schale Kraftbrühe in die Werkstatt trat. Sie knickste vor dem Ratsherrn, soweit es ihres Leibes Umfang zuließ, und sagte:

»Gott zum Gruß, ehrbarer Rat. Gefällt Euch das Konterfei, das mein armer Albrecht mit so viel Fleiß visiert hat?«

Holzschuher blickte Frau Agnes mißtrauisch an, er wußte, daß die Frau des engelsguten Meisters oft genug kratzbürstig den Ratsherren und Humanisten entgegentrat, sie geizig nannte, da sie Dürer so wenig zu verdienen gaben, und sich einbildete, daß diese den Meister von der Arbeit abhielten und zur müßigen Schreiberei drängten. Aber noch ehe Holzschuher ihr antworten konnte, ging ihres Mundwerkes fleißige Arbeit weiter:

»Sehet ihn an, Ehrbarer, da sitzet Albrecht mit krankem Leibe und kläubelt mit großem Fleiße an der Tafel herum. Wie soll er daran zu Verdienst kommen? Die dreißig Gulden für solch ein Konterfei sind ein Sündengeld. Alle Welt rühmt ihn als großen Meister, und was hat der Rat von Nürnberg für ihn getan? Nicht für fünfhundert Gulden hat er Aufträge bekommen von ihm. Ist das nit schimpflich, daß Nürnberg seinen größten Meister so bettelmäßig behandelt? Von fremden Fürsten und Herren hat er zehren müssen, um all unsere Armut, die uns, Gott weiß, sauer angekommen ist, zu wehren. Was hätte er für große Werke schaffen können, wäre er in Venedig oder in Antwerpen geblieben. Jetzt ist er krank, und keiner hilft ihm. Keiner! Der ehrbare Doktor Pirkheimer möcht' vor Bewunderung und Freundschaft zu Albrecht schier ersterben, aber er tut nichts für ihn. Mir gibt er die Schuld, mir, die ich doch nur das Beste für meinen lieben Mann will. Ach, du lieber Gott! Wie lange wird er's noch durchmachen, und die Zeit wird immer ärger! – Trink die starke Brühe, mein arm geplagter Albrecht, und hör' auf mit dem Kläubeln!«

Sie gab Dürer die Schale in die Hand, und so, als erwarte sie keinerlei Rechtfertigung vom Ratsherrn, knickste sie und eilte zur Tür wieder hinaus. Jetzt lachte Holzschuher, denn er gab der Dürerin recht. Schalkhaft sagte er zu dem Meister:

»Habt wohl ein rechtes Kreuz mit ihr?«

Dürer aber schüttelte den Kopf. Er hatte überwunden. Er wollte seinem Weibe den bösen Leumund nehmen, denn er wußte, daß sie es nicht besser verstand, mit den Humanisten auszukommen. Mit feinem Lächeln sprach er:

»Ist lauter Gold in ihrem Herzen! Nur die Schale ist ein bißl rauh. Bin immer gut ausgekommen mit ihr, all die Tage und Jahre. Was mein' Agnes dahergeredet hat, hab' ich ja selbsteigen dem ehrbaren Rat geschrieben, da ich ihn um Verzinsung meiner tausend Gulden Spargeld gebeten hab'. Freilich hat sie mir's eingegeben, denn der ehrbare Rat hat mir wenig genützt im Leben, und meine getreue Agnes hat viel Sorge gehabt mit dem Hauswesen, es hat mein Verdienen allezeit nit reichen wollen. Jetzt bin ich zu Ende mit meiner Kraft. Das Malen strengt mich an. Ein bißl noch will ich schreiben und mich dann als Tafelmaler im Himmel dem lieben Herrgott empfohlen halten!«

Der April des Jahres 1528 setzte mit großer Wärme ein, von allen Zweigen hingen lenzschöne Blüten in die Gärten hinab. Die Sonne meinte es gut mit der Erde. Im Burggraben standen die Kirschenbäume wie weiße Bräute, der Flieder wölbte das Gesträuch zu lila Kugeln, das schüchterne, sehnsuchtsmilde Grün der Herzblätter verdrängend. Wie in Gold getaucht, glänzten die saftigen Knospen der Kastanien in der Abendsonne und drängten die weißen Blüten aus der harten Hülle, damit sie zu kräftigen Kerzen erstarken. Der Weg zu den Türmen der Burg schlich durch Blumenhänge und helleuchtendes Blättergrün empor. Mit leisem Anschlag, den Ton unsicher stimmend, hub die Glocke vom St. Sebaldsturm an zu läuten, und die anderen Turmglocken mengten ihre ehernen Stimmen in den Choral der Andacht des Abends.

Meister Albrecht saß im Erker seiner Dachstube und schlief, eingehüllt in warme Decken. Verfallen und früh gealtert, das Gesicht bleich und wächsern, von harten Zügen durchfurcht, glich Dürer dem Bild eines Toten. Die schönen, feingliedrigen Hände lagen auf dem Polster, über der eingefallenen Brust hatte sich der Pelzkragen des Mantels geöffnet und gab den mageren, sehnigen Hals frei. Das fast kahle Haupt, von grauen Lockenringeln umrahmt, lag in die Stuhllehne gepreßt, fleischlos und müde.

Dürer schlief und träumte. Ein milder Ausdruck spielte um seinen Mund, ein feines Lächeln zuckte um die Falten der mächtig gebogenen, flachgedrückten Nase. Und das Lächeln war wie erfroren, als wollte es sich aus der Starre herausrütteln. Der Choral der Glocken weckte den Träumer. Er schlug die großen Augen verwundert auf, sie irrten wie flügellahme Nachtfalter, und ihre Blicke tasteten das braune Getäfel der Stube ab, suchten einen Halt, aber die gewohnten Dinge, die sie sahen, ernüchterten sie. Im neuen Suchen irrten die Blicke dem Lichte zu, schwangen sich wie befreit durch das offene Fenster hinaus, in die Blütenwunder hinein. Und das Lächeln in den Zügen Dürers belebte sich. In der Schönheit des Blütenrausches stieg sein Gefühl aus der Enge. Als säße er in einem Bühnenraum, vor dem sich der Vorhang hob, rollten die Bilder des Lebens, die Bilder der Jugend und Sehnsucht am Schauen vorbei.

»So bist du erfüllt gewesen, von Knospen und Blühen!« hub es auf der Schaubühne des wach Träumenden zu flüstern an. »So hat deine Sehnsucht im Lenz die Erde verschönt, daß du die harte Scholle nicht fühltest. Und du bist über die Blumen gegangen –« »Nein, du sprichst nit die Wahrheit!« rief die Stimme in Dürers Seele dem Akteur zu. »Ich hab' kein Blümlein zertreten, sie waren mir alle heilig. Über die steinigen Wege bin ich gegangen; über braune Schollen, vom Pfluge aufgewühlt, bin ich gestolpert.« »Du irrst, Meister!« rief der Akteur von der Bühne herab. »Nicht den Weg, den dein Fuß gegangen, meine ich; deine Seele ist über Blumen getaumelt. Denk' an St.

Johannis, denk' an die Wanderschaft! Immer bist du auf Blumen –« »An Blumen, die in den Gärten anderer, auf Wiesen der Frohen und auf unerreichbar hohen Bäumen geblüht haben, bin ich vorbeigegangen!«

Dürer fuhr mit der Hand über die Augen, als wolle er das Bild seiner Sinne verwischen, da sprang ein anderer Akteur auf die Bühne und lachte: »Du hast keinen Weg gefunden, du armer Wandersmann! In Dornenhecken bist du geraten. Du wolltest stets in Reinheit deines Weges gehen und bist durch den Sumpf gewatet. Du hattest keine Waffen gegen die Angst und das Grauen, die dich überfielen. Du hast Ketten getragen!« »Schweige!« rief die Stimme in der Seele des Träumers dem Akteur zu. »Was weißt du davon! Kein Dornenstrauch war es, in den ich geriet, kein Sumpf, keine Kette behinderte mich, ich hatte Waffen gegen das Gemeine, und meine Angst rief den Zorn gegen das Grauen. Ich habe geschaffen, erreicht, gesiegt, Lorbeer in Venedig, Ruhm in den Niederlanden –« »Und im Deutschen Reich?« höhnte der Akteur und verschwand.

Mit angehaltenem Atem hielt Dürer die Hände auf die Brust gepreßt. Seine Blicke starrten das Farbenwunder am Himmel an.

»Venedig!« rief er und breitete die Arme aus. »Rufst du mich, Sonne? Zeigst du dich mir noch einmal in deiner vollen Schönheit? Willst du noch einmal in meine Sinne taumeln und mich berauschen, ehe du stirbst? – Und ich sterbe mit dir.« Er schloß die Augen.

Dort draußen hatte sich nichts verändert. Die Fliedersträuche bogen die Blütenlast zur Erde, es tropften die violetten Blütentrompeten in den Smaragd der Gräser. Die bräutlichen Kirschbäume harrten, bis ihnen im Blumenrausch der Lenz die weißen Schleier abstreifte. Wie ein Aufgluten von flammenden Rubintropfen sprangen die Kastanienknospen auf und schoben die weißen Leuchter, von kraftlos feinen Blätterhänden getragen, dem Abendpurpur wie zum Anzünden entgegen. Aber in der traumversponnenen Seele des Meisters veränderte sich das Bild.

Durch die belebten Gassen Nürnbergs flutete das dunkle Wasser der Lagunen Venedigs. Die beladenen Karren formten sich zu prunkenden Gondeln. Das Gestein der Häuser leuchtete auf zu Palästen aus Marmor, mit Gold und Mosaik geziert. Das Glitzern der Gewässer, vom Sonnengold überzittert, kräuselte und ringelte die bunten Spiegelbilder zu bizarren Ornamenten, die ineinandertaumelten und sich nicht vermengten.

»Rein bleiben die leuchtenden Farben!« flüsterte der Träumer. »Sie sind ja Gedanken der Sonne, sie vermengen sich nit mit der schmutzigen Flut und dem Unflat des Lebens. Wenn die Sonne ihren goldenen Leib in den Lagunen badet, taucht sie rein hervor. Nur in unserer Seele das Licht taucht in den Schlamm der Zeit, besudelt sich und verliert sein Leuchten.«

Das Traumbild belebt sich, am Markusplatz steht das Juwel des Domes farbentrunken, die mächtigen Portale von marmornen Säulen getragen, in den weiten Bogen die Bilder, wie von Edelsteinen gefügt auf Goldgrund: San Marco. Der Kampanile reckt sich empor, der Glockenturm spannt den mächtigen Bogen, und oben die nackten Männer wie aus Gold, schlagen wuchtig mit Hämmern auf die Glocke, die verrauschte und die kommende Zeit kündend. Über die Piazzetta strömt das frohe Volk, die schönen Weiber, die lachenden, singenden Männer, und drüben zittern die Segelstangen über dem Wasser, bewimpelt, mit mächtigen Tüchern bespannt, in die sich der Wind verfängt. Von San Paolo e Giovanni, von der Santa Maria della fiore, von San Giorgio, San Moisi klingen die Glocken, weiße und buntschillernde Tauben flattern von Sims zu Sims, setzen sich in die vielgestaltigen Kapitäle der Säulenträger des Dogenpalastes und in das Steinrelief des Löwen von San Marco. –

Diese Schönheit, vom Traum beschworen, von der Sehnsucht geweckt, sprach zu dem Meister von Tagen, an denen er die Botschaft der Freude empfing im Angesicht der Sonne.

»Und in diesem Rausche stand das Weib. Es löste den Gürtel für meine Andacht, es löste den Gürtel für meine Sinne! Keuschheit und Sünde: Eva und Venus!« Der Träumer lächelte: »Rein sind meine Farben geblieben, sie haben sich nit vermengt mit dem Unflat des Lebens. Die Sonne taucht aus den schwarzen Fluten heilig empor. Eva! Du hast mir den Weg gewiesen.

Ein Deutscher muß seiner Pflicht getreu sein, ob auch der Lorbeer blüht und fruchtet zugleich.«

Dürer öffnete die Augen: »Giorgione – Bellini! Ihr seid nit mehr. Mit Leonardo und Raffael steht ihr vor Gottes Thron. Wird er euch so gnädig sein, wie euch das Leben gnädig war? Ihr habt das Leben genossen, und die Schönheit, die in euch rauschig wurde, wird ewig leben in euren Werken.«

Er wollte sich erheben, vermochte es aber nicht. Da neigte er sich dem Fenster näher und schaute hinab auf die Gasse. Keine Gondeln mehr glitten über die zitternde Flut, auf holperigem Pflaster fuhren die Marktwagen. Kinder liefen ihnen johlend nach, Mägde mit schweren Körben, unter der Last gebeugt, keuchten von Laden zu Laden. Bauern mit mächtigen Traggerüsten am Rücken kamen vom Markt. Plump und häßlich bewegten sich die Lastträger im Schatten der tiefen Gasse. Alltäglich, nüchtern, voller Kümmernis, keuchte das Leben dahin.

»Mühselig Beladene müssen die Lasten tragen«, dachte Dürer. »Die Arbeit ist für solche ein lautes Stöhnen, denen sie ohne Erfüllung bleibt. Wer fragt nach ihr, ob sie das Leben zerdrückt oder verleidet? Bringt die Arbeit Erfüllung, dann lohnt ihr Geist den Schaffenden mit Freude. Meine Arbeit war schwer, aber sie hat mich erfüllt, weil sie von Gott ist meiner Mühsal auferlegt worden. Sie hat mich befreit, weil sie, zu Gott gewendet, wieder zu ihm drängte. Mit dir, mein Jesus, bin ich gestanden an der Säule und hab' die Geißel gespürt. Mit dir hab' ich am heiligen Ölberg gebetet und den Kelch des Herrn empfangen. Mit dir bin ich geschritten von Station zu Station, und hab' mein Kreuz getragen. Siehe die Wunden in meiner Seele! Mit dir rufe ich in der Stunde meines Sterbens von meinem Golgatha hinauf: ›Es ist vollbracht.‹ – Nimm meine Seele wieder, o Herr, du mein Gott, ich habe sie nit verdorben, lauter und rein ist sie geblieben. Gib sie einem besseren Wesen, auf daß sie vollkommen werde.«

Dürer strich mit beiden Händen über die Stirn und wischte den kalten Schweiß fort, der aus den Poren perlte. Dann suchten die zitternden Hände die Locken, die ehedem seine Zier waren. Er merkte, daß er ein anderer geworden war. Ein spätes Ich betasteten seine Finger.

»Komme ich darüber hinweg?« Er rief es laut und erschrak. Kam es ihm zu, diese Frage zu stellen? Die Blicke irrten wieder hinaus in das Entfärben des Abends. Gleichgültiges wollte er sehen, eine Weile Atem holen, ruhen. In den Schattenmaßen der Gassen lag das Grau, in der Ferne das Violett. Traurige Farben, die Farben des Lichtlosen. Zitternd neigte sich Dürer vornüber. »Du stirbst, Tag – wird auch mein Sterben so schön sein?« flüsterte er ergriffen und faltete die Hände über der Brust. Ihn fröstelte. Sein Geist hatte das Gefängnis durchbrochen und erhob sich in die letzten Reflexe des Lichtes hinauf. Sein Wille vermochte keinen Widerstand zu finden, er ließ die Kette der Sinne los. Da taumelte ein buntes Wirren durcheinander, Geschöpfe lösten sich aus dem Gemenge von Licht und Dämmernis. Wesen mit wundersamen Händen, mit lichtlosen Augen flochten unendlich sinnbestrickende Farbenbänder um Gebilde, die, körperlos, aus Strahlen gewebt, Blumen glichen und ängstlich sich zu verflüchtigen schienen.

Dürer schauerte im Bangen, es könnte dieser Spiegel unirdisch feiner Wahrnehmungen erblinden. »Das Göttliche!« stöhnte er. »Es schwimmt auf dem Flusse aus der Ewigkeit her zu mir.« Allmählich beruhigte sich seine Angst, er dachte: »Leb' ich noch, oder fliegt meine Seele schon im Raume aus meinem Kreise heraus?« Sein Atem ging kurz, sein Puls langsam, er fühlte das Körperliche an sich nicht mehr. Eine tiefe Ergriffenheit verklärte seine Züge.

Da zerrannen die Gestalten, und ein weiter Raum wölbte sich über ihm. Winzig klein stand er in der Unendlichkeit allein. In seltsam schönem, tiefem Blau erstrahlte die Wölbung. Er dachte: »Welches Blau mische ich zusammen, um dieses Blau zu finden?« In seiner Versunkenheit prüfte der Malersinn in ihm das Wahrnehmbare. Ein Stern glitzerte über ihm, klein; er wurde größer, kam herab, immer näher, er nahm eine Gestalt an, groß, überlebensgroß. Der schlanke Hals trug einen kleinen Kopf, die Brüste, wie reife Früchte, weit auseinander gespannt, mit Rubinen gekrönt. Die Gestalt gestreckt, edel, schön. Dann sah er die Bernsteinaugen in dem strahlenden Gesicht, sie gossen Geist aus über ihn.

Er dachte: »Das Angesicht vom Kinn bis zum Haar ist der zehnte Teil vom Körper. Mit ausgebreiteten Armen und Beinen ist der wohlgeformte Leib in einen Kreis zu stellen.« In einer Zelle seines schlummernden Gehirns regte sich der Sinn für die Proportion. Plötzlich zuckte er zusammen. »Es stimmt nit, das sind zwölf Kopflängen! Die Schönheit ist nit zu messen!« Die Gestalt neigte sich zu ihm und sah ihn lächelnd an. Da erwachte er.

»Susanna Horebout!« schrie er auf. »Du mein Abendstern am blauen Himmelsdom, warst du mir jetzt so nahe?«

Er hielt die Augen weit offen, das Erschaute noch einmal sehen zu können, aber die farblosen, nüchternen Alltagsbilder, die in den Abend tauchten, zerrissen sein inneres Schauen. Ein Luftzug strömte zum Fenster herein, ihn fröstelte. Er wollte sich in die Decke hüllen, aber seine Glieder waren wie erstarrt. Da ließ er sein Haupt auf die Brust sinken, und eine Träne perlte über die Wangen des Hilflosen. –

Frau Agnes steckte den Kopf durch den Türspalt, ihr Gesicht glühte von der Arbeit, die sie getan; ihre dicke Gestalt zwängte sich durch die kleine Tür, sie schlich zu ihrem Gatten, besorgt und ängstlich, und reichte ihm eine Tasse heißen Würzwein.

»Ist dir nit gut? Hast du wieder Schmerzen im Leib? Trink den Wein aus. Brauchst du noch etwas, mein Albrecht? Hast du mich gerufen? Du weinst ja?«

Er lächelte schon wieder. Ihm war, als ob Frau Agnes sich verkleinert hätte, als ob sie eine Fremde wäre. Ihr Eifer kam ihm komisch vor; wie aus einer Trunkenheit heraus sah er sie an, ließ sich die Schale zum Munde führen und trank gierig den heißen Saft. Dann wurde ihm plötzlich klarer, er hatte das Gefühl, als rege sich etwas in ihm, das ein eindringendes Glück geben könnte, ein erwärmendes Anrühren an sein Herz.

»Mir ist so wohl, mein' Agnes, so wohl wie noch nie. Mir ist alles so leicht, und ich weiß jetzt auch, daß du die beste Hüterin meiner Seele warst. Du hast mich beim Irren nit verlassen. Alles suchte ich, nichts hab' ich gefunden, nur in dir ist mir der Halt geblieben. Daß du stärker bist, wußte ich schon damals, als du mir das Sträußlein Männertreu auf die Wanderschaft gegeben hast. Da sagtest du schon aus, wie sich dein Wille zeigt. Dann hast du mein Schwanken erkannt und mich gefestiget, soweit ich dir nit trotzte. Mein Wunsch nach Befreitsein hat dir das Recht gegeben, mich zu bewachen, denn ich war der Schwächere. Agnes, ich hab' dir nie gedankt für deine Liebe, heut dank' ich dir! Ein Mann ist geprüfter, als ich dachte; das Leben ist schöner, als ich meinte. Es ist frevelhaft, das Glück zu verleugnen, das uns sicher ist, und eines zu begehren, das wir nit vertragen.«

Da neigte sich die Frau über den kranken Mann, hüllte ihn in den Pelz ein, küßte ihn auf die bleiche Stirne, und Tränen rannen über ihre Wangen herab.

»Sei still, mein Albrecht, mir bricht's das Herz, wenn ich dich so reden hör'. Du bist ja der Allerbeste! Aber wir haben uns halt manchmal nit verstanden. Wie kannst du wissen, was ich in meiner Einfalt denk', und wie soll ich erst wissen, was dein kluges Denken will, weil wir's uns nit sagen können. Wenn dir die Seele geblutet hat, wie du sagst, da hätt' ich doch einen Heiltrank gekocht. Gelt, Albrecht, hinter eine Mauer hab' ich dich doch nit gesperrt, und deine Seele hab' ich doch auch nit umgebracht, wie du sagst?«

»Nein, mein' Agnes, nichts hast du getan, was mir hätte schaden können. Aber ich hab' müssen eine Welt aus dem Nichts aufbauen. Die deutsche Kunst war gar zu arm, da hab' ich ihr ein Mäntlein genäht, daß sie nit friere. Viel hab' ich ihr aus meiner Armut heraus gegeben, und sie ist reicher geworden. Mein Geben war ein Körnlein und hat einen weiten Garten erblühen lassen; es war ein Tröpflein nur und ist angeschwollen zum breiten Bach, der Mühlen treibt. Mein Geben war der Schaffenswille, der in ungehemmtem Fleiß den Garten und das Bächlein füllte. Und dabei hast du mir nit helfen können, das mußte ich allein tun, und darum hab' ich auch leiden müssen, weil ich so ganz allein war und mich keiner hat verstehen wollen.«

Dürer sah mit unendlich milden Blicken seine Eheliebste an, die geschäftig das Fenster schloß und die Decke um seine Beine schlang.

»Immer hab' ich frieren müssen, jetzt ist mir warm. Das innerste Glück, daß ein Mensch sein Leben nit verdorben hat, und die betreuende Liebe machen warm. Alles andere ist Einbildung und Betrug.«

»Du fieberst wieder, Albrecht. Halt dich nur ruhig, sprich nit soviel; morgen wird alles wieder gut sein.«

»Ja, mein' Agnes, geh nur, geh; morgen wird alles – *alles gut sein!*«

Frau Agnes schlich wieder leise zur Tür hinaus, sie hatte ja so viel zu tun und zu sorgen, viel Arbeit lastete auf ihr, seit Albrecht nicht mehr schaffen konnte.

Der Würzwein regte die Lebensgeister in Dürer wieder an. Er fühlte, wie sein Herz pochte, manchmal stockte und wieder hämmerte, so fein, wie Meister Peter Henleins Taschenuhren, die auch so rund waren wie ein Menschenherz. Und sein Sinnen verlor sich nicht mehr in der Unendlichkeit, es urteilte gerecht über alles Erlebte und Versäumte. Auch seine Glieder hatten das Starre verloren; er zog die Schriften, die am Tische lagen, zu sich heran und begann darin zu lesen.

Wie viel schrieb er und verwarf es wieder. Wie schwer gelangen ihm die Sätze, wenn es galt, Gedanken, die so fest in ihm standen, in Formen zu fassen; wie viel leichter war für ihn das Malen. Die deutsche Wesenheit in ihm mußte den Aufklang zum Schönen hart ertönen lassen, selbstgetreu mußte sie von Stufe zu Stufe klettern, ehe sie zum Verstehen gelangte. Was in der Tiefe seines Geistes melodisch klang, in der schriftlichen Gestaltung wurde es rauhe Dissonanz. Er sah ein, daß die Übung zum Schreiben so betrieben werden müsse, wie die Ausdauer beim Malen.

»Dann der Verstand muß mit dem Gebrauch anfahen zu wachsen, also, daß die Hand künn thon, was der Will im

Verstand haben will. Aus solchem wachst mit der Zeit die Gewißheit der Kunst und des Gebrauchs. Dann diese zwei müssen beieinander sein, dann Eins ohn das Ander soll nichts. – Dann es ist eins ein großer Unterscheid, von einem Ding zu reden oder dasselb zu machen.«

Dürer neigte sich in den Stuhl zurück und seufzte: »Was also klar in meinem Denken reift, fällt wie eine unreife Frucht aus meinem Schreibrohr. Wilibald, wie beneid' ich dich um deine sichere Schreibkunst!«

Angstlich blätterte er in den ersten vier Büchern seiner »Proportionslehre«, las darin und wollte verbessern, aber die ungefügen Sätze lagen wie Felsblöcke unverrückbar in den krausen Zeilen, so daß er sie nicht umzustellen vermochte. In langen, schlaflosen Nächten hatte er die »Unterweisung im Messen« geschrieben, jetzt befriedigte sie ihn nicht mehr. Er wußte, wie wenig Maler zur Reife gelangten, um solchen Dingen nachzugrübeln, und er wollte ihnen seine Erfahrungen hinterlassen, so wie Vitruvius seine Erfahrungen über die Baukunst hinterlassen hatte.

»So du kein rechten Grund[1]) hast, so ist es nit müglich, daß du etwas Gerechts und Guts machst, und ob du gleich den größten Gebrauch der Welt hättst in Freiheit der Hand. – Darum soll kein Freiheit ohn Kunst, so ist die Kunst verborgen ohn den Gebrauch.«

Dürer nickte versonnen, als er die Sätze las, die sagen sollten, daß der geschickteste Maler mit der Technik allein nichts anfangen könne, wenn ihm das Wissen von Form und Proportion fehlt. Wie hatte ihm das genützt bei den gewaltigen Arbeiten für Kaiser Maximilian. Er dachte an Adam Kraft, dessen letzter Gedanke erst nach Proportion rang. Und wie er das dachte, stand der greise Meister in seinem Wachträumen. Peter Vischer

---

[1]) Sicherheit.

303

und der gutmütige Sebastian Lindenast waren auch da, sie bestaunten das Evabild. Und Wilibald saß vor dem Bilde in sinnlichem Rausch.

»Ja, du siehst die Proportion nach deinen Gelüsten an«, lachte Dürer, »dir ist ein Weib zum Buhlen lieber denn zum Grübeln.«

Und andere kamen. Der fanatische Hirschvogel, der in dem Evabild das Gelüst der Hölle erblickte. Der alte Wolgemut, der sagte, daß eine Eva nit heilig sei, so sie nach dem Leben visieret ist. Eine Heilige darf nit ans Leben denken lassen, weil sie doch im Himmel ist. Dürer lächelte stillversonnen vor sich hin, ihm war es eine Genugtuung, daß er die Kunst anders verstand als sein Lehrherr.

Ein Kleiderrauschen hinter ihm schreckte ihn aus dem Sinnen auf. Er wendete den Blick und sah, wie Margarete mit strahlendem Gesicht auf ihn zutrat und ihm einen mächtigen Fliederbusch in die Arme legte.

»Ich bringe den Lenz und trage seine Blumenkinder aus unserem Garten in Eure einsame Stube. Meister, lieber Meister! Freuet Euch!«

Margarete rief es mit heiteren Worten. Dürer blickte sie lange an, dann lächelte er mild.

»Ihr habt die Maske abgelegt, Jungfraue. Und darum wollt Ihr es nit leiden, wenn der Narr für die weinende Königin lacht.«

»Ja, Meister. Ich hab' jetzt das Freuen gelernt. Die ersten Fliedertrauben aus dem Garten von Kaspars Mutter grüßen Euch, sehet sie an!«

Dürer horchte. Der Klang der Stimme sang ihm kein trauriges Ertragen vor, er bebte und zitterte nicht mehr. Er hallte wie eine Überwindung. Ein jedes Wort ein Harfenlaut, ein Vogelzwitschern, es weckte dem Auge Gärten voll Blumen und einer tiefen Begehrung letztes Gefühl.

»Ihr feiert das Fest der Seelen, sagte Dürer, und sein Gesicht vergrub sich in die Fülle der Fliederballen, und er sog den Duft ein. »Euch gab das Schweigen der Liebe die letzte Stillung. Nun könnt Ihr hinhorchen in die Gluten des Lebens; im Knistern der

Flammen tönen Euch die Lieder entgegen, die in aller Unrast der Zeit geweint, in allen Schluchten des Schweigens gestöhnt, im Ringen, im Trotzen, im letzten Sehnen der Liebe klagend bebten; und die Lieder sind Euch eine einzige Harmonie geworden: Frieden.«

Margarete setzte sich auf die Erkerstufe und legte ihr früh gealtertes Gesicht auf Dürers Knie. In ihrem erglühten Antlitz strahlte ein einziges freies, sieghaftes und doch so unendlich wehevolles Lächeln.

»Meister, ja, Ihr leset die Schriftzeichen in meiner Seele. Mein Leben soll nit mehr ein Befragen sein, nit Zwecke haben, nit geben noch nehmen, es will hinter das Erreichbare der Seele auf Erden das Zeichen setzen, was jeden Satz abschließt. Und das macht mich froh.«

In Dürer stimmten die leise gehauchten Worte Margaretes eine tiefe Versonnenheit an, die von der Traumschwere, die über ihm lastete, gedrückt wurde. Ihm war das Fühlen so süß und köstlich, als läge in dem Druck eine schwebende Befreiung zugleich. Er blickte in den Dämmerraum, dann wieder auf den Flieder.

»Ihr schönen, vollen, lila Trauben! Ich sah euch einmal um goldene Locken hangen, ihr hanget auch in meine Knabensehnsucht hinein. Das war ein Leuchten über ein Lilienfeld, in dem der Fliederbaum blühte. Das helle Himmelsblau – ach könnt' ich diese Farbe mischen! – wölbte sich über das weiße Feld. Und unter dem Fliederbaum reigte im Flügelkleide ein Mägdlein mit lachenden Sprechaugen.«

»Kaspars Mutter.« Margarete lauschte der klanglosen Sprache; tiefe Rührung beschlich sie, als er mit weicher, bebender Stimme fortfuhr:

»Aus dem Lilienfelde ist ein Rosentraum worden, aus dem blauen Himmel ein Flammenmeer, und das Mägdlein reigte zu einer heißen Melodie, leidenschaftlich, fessellos.«

»Mein Vater hat die Melodie gespielt.«

»Dann kam die Nacht. Ein Sturm hat die Rosen entblättert, und die Dornen haben dem Mägdlein so weh, so weh getan.

Über den roten Mohn ist die Starke geschritten, hat den Leidenskelch getragen gen Mitternacht.«

»Kaspars Mutter!« hauchte Margarete, ein aufquellendes Schluchzen unterdrückend. Dürer legte die Hände auf ihre Locken und blickte sie an, aber seine Blicke irrten weit hinaus, seine Stimme erhob sich und nahm vollen Klang an.

»Wir alle tragen ja den Kelch gen Mitternacht, den Kelch mit dem Blute Christi, dem ewigen Licht und Leiden. Ihr habt ihn standhafter getragen wie die, die im Mohnfeld versank. Wir dürfen aber nit klagen und nit fragen. Es ist ja das Furchtbare, das Unheimliche im Ungewissen, daß alles Fragen ein Unding ist. Gott legt uns das Schicksal auf, er allein weiß, warum.«

Die Frühlingsfreude in Margarete wurde vom Leid übertaut, das aus Dürers Worten herausblutete. Da setzte sie wieder die Maske auf, um den Meister in andere Stimmung zu bringen, und stellte sich lachend.

»Meister, lieber Meister! Warum wühlet Ihr im Seelenschmerz wie der Chirurgus in den Wunden? Lacht doch, der Lenz ist wieder da. Ihr habt zuviel an Eurem Werk gegrübelt!«

»An meinem Werk?« Nun lächelte Dürer doch. »Meint Ihr das, was ich hab' schreiben wollen, oder das, was ich schrieb? Das eine ist ein ruhig Meer, darauf die Schiffe ihre Lasten in die Welt ausführen; das andere ein holperiger Pflastersteig, darauf der Karren schwerfällig dahinrasselt und zu keinem Ziel findet. So war auch mein Leben. Auf holperigem Steiglein bin ich gewandert und hätte wollen mit leichtgeschwellten Segeln dahinfahren. – Und so war auch meine Kunst.«

Margarete sprang auf und schlang ihre Arme um Dürers Hals.

»Meister, heißet die Nachtvögel schweigen, lasset die Lerche aufsteigen und Gott lobpreisen, daß Ihr der beste Mensch und der größte Malermeister seid geworden! Alle im Deutschen Reich schauen mit Stolz auf Euch, alle wissen es, daß Euch Gott begnadet hat. Sehet mich an, ich hab' den bitteren Kelch geleert, und jetzt bin ich so glücklich, so froh, ich lache. Lachet doch auch, Meister!«

Dabei rannen ihr die Tränen über die Wangen, als sie das wachsbleiche, eingefallene Gesicht Dürers betrachtete und das Licht in seinen Augen flackern sah, das so nahe am Verlöschen war.

Dürer ergriff ihre Hände, sie schauerte vor der Kälte der seinen zusammen, er strich liebkosend über ihre Finger und blickte sie traurig an.

»Euer Lachen kenne ich, und Ihr kennt mein Lachen. Mit mir geht's zu Ende, da kann ich kein Hansnarr mehr sein. Ich hab' schon in die andere Welt hinübergesehen, da will ich mich zum Abschied von dieser rüsten. Klaget nit, Margarete, Gott will es!«

Aufschluchzend sank sie in die Knie, ihr war, als zöge sie eine Reifkälte in eine dunkle Trauer hinein, in tiefer Stummheit in einen weiten Mantel gehüllt, in dem die liebste Seele floh.

Dürer begann zu fühlen, daß tausend Fesseln ihn hielten, damit er noch einmal ganz aus der Tiefe heraus zu leben beginne. Er war von dem Gefühl derart hingenommen, daß er die Augen wie im Fieber weit aufriß und im Traumschreck ausschrie wie ein Hungernder:

»Könnt' ich noch einmal leben, ich wollt' nit anderes sonst begehren, als was ich ertragen hab'. Es war ja so schön – so schön! Und ich hab's nit gewußt. Das Begehren hat mich so schwachsichtig gemacht!«

Es waren die Gänge der Traumregungen, die zu solchem Tiefklang kamen. Wie in einem Teiche ein Stern in den Kräuselungen spiegelt, so spiegelte sich das Leben Dürers in der letzten Schau. Er sah den Glanz und die Tiefe. Eine unsagbare Müdigkeit überfiel ihn plötzlich, die Wirkung des Würzweines war verrauscht in seinem Blut, er fror.

»Meister!« Schluchzend hob Margarete ihr Gesicht dem seinen zu, das ganz bleich geworden war. Er aber wollte ihre Klage nicht hören.

»Was macht der liebe Kaspar?« fragte er leise. Sie erhob sich, ihre Angst stieg, sie wollte es aber nicht merken lassen.

»Er schafft fleißig, Tag und Nacht ist er in seiner Werkstatt. Er hat einen neuen Schmelzofen gebaut. Alles glückt ihm. Jetzt macht er Lutherbecher. Und wenn er heimkommt, ist keine Müdigkeit in ihm, er lacht und singt und spielt auf der Laute. Wir sind alle drei wieder so froh, und der Vater ist in seinem Glück.«

Dürer nickte. Wie durch ein Sausen, das in seinen Ohren klang, vernahm er die Worte, aber er nahm sie nicht auf und dachte, wie lange wird das so sausen und so krampfen in mir? Er zählte die Pulsschläge, die an der Stirn hämmerten. Es schien ihm, als hätte er schon immer seinen langsamen Puls gezählt, als hätte er dieses Brausen und Krampfen schon immer gespürt und die Worte Margaretens schon einmal gehört: »Jetzt macht er Lutherbecher – der Vater ist in seinem Glück.« – Margarete flüsterte weiter:

»Am Abend sitzen wir beisammen, eine Stunde lang. Da liest der Kaspar aus der Bibel vor oder singt Lutherlieder. Dann schleiche ich in den Garten zu meinen Blumen und begieße sie. Wenn der Mond über den Nachthimmel gondelt, dann sehe ich den Bruder oben beim Fenster stehen –«

In Dürers Empfindung zerrann alles Denken. Die Worte Margaretens waren ihm wie längst bekannt, er wußte auch, was sie weitersprechen werde: daß Kaspar weine, um seine Liebe – weine –

»Er steht beim Fenster, sieht in die Sterne und weint.« Dürer nickte.

»Ich schleiche mich unter den Flieder und sehe, wie er weint. Ich denke dabei: Weiß blüht der Jasmin, lila der Flieder, und die Aurikeln recken die langen Hälse, stehen auf den Zehen und wissen nit ein noch aus vor lauter Sehnsucht ...«

Dürer schloß die Augen, er sah, wie die Aurikeln sich reckten, und sah Sonnenblumen um einen Brunnen, und am Brunnenrand saß ein Mägdlein, die hatte ein Brandmal auf der Stirn. Und aus dem Brunnen stieg eine Gestalt auf, wie der heilige Georg mit dem Schwert.

»Luther«, stöhnte er, »erschlägst du den Lindwurm? Er hat uns alle geängstigt.«

»Meister, was ist Euch? – Meister!« Margarete sah, wie er den Kopf nach hinten warf und wie dieser wieder auf die Brust sank.

Dürer hob die Arme empor, die, wie aus Blei, wieder herabfielen auf seine Knie.

»Alle kommen sie heut zu mir«, stöhnte er, »die Toten und die Lebendigen!«

»Ihr träumt, Meister! Niemand kommt, nur ich –«

»Max! Deine Ängste und dein Gewissen rasen über die Menschen dahin. Die große Hand legt sich über mein geliebtes Deutsches Reich! Alles steht in Feuer und Blut! Gott du – im Himmel! – der du die Liebe bist – erlöse! – Erlösung!«

Aufstöhnend fiel Dürer in sich zusammen. Kalter Angstschweiß trat auf seine Stirne, er lallte unverständliche Worte, es klang wie »Apostel«. Erschrocken lief Margarete zur Tür, riß sie auf und schrie über die Stiege hinab:

»Frau Agnes! Kommet rasch – der Meister! – Er stirbt!«

Im stillen Dürerhause wurde es lebendig. Der Schrei rüttelte die Gesellen aus der Arbeit auf, er trug den Schrecken in die Küche, wo Meisterin und Magd am Herd hantierten. Eine Weile stockte den Fleißigen das Blut, dann aber kamen sie über die Stiege gestürmt, allen voran Georg Penz, der, aus der Verbannung befreit, dem Meister wie ein Sohn anhing.

Als Frau Agnes ihren Eheliebsten so entkräftet sah, rang sie die Hände, aber sie griff rasch wieder zu, benetzte die Stirn mit kühlem Wasser, rieb die Brust, und dabei stöhnte die geängstigte Frau:

»Jesus, Maria und Joseph, ihr Heiligen alle, stehet ihm bei!«

Die Gesellen standen ängstlich um den Meister herum, keiner traute sich, ein Wort zu reden. Margarete floh scheu in einen Winkel und schluchzte herzerschüttert. Endlich schlug der Bewußtlose die Augen auf. Er starrte Frau Agnes an und wußte nicht, warum sie so eifrig seine Brust rieb.

»Gott sei Lob und Ehre«, rief sie, als sie Dürer sich recken sah. »Ist dir jetzt besser? Gelt, Albrecht, du tust mir das nit an! O du grundguter Mann, du darfst mir ja nit sterben, was fang' ich an ohne dich?«

»Mein' Agnes«, hauchte Dürer, »mir ist so wohl. Laß mich schlafen, ich bin so müde. Und ich kann dir ja kein Stichlein mehr schaffen – keines mehr –« Wieder sank er in den Schlummer der Bewußtlosigkeit zurück.

»Helft mir!« gebot Frau Agnes resolut. »Der Meister muß ins Bett.«

Die Gesellen faßten behutsam den leichten Körper ihres Meisters an und trugen ihn über die Stiege hinab in die Schlafkammer. Frau Agnes zog ihn aus, wusch ihm das Gesicht, träufelte ihm Wein zwischen die Lippen und half ihn ins Bett legen. Die Magd mußte Tücher wärmen, Penz lief zum Priester und Arzt, und Margarete, die den Zustand des Sterbenden erkannte, suchte nach der Bibel, die sie aufschlug.

Noch einmal regte sich Dürer und verlangte die Heilige Schrift. Margarete legte ihm das Buch aufgeschlagen in die Hände. Er sah nicht hinein. Seine Augen schlossen sich, seine Lippen lallten kaum hörbar.

»Jesus – für dich – sterb' ich.«

Ein verklärtes Leuchten ging von seinem bleichen Gesicht aus. Die Gesellen sanken in die Knie und beteten. Frau Agnes stand am Kopfende des Bettes, sie wollte nicht daran glauben, daß sie ihren Mann werde sterben sehen. Für sie war die Ehe eine unlösliche Gemeinschaft, ihr war er ans Leben gebunden, er sollte das ihre überdauern. Sie wärmte seine Stirn, die so kalt wie Eis wurde.

In Dürers Gesicht war eine starre Wandlung eingetreten, die verfallenen Züge schienen sich auszufüllen, eine unendliche Milde strömte aus den toten Formen, als kämen sie zu neuem Leben. Die geschlossenen Augen lagen tief in den Höhlen, die Deckel schienen durchsichtig zu sein und die großen, tiefen Sterne zu zeigen, die das Gesicht durchgeistigt hatten. Ein leichtes Zucken lief durch die Hände, ein Strecken und Beben durch den Leib. Und als Arzt und Priester kamen und den Herzschlag des Meisters abhorchen wollten, hörte man ihn nicht mehr. Erschüttert erhob sich der Priester und machte das Zeichen des Kreuzes auf Stirn, Mund und Herz des Toten.

»Er ist hinüber. Sein gutes Herz hat ausgeschlagen. Gott sei seiner Seele gnädig, keiner war so fromm wie er.«

Albrecht Dürer, der große deutsche Meister, schlief den ewigen Schlaf. Seine Seele war hinübergeglitten in jene unbekannten Welten, über die sie so viel gegrübelt hatte.

Frau Agnes sank in die Knie. Alle Kraft und Zuversicht war ihr nun genommen. Sie betete im tonlosen Murmeln, dann schrie sie auf und warf sich über die Leiche ihres Albrecht, unaufhörlich flüsterte sie ihm Liebesworte zu, als wolle sie seine entflohene Seele wieder zurückrufen. Da er sich aber nicht mehr regte, erhob sie sich, zündete eine geweihte Kerze an, die sie zu Häupten des Toten stellte, und öffnete das Fenster. Nachdem sie das getan hatte, sank sie zu Boden und weinte herzbrechend. Die starke Frau hatte ihre Kraft verloren.

Als die Dämmerung das Gemach mit grauen Schleiern erfüllte und das Licht der Kerze zum Leuchten kam, knieten die Gesellen noch immer und beteten, weinte Margarete noch immer, und Frau Agnes stöhnte und klagte.

Dürer sah schön aus. Ein sieghaftes Lächeln verklärte sein edles Antlitz, ein ruhiges Lächeln, als träume er und sehe in die fernsten Fernen, in die seine Seele fortzog, erlöst und frei.

In diese heilige Stille trat Wilibald Pirkheimer, von Ahnungen getrieben. Er blieb in der Tür stehen. Als er den toten Freund sah, schrie er im Schmerz auf und warf sich über ihn. Seine stolze Beherrschung verlierend, schluchzte er auf und rief wie ein Verzweifelter:

»Nicht vergönnt war es mir, dir den letzten Abschiedsgruß zu sagen! Albrecht! Mein Albrecht, der du mir am innigsten verbunden warst, du meiner Seele bester Teil, warum verlässest du mich, warum enteilest du mir so rasch? – O unbarmherzige Härte des Todes!«

Vom Schmerz durchwühlt, erhob sich Wilibald, aber überwältigt sank er in die Knie und reckte seine Arme empor:

»Er ist dahin, unser guter, bester Albrecht! Er ist dahin, mein einziger Freund und Bruder! Wie soll ich weiterleben, ohne seine milde Güte. Ein solcher Mann, ein solches Genie ist uns entrissen, und andere dürfen noch leben!« –

Durch das offene Fenster klang die klagende Stimme des Sterbeglöckleins in die Stube, das Nürnbergs edelster Seele und des Deutschen Reiches größtem Meister nachweinte. Und alle, die es hörten, weinten mit dem Glöcklein um den geliebten Meister Albrecht, und eine tiefe Trauer zog durch Nürnberg und zog durch alle Herzen der Deutschen.

*Ende des dritten Bandes*

# Nachwort des Verfassers

Albrecht Dürer war unbestreitbar eine durch und durch religiöse Natur. Aber trotz seines gefesteten Charakters, der in tiefe Gläubigkeit verwurzelt war, konnte ihn sein grüblerischer Geist über gewisse Glaubensdinge nicht restlos aufklären, und er mochte in der Seelenangst um die Wahrheit viel gelitten haben, was er auch in einem Briefe 1520 an den Kurkaplan Spalatin bekannte:

»Und hilf mir Gott, daß ich zu Doktor Luther komme, so will ich ihn fleißig konterfeien, zu einer langen Gedächtnuß des christlichen Mannes, *der mir aus großen Ängsten geholfen hat.*«

»Man versucht, von Dürer zu behaupten und glaubt zu beweisen«, schreibt Rich. Bürkner in seinem »Dürer«, »er sei fest dem protestantischen Bekenntnis zugewandt gewesen, während doch andere nachgewiesen zu haben meinen, er sei ein treuer Sohn der katholischen Kirche geblieben. Im letzten Grunde sind *beide* Behauptungen irrig, denn das, was man heut ein protestantisches Bekenntnis nennen möchte, hat es in den wechselvollen Werdezeiten bis zum Tode Dürers überhaupt nicht gegeben, und anderseits konnte der alten Kirche nicht ungestört angehören, wessen Herz so mächtig von Luthers Persönlichkeit angezogen wurde, wie das von Dürer.« –

Ohne daran zu denken, daß aus dem Kampfe der Reformation eine Spaltung der Kirche entstehen könnte, war Dürer im Glauben kirchentreu. Das Treiben der Sektierer mochte ihn ebenso verdrossen haben wie Pirkheimer, der in seinem Briefe an Tscherte 1530 schrieb: »Ich bekenne, daß ich anfänglich auch gut lutherisch gewesen bin, wie auch unser Albrecht seliger, denn wir hofften, die römische Büberei, desgleichen der Mönche und Pfaffen Schalkheit sollt gebessert werden; aber so man zusieht, hat sich die Sach also geändert, daß die evangelischen Buben jene Buben fromm machen –« Aus diesem Briefe Pirkheimers geht hervor, daß Dürer seine anfängliche Meinung über Lutherische später, als die Bauernverwüstungen einsetzten, geändert haben müsse, was auch anzunehmen ist, weil er sich nie öffent-

lich dem Geiste der Reformation hingegeben hat. Aber die über-
eifrige Kirchenmacht mußte sein Gemüt schon in jungen Jahren
erschüttert haben, sonst hätte er nicht in seiner »Apokalypse«
von Engeln und Reitern mit Wucht die Machthaber niederschla-
gen und niederreiten und ihnen im »sechsten Siegel« durch eine
Mutter fluchen lassen. Das war nicht bloß als Illustration zu den
Offenbarungen Johannis gedacht – wie Bürkner schreibt –, »die
eigene innere Not und das heiße Mitgefühl mit der Angst der
Zeit trieb ihn dazu. Inmitten von so viel Verfall des Glaubens,
von so viel Zuchtlosigkeit im Schoße der Kirche selbst, zeichnete
er den Kampf der Finsternis mit dem Licht.«

Sein Suchen nach dem Glauben hatte ihn über die Philosophie der Griechen und Araber hinweg immer wieder zur Kirche
zurückgeführt, in die Gottesfurcht der Mutter. Er teilte nicht die
Streitbarkeit Pirkheimers und nicht jene Luthers, ja er fürchtete
sie. Die Wiedertäufer und Bilderstürmer trieben ihn zu den
Bekenntnisbildern der Apostel.

Ernst Heidrich schreibt in seinem »Dürer und die Reformation«: »Wenn Tendenzschriftsteller von Dürers Rücktritt zum
Katholizismus sprechen, so ist das für die Wissenschaft belang-
los, und die Historie sollte zu schade sein, von dort her den
Standpunkt der eigenen Forschung sich irgendwie bestimmen
zu lassen. Es handelt sich um eine möglichst lebendige und
klare Anschauung und Erkenntnis der Vergangenheit – in diesem Falle nur der persönlichen Stellung Dürers, nicht zum
Luthertum, sondern zu den Lutherischen. *Für die anschauliche
Kenntnis der Persönlichkeit ist es unentbehrlich, von den Gegensätzen
zu wissen, an denen er teilgehabt hat.*«

In dem leidenschaftlichen Aufschrei, den Dürer in sein »nie-
derländisches Tagebuch« über Luthers Gefangennahme viele
Seiten lang eingeschrieben hat, ist sein Bekenntnis zu dem
Reformator unantastbar festgestellt.

Die ungeheuren Fesseln, die damals dem Volke auferlegt wurden, haben ja sogar Asketen wie Savonarola gegen die Mißbräuche der Kirche auftreten lassen, ohne daß solche in ihrem Glau-
benseifer sich von der Kirche losgelöst hatten.

Wenn die Auswüchse jener Zeit, die an Kirche und sittliche Moral tasteten, in vorliegendem Werke Raum fanden, so geschah es weder des katholischen noch des protestantischen Bekenntnisses noch der Prüderie zutrotz oder zuliebe, sondern einzig und allein der historischen Wahrheit halber und um darzutun, wie sich Dürer allen Irreführungen oder Verlockungen widersetzte, sich nie in Tiefen ziehen ließ, und wie seine Barmherzigkeit ein Schild gegen Unrecht und Sünde war. Die aufsteigende Linie, die aus Dürers Kindheit bis zu seiner Geistesreife führt, zeigt den Weg aus der Finsternis zum Licht: aus der »Apokalypse« über die Antike zu den »Aposteln«; sie lief bei Dürer an großen Widerständen vorbei, denn der Meister gehört nicht nur der Kunst, sondern auch der Welt an.

# Erläuterungen

S. 6 ff. Vgl. Heyck: »Kaiser Maximilian I.« (Bielefeld 1898.) C. Busse: »Literaturgeschichte«, I. Bd. Bachmann: »Dtsche. Reichsgeschichte im Zeitalter Friedr. III. u. Max. I.« (2 Bde., Lpz. 1884.) Maximilian war begeisterter Forderer des Humanismus, unterstützte die bild. Künste und Kunstgewerbe. Schrieb außer anderem den »Weißkunig«, wurde auch für den Verfasser des »Teuerdank« gehalten. Er schloß die ritterl. Epik mit diesem Werke, das er entwarf und von Melchior Pfinzing in gequälten Versen ausführen ließ, die aber vorbeigelangen. Hans Schäufelin, der Dürerschüler, hat diesen Folianten illustriert. Aus dem Nürnberger Archiv und aus kunstgeschichtlichen Forschungen ist erwiesen, wie nahe Beziehungen Dürer zum Kaiser fand. Dieser nannte ihn »Unseres Reiches Getreuer«, er schreibt von »angenehmen, getreuen und nutzlichen Diensten, die er unserer eigenen Person in mannigfaltiger Weise oft und bereitwillig getan hat ...« D. konterfeite ihn nur einmal nach der Natur. Er schrieb auf die sichere Kohlezeichnung: »Das ist Kaiser Maximilian den hab ich, Albrecht Dürer zu Augspurg hoch oben auff der Pfalz in seinem kleinen stüble kunterfett do man zält 1518 am mondag nach Johannes tauffer.« (Wien, Albertina.) Ausführlich siehe Thausing: »Dürer«, II. Band. Nach der Skizze malte er zwei Ölgemälde, eines befindet sich in Wien, das andere in Nürnberg (mit Halskette).

S. 10. Hans Grünwalt, der bekannte Plattnermeister, führte für den Kaiser die Stahlpanzer aus. Dürer zeichnete Heraldik zu den Ätzungen, auch für die Plattner Kolmann in Augsburg und A. Treitz, Innsbruck. Diese Eisenätzungen führten zur Erfindung der Radierung. – Daniel Engelhardt, der mürrische Siegelschneider (Prägeplatten für Blei- und Wachssiegel), eine kleine, gelähmte Gestalt, soll boshaft und mißgünstig gewesen sein. Zu Dürers Zeit schon alt. – Hans Schäufelin, der erste Lehrknabe Dürers. Als Meister bekannt. Er führte die Holzschnitte zum

»Teuerdank« in Dürers Werkstatt aus. – Hieronymus Andreae, Dürers Holzschneider, daher auch Formschneider genannt. Er hat Dürers Stöckelzeichnungen von der Apokalypse bis zum Triumphzug ausgeschnitten. 1525 machte er dem Rat viel zu schaffen mit den »gottlosen Malern«. Er war ein Schwarmgeist und Anhänger des Wiedertäufers Denk. (Siehe Möller: »Osiander« [Elberfeld 1870]; Heidrich: »Dürer u. d. Ref.« [Lpzg. 1909].) – Peter Vischer modellierte die Standbilder für das Innsbrucker Grabmal des Kaisers Max: »Theoderich« und »König Artus«, die wertvollsten, die wegen Geldmangels lange nach dem Tode des Kaisers gegossen wurden. – Veit Hirschvogel, der bekannte Glasmaler Nürnbergs. Seine Kirchenfenster sind im gotischen Stil meisterhaft ausgeführt.

S. 14. Die Anekdote vom *Leiterhalten* des Kaisers mag gleich jener vom *Pinselgeheimnis* (Bellini) zu Lebzeiten Dürers kursiert haben. (Siehe Camerarius.)

S. 15. *Triumphbogen*. Dieser Riesenholzschnitt ist als Fleiß- und Zwangsarbeit anzusehen, nicht aber als frei geschaffenes Werk. Man merkt die Gebundenheit durch ein Programm, das rücksichtslose Forderungen stellt. Die Komposition dieser Ruhmrederei ist vom Kaiser selbst revidiert worden. Die Jahreszahl der Vollendung ist der Zeichnung beizulegen, nicht der des Schnittes. In versch. Kupferstichsammlungen ist das Gesamtbild zu sehen. Das bekannteste Exemplar, im Dürerhaus, wo es in einem Gelaß des Erdgeschosses recht unvorteilhaft untergebracht ist, mag nicht gut für die Pietät sprechen, in der der Meister in der Heimatstadt gewürdigt werden sollte.

S. 20 f. Die *Vision* des Kaisers bezieht sich auf die Sage von der Martinswand und der Mystik Bô Yin Râ's.

S. 58. *Triumphzug*. Ist ebenso gequält und überladen mit Allegorien entstanden. Wie weit die Tugenden des Kaisers gedeutet wurden, geht daraus hervor, daß: der Kutscher die Vernunft, die Zügel Ansehen und Macht bedeuten; den Rossen gehen Mäßigung, Vorsicht, Schnelligkeit und andere Eigenschaften zur Seite. Osborn meint, daß diese Allegorien ebenso kompliziert und schwer verständlich seien wie Goethes Faust, II. Teil. Trotz der Massenhaftigkeit ist künstlerische Wucht und Geistigkeit gewahrt. Die endgültige Zeichnung der Dürerblätter wird in einem Schaukasten der Albertina (Wien) würdig verwahrt, sie ist leicht farbig. Im Nürnberger Rathaussaal wurde der Triumphwagen an die Wand gemalt. Heute bereits nicht mehr sichtbar.

S. 58. *Melancholie*. Dieser Meister-Kupferstich wird sehr umstritten und vielfach gedeutet. Giehlow glaubt, daß Dürer die Schrift Marsilius Ficinus' gelesen habe, darin dieser schreibt: »Alle Männer, so in einer großen Kunst vortrefflich sind gewesen, die sind alle Melancholici geworden.« – Jedenfalls ist dieser Hinweis in Verbindung der Überarbeit am Triumphbogen und in Mutters Tode begründeter als die Annahme, das Blatt bedeute das erste einer Reihe numerierter Stiche, die D. beabsichtigte, aber nicht ausführte; oder es sei eine Illustration zu Polizians Gedicht. Die Psychologie Dürers führt in vielen Briefen und Bildern zu dem Schlusse, daß er melancholisch war, somit das Blatt notgedrungen als Ausfluß solcher Grüblerstimmungen zu betrachten ist: rein menschlich, gar nicht gelehrt, nur symbolisch.

S. 60. *Gebetbuch Kaiser Maximilians*. Randverzierungen eines Prachtdruckes auf Pergament. Diese Blätter Dürers, mit denen von Lukas Cranach, befinden sich in der Hofbiblioth. in München, ein Rest in Besançon. (Siehe Giehlow: »Entstehungsgesch. d. Gebetb.« [Jahrb. d. kunsthist. Sammlg. d. Kaiserh., Wien 1899].) Die Federzeichnungen Dürers zeigen mühelose, launige Freude am Fabulieren; die wertvollsten Dokumente seiner Stimmungen und Liebe zur Landschaft. (Siehe Wölfflin: »Die Kunst A. Dürers.«)

S. 61. *Raffaels Zeichnungen*, die dieser Dürer 1515 schickte, befinden sich in der Albertina (Wien). Es sind zwei männl. Akte in Rötel, darauf Dürers Handschrift. Wahrscheinlich schickte Raffael auch Federzeichnungen und Kupferstiche.

S. 73 f. *Kloster Engelthal.* »1513 ordnete der Rat über Befehle des Papstes Leo X. die Visitation des Klosters an, weil schwere Anklagen wegen Sittenlosigkeit eingebracht wurden. Die Untersuchungskommission fand energischen Widerstand und mußte das Kloster mit Gewalt öffnen. Die Anklagen waren nicht übertrieben, die Kreuzgänge zur Stallung für Rosse der nächtl. Besucher hergerichtet und vieles, was das Kloster in den übelsten Ruf brachte. Es ward festgestellt, daß schon 1508 ein Provinzial von Straßburg sich im Kloster habe von Spielleuten zum Tanz aufspielen lassen und als ein ›wilder Mönch‹ seltsamste Possen trieb. Der Widerstand der Nonnen den Ratsknechten gegenüber führte dahin, daß die Äbtissin und Subpriorin in Ketten gefesselt und die übrigen Nonnen mit ihnen fortgeführt wurden.« (Priem: »Gesch. d. St. Nürnberg«. 1875. Seite 144 ff.) S. auch: Gedichte Pirkheimers gegen die »Mönch u. Nonnen«. (Waldau: »Beitr. z. Gesch. d. St. Nürnberg«, I. 1788.) E. Heidrich: »Dürer u. d. Ref.«, 1909, s. S. 73: Ausschreitung d. Volkes gegen d. Klarissinnenkloster. In »Kultur-Kuriosa« schreibt Kemmerich (S. 142): »Als das Klarissinnenkl. aufgehob. wurde, lief ein Teil d. Laienschw. unmittelb. in d. Freudenhäuser« usw. (S. auch: Freih. v. Zimmern: Chronik, III.; Geiler v. Kaisersberg: »Brösamlin«.

S. 81 f. *Luthers Thesen.* Dürers Geist war verwandt mit Luthers Geist. Er hatte eine Reform erwartet, wie die »Apokalypse« zeigt, nun begrüßte er sie. Schon kurz nach der Veröffentl. der Thesen erwiderte Luther ein Geschenk Dürers mit warmer Danksagung. Durch den Staupitzschen Kreis unterhielt er jedenfalls Beziehungen mit Wittenberg. Er erhielt vom Kurfürsten einige »Büchlein Martinis«, worauf er an den Hofkaplan den hier zitierten Brief schrieb, daß ihm *Luther aus großen Ängsten geholfen* habe. Es existiert ein Blatt mit der Aufstellung von 16 Büchern Luthers im Besitz Dürers. Wie tief sich der Meister in den Geist der Reformation hineinlebte, erklärt die geistvolle Schrift Heidrichs: »Dürer u. d. Ref.«

S. 106. Lukas Cranach d. Ä., Hofmaler Friedrichs d. Weisen in Wittenberg, zeichnete die bekannten Lutherbildnisse. Er besaß ein Haus, das er als »Herberge« eingerichtet hatte, war Ratsherr und verkehrte im Kreise Luthers freundschaftlich.

S. 111. Pest in Nürnberg. (Siehe Priem: »Gesch. d. Stadt Nürnberg«.)

S. 114. *Ursache der niederländ. Reise*, s. Thansing: »Dürer«, II.

S. 116. Ouentin Massys (der »Schmied v. Antwerpen« gen.), 1460–1530. Neuerer der Kunst in d. Niederlanden. Sein Hauptwerk: »Grablegung« ist breit gemalt, einheitlich in der Farbe. »Beweinung Christi« in lebensgroßen Figuren, großen Formates. Man sagte, er wäre Schmied gewesen; da seine Geliebte einen Maler wollte, sei er ein Maler geworden.

S. 118. Susanna Horebout, Miniaturmalerin, später am englischen Hof tätig. Dürer schreibt im niederländ. Tageb.: »Item Meister Gerhart ›Horebout‹ Illuminist, ›Miniaturmaler‹, hat ein Töchterlein bei 18 Jahren alt, die heißt Susanna, die hat ein Blättlein illuminiert, ein Salvator, dafür hab ich ihr geben 1 fl. Ist ein groß Wunder, daß ein Weibsbild also viel machen soll.« Wenn Dürer in seinem trockenen Reporterstil so viel von dieser Susanna schreibt, mag sie ihm auch viel bedeutet haben. Daß Frauen zu seiner Zeit malten, galt ihm ein Wunder, das er anstaunte. Er muß mit ihrem Vater viel verkehrt haben, wie in den Aufzeichnungen ersichtlich.

S. 133. *Einzug Karls V. in Antwerpen*. Dürer schildert im niederländ. Tageb. die Triumphbogen, durch welche der Kaiser einziehen sollte, und schreibt: »Da waren die Triumphbögen gar köstlich gezieret mit Kammerspielen, großer Freudigkeit und schönen Jungfrauen, desgl. ich wenig gesehen habe.« Er erzählte später Melanchthon, diese Jungfr. seien fast nackt gewesen und haben Mythologisches dargestellt. Der Kaiser habe sie keines Blickes gewürdigt, er (Dürer) aber sei herangekommen, um die vollendeten Mädchen genauer zu betrachten: »Ich, weil ich ein Maler bin, hab mich unverschämter umgeschaut.« (Bürkner: »Dürer.«) Dürer besaß das gedruckte Programm des Festes und hat im Tagebuch deshalb nur knapp berichtet.

S. 139 f. *Über Pirkheimers Bann* vom Papst siehe Heidrich: S. 69 u. 74.

S. 145. Thomas Vincidor aus Bologna, ein Raffaelschüler, war 1520 in Antwerpen wegen der Webarbeit für die Teppiche Raffaels in der Sixtinischen Kapelle. Dürer schreibt im niederländ. Tagebuch (Heidrich: S. 56): »Item, des Raphaels von Urbins Ding ›Werke‹ ist nach seim Tod alls verzogen ›zerstreut worden‹. Aber seiner Discipuln (Schüler) einer mit Namen Thomas Polonier (Bolognier) ein guter Maler, der hat mich begehrt zu sehn. So ist er zu mir kommen und hat mir ein gulden Ring geschenkt, *antica*, gar mit ein guten geschnitten Stein, ist 5 fl. wert. Dargegen hab ich ihn geschenkt meines besten gedruckten Dings, das ist wert 6 fl. – Ich hab dem Thomas (1. Okt.) ein ganzen Druck (alle Kunstblätter) geben, der mir durch ihn ein ander Maler gen Rom geschickt wurde, der mir des Raphaels Ding (Stiche von Marcantonio nach R.s Bildern) dargegen schicken soll. Der Polonius (Vincidor) hat mich conterfet, das will er mit ihm gen Rom führen.« Das Original ist verschollen, es existiert ein Stich danach von A. Stock, 1629. Ein weicher, inhaltsleerer Kopf mit weit blickenden Augen.

S. 154. *Dürers Krankheit* nach dem Ausflug nach Zeeland ist erwiesen in seinem niederländ. Tageb., wo er viel Ausgaben für Arzt und Apotheke vermerkt, einem Arzt von seiner Kunstware schenkt und von Freunden eingemachte Früchte, Wein usw., wohl Krankenkost, bekommt. Er schreibt 1521 von: »heißes Fieber, großer Ohnmachten, Hauptweh, Unlust«. »Und da ich vormals in Zeeland war, da überkam mich eine wunderliche Krankheit, von der ich nie, von keinem Menschen gehört und diese Krankheit hab ich noch.«

S. 155 f. Erasmus von Rotterdam. Siehe: Ullsteins »Weltgeschichte«; Heinrich: »Dürer u. d. Ref.«, Busse: Geschichte d.

Weltliteratur, I. Bd. (Lpzg. 1913.) Im schriftl. Nachlaß Dürers (Lange u. Fuhse), und Heidrich, ist die Beziehung des Gelehrten zu Dürer genau angeführt.

S. 161. *Dürers Klage über Luthers vermuteten Tod.* Dürer verkehrte in Antwerpen viel in Kreisen von Lutherfreunden, die sich um Erasmus drängten, meist Humanisten wie der Sekretär des Rates Cornelius Grapheus, Maynaert Cuypers, der Augustiner-Prior Jakob Probst. Daß in dem Verkehr die lutherischen Fragen verhandelt wurden, geht aus Dürers Notiz hervor. Grapheus schenkte ihm Luthers Schrift von 1520: »von der babylonischen Gefängnus der Kirche.« So tritt der Klageerguß über Luthers vermeintl. Ende fast explosiv hervor, wohl in Gedanken, in denen sich Dürer täglich bewegte. Siehe niederländ. Tageb. (Heidrich), S. 95–101. Der Schluß dieses leidenschaftl. Ausbruches lautet: »O ihr Christenmenschen, bittet Gott um Hilfe, daß sein Urteil nahet und seine Gerechtigkeit wird offenbar. Dann werden wir sehen die Unschuldigen bluten (Inquisition usw.) die der Papst, Pfaffen und die Mönche vergossen, gerichtet und verdammt haben. *Apokalypsis!* Das sind die Erschlagenen, unter dem Altar Gottes liegend, und schreien um Rache, darauf die Stimme Gottes antwortet: Erwartet die vollkommene Zahl der unschuldig Erschlagenen, dann will ich richten.« Wenn Dürer Erasmus anruft: »O Erasme Roderdame, wo willt du bleiben?«, und fordert: »Hör, du Ritter Christi, reit hervor neben den Herrn Christum, beschütz die Wahrheit.« und weiter unten: »Daß sich Gott dein rühme, wie von David geschrieben steht, dann du magst thun, und fürwahr, du magst den Goliath (Papst) fällen.« – in diesen Ausströmungen überzeugten Luthertums mag wohl Dürers unwiderleglichstes Bekenntnis zur Reform der Kirche zu finden sein. Das läßt sich nie umdeuten oder verkennen. (Siehe Heidrich: »Dürer u. d. Ref.«)

S. 163. Erasmus schrieb über Dürer u. a.: »Einige nennen ihn den Apelles unserer Tage, ich aber meine, lebte Apelles heut, er würde als ehrlicher Mann Dürer die Palme überlassen ... Er weiß auch das gar nicht Darstellbare ... auf die Leinwand zu

zaubern, alle Leidenschaften, die ganze aus dem Körper hervorleuchtende Seele des Menschen, ja *fast die Sprache selbst.*« (Siehe
Thausing.)

S. 166. Joachim de Patenier, Landschaftsmaler, war Witwer,
heiratete am 5. Mai 1521 Johanna Noyts. Die Hochzeit war
prunkvoll, es wurden zwei Schauspiele, ein »andächtig und geistlich«, ein jedenfalls mythologisches, aufgeführt. Daran knüpfte
sich ein ländliches Fest. Dürer entwarf für die Landschaften Pateniers Staffagen, er verkehrte rege mit ihm. (Siehe Tagebuch.)

S. 185. *Allegorie Dürers.* Siehe Lippmann: »Dürers Handzeichnungen.«

S. 187. *Dürers Flucht aus den Niederlanden* wegen Ketzerverfol-
gung haben Gelehrte dahin gedeutet, daß der Verkehr mit den
sächsischen Augustinern ihm den Boden heiß gemacht habe,
wo D. »Stärkung für seine Lutherfreundschaft und evangel.
Gesinnung erhielt«. Es läßt sich aber nichts Bestimmtes über
eine Flucht nachweisen. Max Osborn schreibt in »Dürers Nachlaß« (Berlin 1905): »Dürer, in dessen Leben und Wirken die
Lehren des Christentums eine so mächtige Rolle spielten, trat
mit warmer Überzeugung auf die Seite derer, die um eine
Erneuerung des kirchl. Lebens kämpften und dem Papst die
Gefolgschaft kündigten.«

S. 192. Der Arzt Theophrastus Paracelsus hielt sich um diese
Zeit in Basel, dann in Straßburg auf. Sein Ruhm der Kunst,
empirisch zu heilen, war weit verbreitet. In Bologna und Basel
machte er die Erfahrungen, daß Vitriolspiritus und Sublimat-
schwefel dem Pestkranken Linderung, sogar Heilung verschaff-
ten. Kolbenheyer bringt in seinem grandiosen Werke: »Gestirn
des Paracelsus« (Müller, München 1922) große Klarheit über
diesen Empiriker. – Dürers Zeichnung seines Halbaktes, auf
dem der »gelb Fleck ist, da ist mir weh«, befindet sich in der Bremer Kunsthalle. Der Kopf läßt darauf schließen, daß die Zeichnung gegen 1521 entstand, denn bald darauf wurden Dürer die

Haare kurzgeschnitten, seine Lockenpracht mußte der Krankheit weichen.

S. 193. *Ecce homo.* Ein Ölgemälde, das Dürer um 1522, wie eine Zeichnung dazu in der Bremer Kunsthalle zeigt, gemalt hat, das aber verschollen ist. Es war seinerzeit berühmt und wohl im Besitz des Kardinals Albr. v. Brandenburg, wie F. Schneider (Mainzer Zeitschr. 1907) nachweist. Caspar Dooms hat nach dem Gemälde ein Schabkunstblatt angefertigt (1659), als es noch im Mainzer Dom war. In der Albertina befinden sich zwei Vordrucke dieses Blattes, wahrscheinlich nach der ersten Ätzung abgezogen. (Siehe Scherer: »Dürer« [»Klassiker d. Kunst«, IV.].)

S. 197 f. Maria von Regensburg wurde als wundertätig verehrt und ihr viel geopfert. Dürer schrieb auf einen Holzschnitt der »schönen Maria« (1523): »Dieses Gespenst hat sich wider die heilige Schrift erhoben …« So kann ein Marienbild nur jemand nennen, der nicht an die Heiligste glaubt, was aber bei Dürer mehr auf die materielle Ausnutzung des Gnadenbildes zu verstehen ist; er war gegen den Handel in heiligen Dingen und ärgerte sich, daß diese Übergriffe »zeitlichen Nutzens halber nicht abgestellt« wurden. »Gott helf uns, daß wir seine werte Mutter nit also verunehren.« Er hat ihr die demütigste Verehrung entgegengebracht.

S. 199. Philip Melanchthon, Luthers Freund. Literatur-Professor in Wittenberg weilte längere Zeit in Nürnberg. Dürer hat sich ihm innig angefreundet, ihn in Kupfer gestochen. Er verhandelte auch mit dem Rat wegen der Nonnenkloster, die in großer Gefahr waren. (Heidrich: »Dürer u. d. Ref.«)

S. 202. *Über Bilderstürmer* und Sektierer s. Heidrich: »Dürer u. d. Ref.«

S. 203 ff. Martin Luther. Siehe Ullsteins Weltgeschichte. Busse: Geschichte der Weltliteratur, Janssen: Gesch. d. deutschen Volkes: *Luthers Schriften* (Erlangen 1537) usw.

S. 212. *Radierungen*: »Entführung am Einhorn« und »Der Ver-
zweifelte«, 1516: Diese Radierungen hat Dürer, mehr als Versuche, auf Eisen geätzt (auch »Schweißtuch« und »Kanone«).
Ersteres ist wohl mythologisch, wie in Band III des Werkes
gedeutet. Die zweite Radierung impulsive Schraffier- und Ätz-
versuche, ohne eine Idee damit auszudrücken. (Repr. s. »Klassiker d. Kunst«, IV. Bd.)

S. 214. *Apostelidee*: Wie Wölfflin annimmt, ist die Idee, trotz
aller vorherigen Apostelzeichnungen, spontan entsprungen aus
dem Geist der Bekenntnisse. Das Problem bewegte D. viele
Jahre vorher schon. 1523 zeichnete er »Johannes« (Albertina),
stach in Kupfer »Philippus«, »Bartholomäus« und entwarf die
Zeichnung zum »Simon« (Albertina). Über die beiden großen
Gemälde schreibt Wölfflin: »Niemand hat sie bestellt, niemand
gekauft, sie sollten auch nicht in die Kirche kommen: Dürer
schenkte sie dem Rat seiner Vaterstadt. In Zeiten, wo alles
wankt, will er die Bilder als Lehrer aufstellen, die der Menschheit als einzige Weiser zum Rechten dienen sollten. – Mit der
ganzen ungeheuren Energie plastischer Empfindung sind die
wuchtigen Massen modelliert.« Melanchthon schreibt 1527 an
Georg von Anhalt: »Jetzt erst habe er (Dürer) erkannt, daß die
Einfachheit der höchste Ruhm der Kunst sei.« Wölfflin: »Dürer
hat nicht lange gebraucht, bis er sich zu dem Bilde hinauf-
schwang, es stand gleich bis in alle Winkel deutlich vor seinen
Augen.« – »Es ist mehr als ein bloßer Zufall«, schreibt Heidrich,
»daß gegenüber dem mißlichen Ausklingen von Pirkheimers
Leben die Tätigkeit Dürers ihren idealen Abschluß in den Apostelbildern findet. Das innerlich Trennende, das in den Charak-
tern lag, wird niemals ausgeschaltet werden können. – Die Reli-
giosität Dürers hat mit den Idealen des Humanismus nichts zu
tun. Es ist die Welt Luthers und Hans Sachs' in der der Künstler lebte.«

S. 220 f. *Über Hans Sachs* s. C. Busse: Gesch. d. Weltliteratur, I. Bd.

S. 224. Lazarus Spengler, 1479–1534, wurde 1507 Ratsschreiber, Genannter d. gr. Rates (1516). Er schrieb 1519 »Schutzrede für die Lehre M. Luthers«, die viel gelesen, auch verboten und von Dr. Eck mit den Lutherbüchlein usw. verbrannt wurde. Sie erbrachte ihm, wie für die »Apologia« Pirkheimer, die Bannbulle des Papstes. Beide dachten nicht an den Abfall von der Kirche. 1526 leitete er die »Disputation« zwischen den lutherischen und päpstlichen Predigern, er war die Triebfeder im Rat, Jurist unter den Theologen. Später wurde er von Pirkheimer angefeindet. Auch Dürer soll sich von ihm zurückgezogen haben. (Siehe Pirkheimers Brief an Tscherte.)

S. 225 f. Osiander (Andreas Hosemann), 1498 geb., war 1522 erster evangel. Prediger in Nürnberg. Sehr energisch, draufgängerisch, stiftete viel Unruhe, mit Spengler beherrschte er den Rat. Er hetzte das Volk gegen die Kloster auf. Seine Gegner waren u. a. Pirkheimer, der Karmeliter-Prior Andreas Stoß (Sohn des Veit Stoß) und Prediger Ludwig Hirschvogel.

S. 232. *Über die Sektierer*, Thomas Münzer, Rektor Hans Denk, die Brüder Beham, Georg Penz und Lautersack, s. Heidrich.

S. 237. *Mystische Lehren des Clairvaux*. Wölfflin: »Man muß wissen, daß Dürer die Gedanken an die *andere Welt* zeitlebens stark und im Alter immer mehr beschäftigt haben. Er war von schwerem Geblüt.« Die Bibel ist für ihn »das heilig, klar Evangelium, das da nit mit menschlicher Lehre verdunkelt sei« (1521), und: »Gott will nit zu seinem Wort getan, noch dannen genommen haben« (1526). – »Die Theologie Dürers ruht in dem so gar nicht verzagten, sondern durch und durch männlichen Erlösungsbegriff.« (Heidrich: »Dürer u. d. Ref.«)

S. 254. *Schembartlaufen*, s. Priem: Geschichte der Stadt Nürnberg, »Nürnberger Schembartbuch« (Chronik).

S. 289. *Über Frau Agnes und Pirkheimer*. Die deutschen Bürgersfrauen im Mittelalter genossen keinerlei Schuldbildung. Ihr Wesen war in der häuslichen Arbeit eingekapselt. So schien es wohl begreiflich, wenn sie, geistig arm, ihre Autorität im Kreise der Häuslichkeit energisch ausdrückten. Matthias Grünewald, der Maler des Schmerzes, soll ein Weib besessen haben, das ihn in Melancholie und Verwahrlosung trieb. Seine Gesellen sagten aus, er sei »übel verheurathet« gewesen. Sein »häuslich Unglück« habe ihn abgestumpft. Hans Sachs hat in seinen Possen das »böse Weib« gewiß nicht erdichtet noch übertrieben. Perugino, Pinturiccio und Rembrandt sollen von ihren Frauen sogar zu Tode gequält worden sein.

Pirkheimer hat Ähnliches von Frau Agnes geschrieben. Sie sollte ihm die seltenen Geweihe nach Dürers Tode überlassen, aber hat sie anderwärts um »ein Spott« verkauft. Das mochte diesen impulsiven Gelehrten, der krank und verärgert, dem Tode nahe war, zu dem Briefe getrieben haben, der Frau Agnes so ungerecht zum bösen Weibe stempelte. Er schrieb 1530 an Johannes Tscherte, Agnes habe Dürer »dermaßen gepeinigt, daß er sich desto schneller von hinnen gemacht hat, denn er war ausgedorrt wie ein Schaub (Motte); durfte auch nirgends guten Mut mehr suchen, oder zu Leuten gehen«. – Unter Leuten verstand er sich und die Humanisten. Melanchthon aber erzählte, daß er Dürer stets bei Pirkheimers Gastereien getroffen habe. Jedenfalls hielt ihn später, als er kränker wurde, Frau Agnes davon ab. Pirkheimer verstand es anders und schreibt, sie hätte aus Habsucht Dürer »Tag und Nacht zur Arbeit hart gedrängt bloß darum, daß er Geld verdiene und ihr es hinterlasse, so er sterbe«. Wie ganz anders versteht Camerarius den Fleiß Dürers. (Siehe sein Vorwort weiter unten.) – Ganz gallig aber wird Pirkheimers Brief in dem Satz: »Wer diesem Manne wohlwollte, und um ihn gewesen, dem ist sie feind geworden, was wahrlich Albrecht aufs höchste bekümmerte und ihn unter die Erde gebracht hat.« – Wir wissen heut, wie Pirkheimer, wenn er seine Meinung durchsetzen wollte, nicht immer mit gerechten Waffen kämpfte. Hier zeigt sich der Gegensatz eines lebenslustigen Schlemmers und einer von der Sorge um ihren Mann zermürbten Hausfrau. Aber Pirkheimer mochte während des Schreibens schon seine

Anklage ungerecht gefunden haben, denn er schwächte sie ab: »Es sind ja sie und ihre Schwester (Katharina Zinner) keine Bübinnen, sondern, wie ich nicht zweifle, der Ehe fromme und ganz gottesfürchtige Frauen.« – Der Brief verläuft in politischen Ärger, man liest viel Übelwollen und Schmähungen heraus, was auf die zerrüttete Gemütsverfassung Pirkheimers schließen läßt. Aber das entstellte Bild Frau Agnes' hat sich so ausgewirkt, daß man sie als Xanthippe verschrie. (Vgl. Thausing. I.)

Das Eheleben Dürers mag gewiß gelitten haben, je mehr sein Geist Flügel und ihre Sorge Nahrung gewannen. Wir finden solche Künstlerfrauen auch heut, wo sich der Mann in seine Ideale vergrübelt und die Frau in der häuslichen Sorge geistig verarmt. Frau Agnes erbrachte ein schönes Zeugnis ihrer Liebe, als sie von dem hinterlassenen Gut des Verstorbenen jene 1000 fl., die er so mühsam erwarb und in der Stadtkassa angelegt hatte, der Wittenberger Universität für ein Stipendium zur Ausbildung eines Theologen schenkte, was zu verstehen gibt, wie sie das Andenken ihres Mannes ehrte, ohne geizig zu sein. Melanchthon und Luther haben sie auch darum sehr gerühmt. – Sie soll elf Jahre nach Dürer gestorben sein.

Der Verfasser des vorliegenden Werkes hat die Aufgabe, den Charakter dieser Frau ihrer Zeitgeschichte entsprechend zu schildern und ein gerechtes Bild von ihr zu entrollen, ohne ihr hartes Wesen von der Verträglichkeit Dürers zu trennen.

S. 310. *Dürers Tod.* »Am 6. April 1528, 44 Tage vor Vollendung seines 57. Lebensjahres, ist Dürer gestorben. Jedenfalls unerwartet und plötzlich. Camerarius berichtet, Dürer sei jenes sanften, friedlichen Todes verblichen, wie es immer das Ziel irdischer Wünsche sei. In der Gruft der Familie Frey auf dem Johannesfriedhof fand er seine letzte Ruhestätte. Der liegende große Leichenstein trägt die schlichte Erztafel mit der Inschrift Pirkheimers in klassischem Latein: ›Dem Gedächtnis Albrecht Dürers. Was von Albrecht Dürer sterblich war, birgt dieser Hügel.‹ Darunter das berühmte Monogramm des großen

Toten.« (Bürkner.) Eobanus Hesse erzählt: »Das Hinscheiden des unvergleichlichen Meisters habe nahezu die ganze Stadt in Trauer versetzt.« – Heut trauert die Welt um ihn!


## Grundlage zur Charakterisierung Dürers in diesem Werke

Der Nürnberger Gymnasialrektor Joachim Camerarius gab nach Dürers Tode 1530 das Büchlein über die »Proportionslehre« heraus, dem er als Vorrede in lateinischer Sprache einen Nachruf voranstellte, in dem er Dürer schildert:

»Wenn irgend etwas in diesem Manne war, was einem Fehler ähnlich sah, so war es einzig der unendliche Fleiß und die oft bis zur Ungerechtigkeit an sich geübte Selbstkritik. – Ihm hatte die Natur einen Körper gegeben, ansehnlich in Bau und Gliederung, entsprechend dem schönen Geiste, den er enthielt. Sein Kopf war ausdrucksvoll, die Augen leuchtend, die Nase edel geformt und was die Griechen viereckig nennen, der Hals etwas lang, die Brust breit, der Leib schlank und sehnig. Nichts Zierlicheres aber konnte man sehen als seine Hand. In seiner Rede lag ein solcher Wohllaut und ein solcher Reiz, daß den Zuhörern nichts mehr leid tat, als wenn er aufhörte zu sprechen. Er war getragen von einem glühenden Eifer zu aller Tugend, Sitte und ehrbarem Wandel, und das mit solchem Erfolge, daß er mit Recht für den besten Menschen gehalten wurde. – Er hat alles das, was zur Annehmlichkeit und zur Erheiterung des Daseins dient, ohne vom Ehrbaren und Guten abzulenken, sein Leben lang nicht verschmäht und noch in seinem Alter gebilligt. – Vor allem anderen aber hatte ihn die Natur zur Malerei geschaffen, darum erfaßte er auch deren Studium mit allen Kräften. – Was soll ich aber von der Fertigkeit und Sicherheit seiner Hand sagen? Man möchte schwören, es sei mit Zirkel und Richtscheit gezeichnet, was er frei mit Stift oder Pinsel hinschrieb zum bewundernden Staunen der Zuschauer. Was soll ich erzählen von der zwischen seiner Hand und seiner Phantasie herrschenden Übereinstimmung, daß er oft mit Stift oder Feder die Gestalten aller möglichen Dinge vorzüglich auf das Papier hinwarf. Ich fürchte wahrlich, es wird den Lesern der Zukunft unglaublich erscheinen, daß er zuweilen ganz verschiedene Teile einer Komposition nicht nur, sondern auch eines Körpers vereinzelt hinstellte, die vereinigt einander derart entsprachen, daß nichts besser hätte zusammenpassen können. So vollkommen war der Geist des einzigen Künstlers ausgestattet mit allem Wissen, wie mit dem Verständnisse der Wirklichkeit und des Einklanges der Töne unter sich, so lenkte und meisterte er die Hand und ließ sie vertrauend seinem Geheiße folgen ohne Hilfsmittel. Gleicherart war seine Fertigkeit in der Handhabung des Pinsels, mit dem er ohne Vorzeichnung die feinsten Dinge auf die Leinwand oder die Holztafel hinschrieb.

Obwohl nun Albrecht so hoch stand, strebte er doch in seinem erhabenen Geiste immer noch nach Höherem. – Wie sehr war dieser Künstler seines Ruhmes würdig! Schon die Ausdrücke des lebendigen Antlitzes, was sie Konterfei nennen, wie ähnlich hat er sie wiedergegeben, wie unfehlbar wahr. Und das alles verfolgte er so weit, daß er zur Kunst auch die Begründung ihres Gebrauchs ins Leben rief, die bis dahin unbekannt und zumal bei unseren Künstlern unerhört war. Denn wo gab es einen unter ihnen, der von seinem Werke, wenn er gleich hohen Ruhm damit erlangt hatte, auch zugleich die Begründung auseinandersetzen konnte, daß es den Anschein hatte, als hätte er mehr durch Wissenschaft als durch einen glücklichen Wurf sein Lob erworben.«

# Elegie auf Dürers Tod

*von*
*Wilibald Pirkheimer.*

»Der du mir so lange Jahre am innigsten verbunden warst,
Albrecht, du meiner Seele bester Teil, warum verlässest du so
plötzlich den trauernden Freund und enteilest raschen, nim-
merkehrenden Schrittes. Nicht vergönnt war es mir, das teure
Haupt zu berühren, die Hand zu fassen und dem Scheidenden
ein letztes Lebewohl zu sagen, denn kaum hattest du die müden
Glieder dem Lager anvertraut, als dich auch schon der Tod
eilends dahinraffte. – Er ist dahin, er ist dahin, unser Albrecht.
O unerbittliche Ordnung des Schicksals, o erbärmliches Men-
schenlos, o unbarmherzige Härte des Todes! Ein solcher Mann,
ja ein solcher Mann ist uns entrissen, indeß so viele unnütze
und nichtsnutzige Menschen eines dauernden Glückes und
eines nur allzu langen Lebens genießen!« –


*Ende des Werkes*

# Quellen

Amberger, G. P., Chronik der Stadt Nürnberg, Nürnberg.

Derselbe, Raths- u. Geschlechterbücher d. Nürnb. Stadtbibliothek, Nürnberg.

Briegleb, Ausweisung d. Juden von Nürnberg.

Burckhardt, D., Die Schule Martin Schongauers am Oberrhein, Basel 1888.

Derselbe, Dürers Aufenthalt in Basel 1492–1494, München 1892.

Burckhardt, J., Die Kultur der Renaissance in Italien, Leipzig 1913.

Richard Bürkner: »Dürer«, Berlin 1911 (Sammlung: »Geisteshelden«, herausgegeben von E. Hofmann.

Campe, Reliquien von Dürer.

Derselbe, Willibald Pirkheimer.

Carpenter, Edward, Die Schöpfung als Kunstwerk, Jena 1908.

Albrecht Dürers schriftl. Nachlaß, herausgegeben v. Ernst Heidrich, Berlin 1910.

Dürers Tagebuch d. Reise i. d. Niederlande, Leipzig 1884.

Floerke, H., Studien z. niederländ. Kunst- u. Kulturgeschichte, München 1905.

Goldast, Pirkheimers Werke, 1610.

Grimm, Herm., Das Leben Michelangelos, Stuttgart 1912.

Hagen, Karl, Pirkheimers literar. u. human. Beziehungen.

Hase, O., Die Koberger, Leipzig 1885.

Hausdorff, Urban Gottlieb, Lebensbeschreibung eines christl. Politici, nehmlich Lazari Spenglers … Rathsschreibers zu Nürnberg, Nürnberg 1740.

Heidrich, Ernst, Dürer u. d. Reformation, Leipzig 1909.

Heinse, W., Ardinghello u. die glücksel. Inseln, Berlin 1914.

Heyck. E., Kaiser Maximilian I., Bielefeld.

Hollanda, Francisco de, Vier Gespräche über Malerei, Wien 1899.

Jolles, A., Begriff d. Naturwahrheit, Freiburg i. Br., 1905.

Jürges, Luthers Leben.

Klaiber, Dürers Kunsttheorie.

Lehmann, Alfr., Das Bildnis bei den altdeutsch. Meistern bis auf Dürer, Leipzig 1900.

Lippmann, F., Dürers Handzeichnungen, Berlin 1902–05.

Lochner, G. W. C., Die Reformationsgeschichte der Reichsstadt Nürnberg, Nürnberg 1845.

Derselbe, Lebensläufe berühmter Nürnberger, Nürnberg 1861.

Lützow, C. v., Geschichte des deutschen Kupferstiches und Holzschnittes, Berlin 1891.

Malblanc, Jul. Frid., Geschichte der peinlichen Gerichtsordnung Kaiser Karls V., Nürnberg 1783.

Martini, Joh. Christoph, Historisch-geograph. Beschreibung d. ehem. berühmten Frauenklosters Engelthal in dem Nürnberger Gebiete, Nürnberg 1762.

Mayer, A. L., Grünewald, der Romantiker des Schmerzes, München 1919.

Mayer, Friedr., Des alten Nürnbergs Sitten u. Gebräuche, 1831.

Mengs, Raphael. Gedanken über die Schönheit u. über den Geschmack in der Malerei, Leipzig 1875.

Möller, W. Andres Osiander, Leben u. ausgew. Schriften der Väter u. Begründer d. luth. Kirche, Bd. V, Elberfeld 1870.

Müller, Joh., Annalen der Reichsstadt Nürnberg, Nürnberg 1600.

Müller, Dr. J. A., Die Ästhetik Albrecht Dürers.

Muther, R., Geschichte d. Malerei, I u. II, Berlin 1912.

Ohorn, Anton, Hans Sachs, d. deutsche Handwerker u. Dichter, Dresden 1877.

Priem, Joh. Paul, Geschichte d. Stadt Nürnberg von dem ersten urkundlichen Nachweis ihres Bestehens bis auf die neueste Zeit, Nürnberg 1893–95.

Rée, P. J., Nürnberg, Bielefeld u. Leipzig 1912.

Retberg, R. v., Dürers Kupferstiche u. Holzschnitte. München 1871.

Sandrart, Joachim, »l'*Academia Todesca*« oder Teutsche Academie der Bau-, Bild- und Malerkünste, Nürnberg 1675–79.

Schaeffer, Emil, Die Frau i. d. venezian. Malerei, München 1899.

Scheure, *Libellus de laudibus Germanie et ducum Saxonie*.

Singer, Hans W., Der Kupferstich, Bielefeld u. Leipzig 1912.

Soden, Franz Ludwig, Urkundl. Beiträge z. Geschichte d. Reformation u. d. Sitten jener Zeit m. bes. Hinblick auf Chr. Scheure, II, Nürnberg 1855.

Soden, F., Kaiser Maximilian II. in Nürnberg, Erlangen 1866.

Suida, Wilh., Dürers Genredarstellungen, Straßburg 1900.

Thausing, Mor., Dürer, Leipzig 1884.

Vasari, G., Lebensbeschreibungen d. ausgezeichnetsten Maler, Bildhauer u. Architekten d. Renaissance, Berlin 1913.

Wölfflin, Heinrich, Die Kunst Albrecht Dürers, München 1920.

Würfel, Andr., *Diptycha ecclesiarum*, Nürnberg, 1756.

Zahn, A. v., Dürers Kunstlehre u. s. Verhältnis z. Renaissance, Leipzig 1866.

Zucker, Markus, Albrecht Dürer in seinen Briefen, Leipzig 1908.